本书获

2024 年度贵州省出版传媒事业发展专项资金资助
2022 年贵州出版集团有限公司出版专项资金资助

中國改革開放

第四卷

（2012—2023）

沈传亮／主编　　沈传亮／著

贵州出版集团
贵州人民出版社
北京出版集团
北京出版社

图书在版编目（CIP）数据

中国改革开放. 第四卷, 2012—2023 / 沈传亮主编；沈传亮著. -- 贵阳：贵州人民出版社；北京：北京出版社, 2025. 3. -- ISBN 978-7-221-18978-3

Ⅰ. D61

中国国家版本馆CIP数据核字第2025ZB0728号

ZHONGGUO GAIGE KAIFANG　DI-SI JUAN（2012—2023）

中国改革开放　第四卷（2012—2023）

沈传亮　主编　沈传亮　著

出 版 人　朱文迅
出版统筹　谢丹华　戴　俊　王显永
策划编辑　田　军　王　娜　丁林枫
特邀编辑　陶宇辰　白　云　王　娜
责任编辑　严　娇　张　黎
封面设计　田　晗

出版发行　贵州出版集团　贵州人民出版社
地　　址　贵阳市观山湖区中天会展城会展东路SOHO公寓A座
印　　刷　唐山才智印刷有限公司
版　　次　2025年3月第1版
印　　次　2025年3月第1次印刷
开　　本　710毫米×1000毫米　1/16
印　　张　25.25
字　　数　378千字
书　　号　ISBN 978-7-221-18978-3
定　　价　89.00元

目录

第一章

党的十八大与全面深化改革的提出

改革开放是当代中国最显著的标识。经过30多年的艰苦奋斗、不懈努力，中国改革开放和社会主义现代化建设取得巨大成就，党的建设新的伟大工程取得显著成效，为我们继续前进奠定了坚实基础、创造了良好条件、提供了重要保障，同时一系列长期积累及新出现的突出矛盾和问题亟待解决。在我国进入全面建成小康社会决定性阶段召开的党的十八大，不仅对全面建成小康社会作出周密部署，把科学发展观确立为全党应长期坚持的指导思想，还鲜明提出了全面深化改革的新的目标要求。在党的十八届一中全会上，习近平同志当选为中国共产党中央委员会总书记。此后，以习近平同志为核心的党中央，审时度势、果敢抉择，锐意进取、攻坚克难，带领全党全国各族人民奋力开辟全面深化改革新境界、成功开创中国特色社会主义新时代。

第一节　改革开放来到了新的重要关头

实践发展永无止境，解放思想永无止境，改革开放也永无止境。经过30多年的改革开放，党和国家事业取得巨大进展。实践证明，改革开放是推动党和国家事业进步的强大动力。推动党和国家事业继续前进，就必须坚持改革开放。

进入新时代，中国的改革开放也来到了新的重要关头。一方面是“我国改革已经进入攻坚期和深水区”[①]，容易的、皆大欢喜的改革已经完成了，好吃的肉都吃掉了，剩下的都是难啃的硬骨头；另一方面是改革开放持续进行了几十年，有些地方和部门出现改革动力不足、开放心态趋于保守的思想问题。这就要求，全党必须以更大决心冲破思想观念的障碍，突破利益固化的藩篱，以壮士断腕的勇气，敢于向积存多年的顽瘴痼疾开刀。

所谓“攻坚期”，就是进行改革的难度加大；所谓“深水区”，就是实施改革的危险增加。从党的十八大开始，中国特色社会主义进入新时代。中国所处的新的历史方位，是一个船到中流浪更急、人到半山路更陡的时候，是一个愈进愈难、愈进愈险而又不进则退、非进不可的时候，这就是改革的难度所在。危险就在于触动利益往往比触及灵魂还难，深化改革就必定要触动原有的利益格局，改革的阻力不断加大，达成共识也就比较困难。我国的改革开放已经越过了“帕累托改进”阶段，当时那些绕过去的和未解决的矛盾与问题并不会因此而消失，相反可能随着改革推进而成为绕不过去的“拦路虎”“绊脚石”。这些累积的矛盾和问题以及新出现的矛盾和问题，已经摆在我们的面前，躲不开也绕不过。同时，各种利益矛盾错

---

① 习近平:《习近平著作选读》第一卷，人民出版社2023年版，第65页。

综复杂、盘根错节，改革已经进入牵一发而动全身的新阶段，改革开放的艰巨性、复杂性在不断增强。

深化改革，迫切需要进一步解放思想、更新观念。几十年前刚刚实施改革开放时，就经历了关于真理标准问题的大讨论，没有那一场思想大解放就不会有改革开放的大踏步推进。在改革开放的新的历史关头，必须进一步解放思想，全党要充分认识改革开放的极端重要性，充分认识我们过去之所以成功是靠改革开放，未来要继续成功仍然需要靠改革开放。只有通过解放思想，才能凝聚起改革开放的共识，形成强大的思想合力；只有更新观念，才能正确认识改革开放的迫切性，才能采取一致的行动。

历史和实践都表明，我国的改革开放每一步都不是轻而易举的，未来必定会遇到这样或那样的风险与挑战，甚至会遇到难以想象的惊涛骇浪。因此，我们绝不能有半点骄傲自满、故步自封，也绝不能有丝毫犹豫不决、徘徊彷徨，必须勇立潮头、奋勇搏击，依靠顽强斗争、敢干敢闯，打开伟大事业发展的新天地。

第二节　党的十八大提出全面深化改革

中国共产党全国代表大会担负着制定党的路线、方针、政策，选举产生新的中央领导机构等重要使命，对党和国家未来一段时期的发展具有极其重要的影响，因此备受关注。在改革进入攻坚期和深水区背景下召开的党的十八大，提出全面深化改革的新要求，不仅延续了改革开放的大政策，还具有鲜明的针对性、时代性。

一、选举党代表和起草党代会报告

2011 年 10 月，党的十七届六中全会决定 2012 年下半年召开党的十八大。而选好党代表、起草好大会报告，是开好党代会最基础的工作内容。

党代表的选举，启动较早。2011 年 8 月，中央政治局常委会和中央政治局会议专门研究党的十八大代表选举工作，明确了选举工作的指导思想和政策规定。10 月，中央印发《关于党的十八大代表选举工作的通知》，对选举工作作出全面部署。中央确定，党的十八大代表名额共 2270 名，由全国 40 个选举单位选举产生。中央强调，党的十八大代表应是共产党员中的优秀分子，应当具有坚定的理想信念、正确的政治立场、良好的品德作风、优秀的工作业绩和较强的履行代表职责能力。中央提出，要适当增加生产和工作第一线代表名额，注意推荐工人、农民和专业技术人员党员中的先进模范人物作为代表人选，工人党员代表比例要有较大幅度提高。党的十八大代表的产生采取自下而上、上下结合、反复酝酿、逐级遴选的办法进行。党的十八大代表实行差额选举，差额选举比例应多于 15%。经中央批准，中央组织部召开专门会议，对选举工作作出具体部署，并组织开展选举工作业务培训。经过严格程序，历经 10 个月，选出的党代表：大专以上学历的 2122 名，占 93.5%；平均年龄为 52 岁，年轻党员代表数量增加，35 岁以下的 114 名，占 5%，比十七大时提高 1.9 个百分点；女党员代表、少数民族党员代表均比十七大时有所增加。代表们的行业分布广泛、结构合理、比例恰当、整体优秀。

起草一份高质量报告，是开好大会的关键。2012 年 1 月，根据中央政治局常委会和中央政治局的决定，党的十八大报告起草工作正式启动，中央成立由习近平同志任组长，李克强、刘云山同志任副组长，包括党中央、国务院有关部门和部分省区市负责同志在内的文件起草组。明确要在中央政治局和中央政治局常委会领导下，集中全党全国人民智慧，全面分析把握世情、国情、党情，以高度的历史使命感和政治责任感做好起草工作。1 月 5 日，胡锦涛同志在文件起草组第一次全体会议上发表重要讲话，对报告起草工作作出全面部署，确定了“四个必须”的指导原则，即必须坚持以科学发展观为指导，必须认真总结党领导人民推进改革开放和社会主义现代化建设的生动实践和新鲜经验，必须从战略全局上对我国改革发展作出部署，必须坚持解放思想、实事求是、与时俱进，努力把党的十八大报告写成坚持以马克思主义为指导、适应党和国家事业发展要求、符合全党全国人民意愿、富有改革创新精神的文件。报告起草组组长习近平同志在会上指出，胡锦涛同志的重要讲话，高屋建瓴、立意高远，从继续全面建设小康社会，加快推进社会主义现代化，加强改进新形势下党建工作，不断开创社会主义经济建设、政治建设、文化建设、社会建设以及生态文明建设新局面的高度，全面阐释了起草好党的十八大报告的重大意义，确定了报告起草工作的重要指导原则，具有非常重要的理论性、实践性和战略性。经过反复征求意见，数易其稿后，党代会报告基本完成。

2012 年 11 月 1 日至 4 日召开了十七届七中全会，会议决定，中国共产党第十八次全国代表大会于 2012 年 11 月 8 日在北京召开。会议听取和讨论了胡锦涛同志受中央政治局委托作的工作报告。全会讨论并通过了党的十七届中央委员会向党的第十八次全国代表大会的报告，讨论并通过了《中国共产党章程（修正案）》，决定将这两份文件提请党的第十八次全国代表大会审议。习近平同志就党的十七届中央委员会向党的第十八次全国代表大会的报告讨论稿和《中国共产党章程（修正案）》讨论稿向全会作了说明。全会全面分析了当前形势和任务，深入讨论了新形势下发展中国特色社会主义伟大事业、推进党的建设新的伟大工程的若干重大问题，为召开党的第十八次全国代表大会作了充分准备。

二、提出全面建成小康社会的新要求

党的十八大以提出全面建成小康社会和全面深化改革新要求，确立科学发展观指导思想地位，选举产生新一届党中央领导集体，而载入史册。全面建成小康社会和全面深化改革新的目标要求的提出，是为了衔接党的十六大到十八大十年间全面建设小康社会，也是为了实现党的第一个百年奋斗目标。

2012 年 11 月 8 日至 14 日，中国共产党第十八次全国代表大会在北京召开。大会代表 2268 人，特邀代表 57 人，代表全国 8200 多万名党员。大会主题是：高举中国特色社会主义伟大旗帜，以邓小平理论、“三个代表”重要思想、科学发展观为指导，解放思想，改革开放，凝聚力量，攻坚克难，坚定不移沿着中国特色社会主义道路前进，为全面建成小康社会而奋斗。大会批准了胡锦涛同志代表十七届中央委员会所作的报告《坚定不移沿着中国特色社会主义道路前进　为全面建成小康社会而奋斗》，通过了关于十七届中央委员会报告的决议、关于《中国共产党章程（修正案）》的决议和关于中央纪律检查委员会工作报告的决议。

大会分析了国际国内形势的发展变化，回顾总结了过去五年的工作和中共十六大以来的奋斗历程及取得的历史性成就，确定了全面建成小康社会和全面深化改革的目标，对新的时代条件下推进中国特色社会主义事业作出全面部署，对全面提高党的建设科学化水平提出了明确要求。报告描绘了全面建成小康社会、加快推进社会主义现代化的宏伟蓝图，为党和国家事业进一步发展指明了方向。

关于从党的十六大到十八大这十年取得的成就，党代会报告使用了“历史性成就”的说法。大会报告指出：“这十年，我们紧紧抓住和用好我国发展的重要战略机遇期，战胜一系列重大挑战，奋力把中国特色社会主义推进到新的发展阶段。进入新世纪新阶段，国际局势风云变幻，综合国力竞争空前激烈，我们深化改革开放，加快发展步伐，以加入世界贸易组织为契机，变压力为动力，化挑战为机遇，坚定不移推进全面建设小康社会进程。前进过程中，我们战胜突如其来的非典疫情，认真总结我国发展实践，准确把握我国发展的阶段性特征，及时提出和全面贯彻科学发展观等重大战略思想，开拓了经济社会发展的广阔空间。二〇〇八年以后，国际金融危机使我国发展遭遇严重困难，我们科学判断、果断决策，采取一系列重大举措，在全球率先实现经济企稳回升，积累了有效应对外部经济风险冲击、保持经济平稳较快发展的重要经验。我们成功举办北京奥运会、残奥会和上海世博会，夺取抗击汶川特大地震等严重自然灾害和灾后恢复重建重大胜利，妥善处置一系列重大突发事件。在十分复杂的国内外形势下，党和人民经受住严峻考验，巩固和发展了改革开放和社会主义现代化建设大局，提高了我国国际地位，彰显了中国特色社会主义的巨大优越性和强大生命力，增强了中国人民和中华民族的自豪感和凝聚力。十年来，我们取得一系列新的历史性成就，为全面建成小康社会打下了坚实基础。我国经济总量从世界第六位跃升到第二位，社会生产力、经济实力、科技实力迈上一个大台阶，人民生活水平、居民收入水平、社会保障水平迈上一个大台阶，综合国力、国际竞争力、国际影响力迈上一个大台阶，国家面貌发生新的历史性变化。人们公认，这是我国经济持续发展、民主不断健全、文化日益繁荣、社会保持稳定的时期，是着力保障和改善民生、人民得到实惠更多的时期。我们能取得这样的历史性成就，靠的是党的基本理论、基本路线、基本纲领、基本经验的正确指引，靠的是新中国成立以来特别是改革开放以来奠定的深厚基础，靠的是全党全国各族人民的团结奋斗。”①

大会指出，90 多年来，中国共产党紧紧依靠人民，把马克思主义基本原理同中国实际和时代特征结合起来，独立自主走自己的路，历尽千辛万苦，付出各种代价，取得革命、建设、改革伟大胜利，开创和发展了中国特色社会主义，从根本上改变了中国人民和中华民族的前途命运。

大会第一次对中国特色社会主义道路、中国特色社会主义理论体系、中国特色社会主义制度作出完整、明确概括。中国特色社会主义道路，就是在中国共产党领导下，立足基本国情，以经济建设为中心，坚持四项基本原则，坚持改革开放，解放和发展社会生产力，建设社会主义市场经济、社会主义民主政治、社会主义先进文化、社会主义和谐社会、社会主义生态文明，促进人的全面发展，逐步实现全体人民共同富裕，建设富强民主文明和谐美丽的社会主义现代化国家。中国特色社会主义理论体系，就是

---

① 《中国共产党第十八次全国代表大会文件汇编》，人民出版社 2012 年版，第 5—7 页。

包括邓小平理论、“三个代表”重要思想、科学发展观在内的科学理论体系，是对马克思列宁主义、毛泽东思想的坚持和发展。中国特色社会主义制度，就是人民代表大会制度的根本政治制度，中国共产党领导的多党合作和政治协商制度、民族区域自治制度及基层群众自治制度等基本政治制度，中国特色社会主义法律体系，公有制为主体、多种所有制经济共同发展的基本经济制度，以及建立在这些制度基础上的经济体制、政治体制、文化体制、社会体制等各项具体制度。中国特色社会主义道路是实现途径，中国特色社会主义理论体系是行动指南，中国特色社会主义制度是根本保障，三者统一于中国特色社会主义伟大实践，这是党领导人民在建设社会主义长期实践中形成的最鲜明特色。大会指出，道路、理论体系和制度是党和人民 90 多年奋斗、创造、积累的根本成就，必须倍加珍惜、始终坚持、不断发展。

大会提出在新的历史条件下夺取中国特色社会主义新胜利必须坚持的八个基本要求：坚持人民主体地位、坚持解放和发展社会生产力、坚持推进改革开放、坚持维护社会公平正义、坚持走共同富裕道路、坚持促进社会和谐、坚持和平发展、坚持党的领导。大会提出建设中国特色社会主义，总依据是社会主义初级阶段，总布局是“五位一体”，总任务是实现社会主义现代化和中华民族伟大复兴。

大会确立科学发展观的指导思想地位。党的十八大系统阐述了科学发展观的时代背景、历史地位、精神实质、指导意义和根本要求。报告指出，科学发展观是马克思主义同当代中国实际和时代特征相结合的产物，是马克思主义关于发展的世界观和方法论的集中体现，对新形势下实现什么样的发展、怎样发展等重大问题作出了新的科学回答，把我们对中国特色社会主义规律的认识提高到新的水平，开辟了当代中国马克思主义发展新境界。

科学发展观是中国特色社会主义理论体系的最新成果，是中国共产党集体智慧的结晶，是指导党和国家全部工作的强大思想武器。科学发展观同马克思列宁主义、毛泽东思想、邓小平理论、“三个代表”重要思想一道，是党必须长期坚持的指导思想。深入贯彻落实科学发展观，对坚持和发展中国特色社会主义具有重大现实意义和深远历史意义，必须把科学发展观贯彻到中国现代化建设全过程、体现到党的建设各方面。全党必须更加自觉地把推动经济社会发展作为深入贯彻落实科学发展观的第一要义，必须更加自觉地把以人为本作为深入贯彻落实科学发展观的核心立场，必须更加自觉地把统筹兼顾作为深入贯彻落实科学发展观的根本方法。解放思想、实事求是、与时俱进、求真务实，是科学发展观最鲜明的精神实质。实践发展永无止境，认识真理永无止境，理论创新永无止境。中国共产党一定要勇于实践、勇于变革、勇于创新，把握时代发展要求，顺应人民共同愿望，不懈探索和把握中国特色社会主义规律，永葆党的生机活力，永葆国家发展动力，在党和人民创造性实践中奋力开拓中国特色社会主义更为广阔的发展前景。大会通过的党章修正案把科学发展观作为党的行动指南写入党章，使其成为全党要长期坚持的指导思想，这是中共十八大的一个重要历史性贡献。

大会提出全面建成小康社会新要求。大会指出，综观国际国内大势，我国发展仍处于可以大有作为的重要战略机遇期。我们要准确判断重要战略机遇期内涵和条件的变化，全面把握机遇，沉着应对挑战，赢得主动，赢得优势，赢得未来，确保到 2020 年实现全面建成小康社会宏伟目标。根据我国经济社会发展实际，要在十六大、十七大确立的全面建设小康社会目标的基础上努力实现新的要求。这些要求主要有：一是经济持续健康发展。转变经济发展方式取得重大进展，在发展平衡性、协调性、可持续性明显增强的基础上，实现国内生产总值和城乡居民人均收入比 2010 年翻一番。科技进步对经济增长的贡献率大幅上升，进入创新型国家行列。工业化基本实现，信息化水平大幅提升，城镇化质量明显提高，农业现代化和社会主义新农村建设成效显著，区域协调发展机制基本形成。对外开放水平进一步提高，国际竞争力明显增强。二是人民民主不断扩大。民主制度更加完善，民主形式更加丰富，人民积极性、主动性、创造性进一步发挥。

依法治国基本方略全面落实，法治政府基本建成，司法公信力不断提高，人权得到切实尊重和保障。三是文化软实力显著增强。社会主义核心价值体系深入人心，公民文明素质和社会文明程度明显提高。文化产品更加丰富，公共文化服务体系基本建成，文化产业成为国民经济支柱性产业，中华文化走出去迈出更大步伐，社会主义文化强国建设基础更加坚实。四是人民生活水平全面提高。基本公共服务均等化总体实现。全民受教育程度和创新人才培养水平明显提高，进入人才强国和人力资源强国行列，教育现代化基本实现。就业更加充分。收入分配差距缩小，中等收入群体持续扩大，扶贫对象大幅减少。社会保障全民覆盖，人人享有基本医疗卫生服务，住房保障体系基本形成，社会和谐稳定。五是资源节约型、环境友好型社会建设取得重大进展。主体功能区布局基本形成，资源循环利用体系初步建立。单位国内生产总值能源消耗和二氧化碳排放量大幅下降，主要污染物排放总量显著减少。森林覆盖率提高，生态系统稳定性增强，人居环境明显改善。

实现小康，关键在党的领导。大会提出全面提高党的建设科学化水平。党的十八大第一次明确提出全面提高党的建设科学化水平的重大命题，并对党的建设科学化提出新的要求，进行了战略部署。大会指出："新形势下，党面临的执政考验、改革开放考验、市场经济考验、外部环境考验是长期的、复杂的、严峻的，精神懈怠危险、能力不足危险、脱离群众危险、消极腐败危险更加尖锐地摆在全党面前。不断提高党的领导水平和执政水平、提高拒腐防变和抵御风险能力，是党巩固执政地位、实现执政使命必须解决好的重大课题。全党要增强紧迫感和责任感，牢牢把握加强党的执政能力建设、先进性和纯洁性建设这条主线，坚持解放思想、改革创新，坚持党要管党、从严治党，全面加强党的思想建设、组织建设、作风建设、反腐倡廉建设、制度建设，增强自我净化、自我完善、自我革新、自我提高能力，建设学习型、服务型、创新型的马克思主义执政党，确保党始终成为中国特色社会主义事业的坚强领导核心。"这就从主线、原则、布局、重点、目标等角度，对全面提高党的建设科学化水平提出了总要求。

大会从八个方面对全面提高党的建设科学化水平进行战略部署。一是坚定理想信念，坚守共产党人精神追求。二是坚持以人为本、执政为民，始终保持党同人民群众的血肉联系。三是积极发展党内民主，增强党的创造活力。四是深化干部人事制度改革，建设高素质执政骨干队伍。五是坚持党管人才原则，把各方面优秀人才集聚到党和国家事业中来。六是创新基层党建工作，夯实党执政的组织基础。七是坚定不移反对腐败，永葆共产党人清正廉洁的政治本色。八是严明党的纪律，自觉维护党的集中统一。党的十八大关于党的建设提出的新思想新举措，是对马克思主义政党建设理论的重大发展，为中国特色社会主义新时代推进党的建设新的伟大工程提供了行动纲领。大会报告还从经济、政治、文化、社会、国防和军队、祖国统一、外交以及党的建设等各个方面提出了具体要求，为全面建成小康社会指明了方向。

大会选举产生新的中央领导集体。大会顺利实现了中共中央领导集体的新老交替。经过认真酝酿，大会选举出由 205 名委员、171 名候补委员组成的十八届中央委员会，选举出十八届中央纪律检查委员会委员 130 名。

三、提出全面深化改革的目标要求

党的十八大总结了过去五年改革开放取得的重大进展，把坚持推进改革开放作为在新的历史条件下夺取中国特色社会主义新胜利必须牢牢把握的基本要求之一，并着眼全面建成小康社会提出了全面深化改革的目标要求。

关于过去五年改革开放取得的进展，党的十八大报告指出，改革开放取得重大进展。农村综合改革、集体林权制度改革、国有企业改革不断深化，非公有制经济健康发展。现代市场体系和宏观调控体系不断健全，财税、金融、价格、科技、教育、社会保障、医药卫生、事业单位等改革稳步推进。这就从总体上概括了从党的十七大到十八大五年间的改革进展。

关于作为基本要求之一的“必须坚持推进改革开放”，党的十八大报告指出："改革开放是坚持和发展中国特色社会主义的必由之路。要始终把改革创新精神贯彻到治国理政各个环节，坚持社会主义市场经济的改革方向，坚持对外开放的基本国策，不断推进理论创新、制度创新、科技创新、文化创新以及其他各方面创新，不断推进我国社会主义制度自我完善和发展。"这既明确了改革开放的重要作用和地位，又明确了推进改革开放的方向和路径。

全面建成小康社会不会一帆风顺，也不可能一蹴而就。党的十八大指出，必须以更大的政治勇气和智慧，不失时机深化重要领域改革，坚决破除一切妨碍科学发展的思想观念和体制机制弊端，构建系统完备、科学规范、运行有效的制度体系，使各方面制度更加成熟更加定型。"这是在全面建成小康社会决定性阶段向全党全国发出的深化改革开放新的宣言书、新的动员令。"①

党的十八大就全面深化改革作出方向性、前瞻性部署，指出要加快完善社会主义市场经济体制，完善公有制为主体、多种所有制经济共同发展的基本经济制度，完善按劳分配为主体、多种分配方式并存的分配制度，更大程度更广范围发挥市场在资源配置中的基础性作用，完善宏观调控体系，完善开放型经济体系，推动经济更有效率、更加公平、更可持续发展。加快推进社会主义民主政治制度化、规范化、程序化，从各层次、各领域扩大公民有序政治参与，实现国家各项工作法治化。加快完善文化管理体制和文化生产经营机制，基本建立现代文化市场体系，健全国有文化资产管理体制，形成有利于创新创造的文化发展环境。加快形成科学有效的社会管理体制，完善社会保障体系，健全基层公共服务和社会管理网络，建立确保社会既充满活力又和谐有序的体制机制。加快建立生态文明制度，健全国土空间开发、资源节约、生态环境保护的体制机制，推动形成人与自然和谐发展现代化建设新格局。

---

① 习近平：《习近平著作选读》第一卷，人民出版社 2023 年版，第 65 页。

可见，党的十八大对全面深化改革的部署，主要是从优化体制机制的角度展开的，这预示着党的十八大之后的改革重点是制度层面的，目的是不断提升制度建设的质量和水平。

党的十八大报告还从经济、政治、文化、社会等各个领域就改革作出了部署。比如经济建设部分，党的十八大报告指出要加快完善社会主义市场经济体制，全面深化经济体制改革。政治建设部分，党的十八大报告指出："政治体制改革是我国全面改革的重要组成部分。必须积极稳妥推进政治体制改革，发展更加广泛、更加充分、更加健全的人民民主。"[①]报告还专门就深化行政体制改革作出部署，强调"要按照建立中国特色社会主义行政体制目标，深入推进政企分开、政资分开、政事分开、政社分开，建设职能科学、结构优化、廉洁高效、人民满意的服务型政府"。报告还指出要深化行政审批制度改革，稳步推进大部门制改革，优化行政层级和行政区划设置，推进事业单位分类改革，完善体制改革协调机制。

党的十八大通过的党章修正案也突出强调了坚持改革开放的重大意义。在总纲部分，对阐述改革开放的自然段作了充实，增写了只有改革开放，才能发展中国、发展社会主义、发展马克思主义的内容。作如此充实，有利于全党更加充分、更加深刻地认识坚持改革开放的重大意义，更加自觉、更加坚定地推进改革开放。

党的十八大关于改革开放的周密部署，为今后改革开放明确了路径，指明了方向，提供了遵循。全党全国各族人民要坚定不移走改革开放的强国之路，更加注重改革的系统性、整体性、协同性，为全面建成小康社会、加快推进社会主义现代化而团结奋斗。

党的十八大勾画了在新的历史条件下全面建成小康社会、加快推进社会主义现代化、夺取中国特色社会主义新胜利的宏伟蓝图，是中国共产党团结带领全国各族人民沿着中国特色社会主义道路继续前进、为全面建成

① 《中国共产党第十八次全国代表大会文件汇编》，人民出版社 2012 年版，第 23 页。

小康社会而奋斗的政治宣言和行动纲领，为新一届中央领导集体的工作指明了方向。实现宏伟目标需要付出巨大努力，习近平同志作为党的十八大报告起草组的组长，特别提出要把“准备进行具有许多新的历史特点的伟大斗争”这句话写进中共十八大报告。在20世纪60年代，毛泽东同志就讲过这样的话。党的十八大报告重提这句话，显然意味深长。确实，中共十八大以后新一届中央领导机构面临改革发展稳定的任务异常艰巨、管党治党的任务异常艰巨，面临的国际形势更加严峻复杂，如不未雨绸缪、不坚持改革开放，就很难实现新的宏伟目标。

四、“人民对美好生活的向往，就是我们的奋斗目标”

2012年11月15日，中共十八届一中全会召开。全会选举习近平为中央委员会总书记，选举习近平、李克强、张德江、俞正声、刘云山、王岐山、张高丽为中央政治局常委。全会决定习近平为中央军事委员会主席，范长龙、许其亮为中央军事委员会副主席。全会批准王岐山任中央纪委书记。

在会后举行的中外记者见面会上，习近平总书记发表了极为重要的讲话。他说：“刚才，我们召开了中国共产党第十八届中央委员会第一次全体会议，选举产生了新一届中央领导机构，选举我为中央委员会总书记。我代表新一届中央领导机构成员感谢全党同志的信任，定当不负重托，不辱使命。”①

习近平总书记表示，要担负起对民族、人民、党的责任，明确提出“人民对美好生活的向往，就是我们的奋斗目标”，并用“十个更”概括了美好生活的丰富内涵。这“十个更”就是：“我们的人民热爱生活，期盼有更好的教育、更稳定的工作、更满意的收入、更可靠的社会保障、更高水平的医疗卫生服务、更舒适的居住条件、更优美的环境，期盼孩子们能成

---

① 习近平：《习近平谈治国理政》第一卷，外文出版社2018年版，第3页。

长得更好、工作得更好、生活得更好。”“责任重于泰山，事业任重道远。我们一定要始终与人民心心相印、与人民同甘共苦、与人民团结奋斗，夙夜在公，勤勉工作，努力向历史、向人民交出一份合格的答卷。”[①]这是站在新的历史起点上的重要宣誓，吹响了续写中国特色社会主义新篇章的号角。

在11月17日举行的十八届中央政治局第一次集体学习时，习近平总书记就“紧紧围绕坚持和发展中国特色社会主义，学习宣传贯彻党的十八大精神”发表了重要讲话，强调：“坚持和发展中国特色社会主义是贯穿党的十八大报告的一条主线。我们要紧紧抓住这条主线，把坚持和发展中国特色社会主义作为学习贯彻党的十八大精神的聚焦点、着力点、落脚点，只有这样，才能把党的十八大精神学得更加深入、领会得更加透彻、贯彻得更加自觉。”[②]2013年1月，党中央举办了新进中央委员会的委员、候补委员学习贯彻党的十八大精神研讨班。习近平总书记在开班式上又强调要“毫不动摇坚持和发展中国特色社会主义”[③]。在党中央的率先示范下，全党上下掀起了学习贯彻党的十八大精神的热潮。贯彻落实党的十八大精神，坚持和发展中国特色社会主义，不断实现人民对美好生活的向往，就必须继续推进改革开放。

第三节　将改革开放继续推向前进

党的十八大召开后，习近平总书记多次就改革开放发表重要讲话，引领和推动改革开放向纵深推进。2012年12月7日至11日，习近平总书记第一次离京调研，就选择了广东这个在我国改革开放中得风气之先的地方。他说，之所以选择到广东来，就是要“现场回顾我国改革开放的历史进程，

---

① 习近平：《习近平谈治国理政》第一卷，外文出版社2018年版，第4—5页。
② 习近平：《习近平谈治国理政》第一卷，外文出版社2018年版，第7页。
③ 习近平：《习近平谈治国理政》第一卷，外文出版社2018年版，第21页。

将改革开放继续推向前进”[①]。

在广东调研期间，习近平总书记到深圳莲花山上瞻仰了邓小平铜像，并富有深意地说：“我们来瞻仰邓小平铜像，就是要表明我们将坚定不移推进改革开放，奋力推进改革开放和现代化建设取得新进展、实现新突破、迈上新台阶。”[②]调研期间，他亲手种下一棵高山榕，并对改革开放的地位作用给予了高度评价，指出：“改革开放是我们党的历史上一次伟大觉醒，正是这个伟大觉醒孕育了新时期从理论到实践的伟大创造。实践证明，改革开放是当代中国发展进步的活力之源，是我们党和人民大踏步赶上时代前进步伐的重要法宝，是坚持和发展中国特色社会主义的必由之路。”[③]他还说：“改革开放是决定当代中国命运的关键一招，也是决定实现‘两个一百年’奋斗目标、实现中华民族伟大复兴的关键一招。”[④]习近平总书记还进一步明确了改革开放的思路：一是必须以更大的政治勇气和智慧，不失时机深化重要领域改革。二是要坚定信心、凝聚共识、统筹谋划、协同推进，坚定信心就是要坚定不移推进改革开放，凝聚共识就是要形成推进改革开放的合力，统筹谋划就是要提高改革决策的科学性，协同推进就是要增强改革措施的协调性。[⑤]三是要坚持改革开放正确方向，敢于啃硬骨头，敢于涉险滩，既勇于冲破思想观念的障碍，又勇于突破利益固化的藩篱。四是要尊重人民首创精神，在深入调查研究的基础上提出全面深化改革的顶层设计和总体规划，尊重实践、尊重创造，鼓励大胆探索、勇于开拓，聚合各项相关改革协调推进的正能量。

2012 年 12 月 31 日，在主持党的十八届中央政治局第二次集体学习时，习近平总书记强调：“全党全国必须坚定信心、凝聚共识、统筹谋划、协同

① 习近平：《论坚持全面深化改革》，中央文献出版社 2018 年版，第 1 页。
② 习近平：《论坚持全面深化改革》，中央文献出版社 2018 年版，第 1 页。
③ 习近平：《论坚持全面深化改革》，中央文献出版社 2018 年版，第 1 页。
④ 习近平：《论坚持全面深化改革》，中央文献出版社 2018 年版，第 2 页。
⑤ 习近平：《习近平著作选读》第一卷，人民出版社 2023 年版，第 65—67 页。

推进，朝着党的十八大指引的改革开放方向奋勇前进。”[①]在讲话中，习近平总书记深入分析了我国实行改革开放决策主要取决于对“文化大革命”的深刻反思、取决于对中国发展落后的深刻反思、取决于对国际形势的深刻反思，并系统总结了改革开放的成功经验。他认为成功经验主要有：一是改革开放是一场深刻革命，必须坚持正确方向，沿着正确道路推进。二是改革开放是前无古人的崭新事业，必须坚持正确的方法论，在不断实践探索中推进。三是改革开放是一个系统工程，必须坚持全面改革，在各项改革协同配合中推进。四是稳定是改革发展的前提，必须坚持改革发展稳定的统一，在确保社会稳定中推进。五是改革开放是亿万人民自己的事业，必须坚持尊重人民首创精神，坚持在党的领导下推进。[②]这为进一步深化改革开放提供了重要遵循。

通过广东调研表明继续改革开放的决心，通过召开政治局集体学习回顾党的改革开放历程、总结党领导改革开放的历史经验，全党形成浓厚的改革开放意识和氛围，为进一步推进改革开放作了充分准备。

党的十八大后不久，改革开放就迈出了重大步伐。最突出的就是推进国务院机构改革。

党的十一届三中全会以来，国务院机构经过6轮改革，形成了基本适应社会主义市场经济体制的组织架构和职能体系。党的十七大后，国务院机构改革和职能转变取得新进展，行政审批制度改革继续推进，宏观调控体系逐步健全，市场监管、社会管理和公共服务职能进一步加强，一些重要领域管理体制不断完善，大部门制改革迈出重要步伐，政务公开和行政问责力度加大，依法行政取得新成效。通过不断改革，我国行政体制逐步完善，为推动科学发展、促进社会和谐提供了有力保障。同时，现行行政体制仍存在许多不适应新形势、新任务要求的地方，国务院部门在职能定位、机构设置、职责分工、运行机制等方面还存在不少问题。主要是：职

① 习近平：《论坚持全面深化改革》，中央文献出版社2018年版，第3页。
② 习近平：《论坚持全面深化改革》，中央文献出版社2018年版，第5—9页。

能越位、缺位问题依然突出，不该管的管得过多，一些该管的又没有管好；职责交叉、权责脱节、争权诿责现象依然较多，行政效能不够高；机构设置不够合理，一些领域机构重叠、人浮于事问题依然存在；对行政权力的制约监督机制不完善，不作为乱作为、以权谋私、贪污腐败等现象尚未得到有效遏制。这些问题，需要通过深化体制改革、完善制度机制特别是职能转变加以解决。党的十八大提出要加快完善社会主义市场经济体制，党的十七届二中全会提出到2020年建立起比较完善的中国特色社会主义行政管理体制。因此，必须不失时机地推进国务院机构改革和职能转变。

在2013年2月举行的党的十八届二中全会上，与会代表对《国务院机构改革和职能转变方案》(以下简称《方案》)提出了一些很好的意见和建议。全会赞成将国务院机构改革方案提请十二届全国人大一次会议审议。同年3月10日，十二届全国人大一次会议在北京人民大会堂举行第三次全体会议。受国务院委托，国务委员兼国务院秘书长马凯向大会作《关于〈国务院机构改革和职能转变方案〉的说明》(以下简称《说明》)。《说明》指出改革的重点是，紧紧围绕转变职能和理顺职责关系，稳步推进大部门制改革，实行铁路政企分开，整合加强卫生和计划生育、食品药品、新闻出版和广播电影电视、海洋、能源管理机构。

《方案》内容主要有：

(一)实行铁路政企分开，完善综合交通运输体系。

《方案》提出，将铁道部拟订铁路发展规划和政策的行政职责划入交通运输部。交通运输部统筹规划铁路、公路、水路、民航发展，加快推进综合交通运输体系建设。组建国家铁路局，由交通运输部管理，承担铁道部的其他行政职责，负责拟订铁路技术标准，监督管理铁路安全生产、运输服务质量和铁路工程质量等。组建中国铁路总公司，承担铁道部的企业职责，负责铁路运输统一调度指挥，经营铁路客货运输业务，承担专运、特运任务，负责铁路建设，承担铁路安全生产主体责任等。不再保留铁道部。

改革后，中国铁路总公司统一调度指挥铁路运输，实行全路集中统一管理，确保铁路运营秩序和安全，确保重要运输任务完成，不断提高管理水平，为人民群众提供安全、便捷、优质服务。

（二）组建国家卫生和计划生育委员会，提高出生人口素质和人民健康水平。

《方案》提出，将卫生部的职责、人口计生委的计划生育管理和服务职责整合，组建国家卫生和计划生育委员会。主要职责是，统筹规划医疗卫生和计划生育服务资源配置，组织制定国家基本药物制度，拟订计划生育政策，监督管理公共卫生和医疗服务，负责计划生育管理和服务工作等。同时，将人口计生委的研究拟订人口发展战略、规划及人口政策职责划入发展改革委。国家中医药管理局由国家卫生和计划生育委员会管理。不再保留卫生部、人口计生委。

改革后，坚持和完善计划生育政策，要继续坚持计划生育党政一把手负总责，继续实施计划生育一票否决制。国家卫生和计划生育委员会要高度重视计划生育工作，合理设置相关机构，充实工作力量，确保这项工作得到加强。地方各级政府要继续加强计划生育管理和服务工作，严格执行各项计划生育政策，确保责任到位、措施到位、投入到位、落实到位。

（三）组建国家食品药品监督管理总局，提高食品药品安全质量水平。

《方案》提出，将食品安全办的职责、食品药品监管局的职责、质检总局的生产环节食品安全监督管理职责、工商总局的流通环节食品安全监督管理职责整合，组建国家食品药品监督管理总局。主要职责是，对生产、流通、消费环节的食品安全和药品的安全性、有效性实施统一监督管理等。将工商行政管理、质量技术监督部门相应的食品安全监督管理队伍和检验检测机构划转食品药品监督管理部门。保留国务院食品安全委员会，具体工作由食品药品监管总局承担。食品药品监管总局加挂国务院食品安全委员会办公室牌子。不再保留食品药品监管局和单设的食品安全办。

改革后，食品药品监督管理部门要转变管理理念，创新管理方式，充分发挥市场机制、行业自律和社会监督作用，建立让生产经营者真正成为食品药品安全第一责任人的有效机制，充实加强基层监管力量，切实落实监管责任，不断提高食品药品安全质量水平。

（四）组建国家新闻出版广播电影电视总局，促进新闻出版广播影视业繁荣发展。

《方案》提出，将新闻出版总署、广电总局的职责整合，组建国家新闻出版广播电影电视总局。主要职责是，统筹规划新闻出版广播电影电视事业产业发展，监督管理新闻出版广播影视机构和业务以及出版物、广播影视节目的内容和质量，负责著作权管理等。国家新闻出版广播电影电视总局加挂国家版权局牌子。不再保留广电总局、新闻出版总署。

（五）重新组建国家海洋局，推进海上统一执法。

《方案》提出，将现国家海洋局及其中国海监、公安部边防海警、农业部中国渔政、海关总署海上缉私警察的队伍和职责整合，重新组建国家海洋局，由国土资源部管理。主要职责是，拟订海洋发展规划，实施海上维权执法，监督管理海域使用、海洋环境保护等。国家海洋局以中国海警局名义开展海上维权执法，接受公安部业务指导。

为加强海洋事务的统筹规划和综合协调，《方案》提出，设立高层次议事协调机构国家海洋委员会，负责研究制定国家海洋发展战略，统筹协调海洋重大事项。国家海洋委员会的具体工作由国家海洋局承担。

（六）重新组建国家能源局，完善能源监督管理体制。

《方案》提出，将现国家能源局、电监会的职责整合，重新组建国家能源局。主要职责是，拟订并组织实施能源发展战略、规划和政策，研究提出能源体制改革建议，负责能源监督管理等。不再保留电监会。改革后，国家能源局继续由发展改革委管理。发展改革委主要是做好国民经济和社会发展规划与能源规划的协调衔接。

政府职能转变是深化行政体制改革的核心。这次国务院机构职能转变，是按照政府职能向创造良好发展环境、提供优质公共服务、维护社会公平正义转变的要求，适应加强市场监管、提供基本社会保障的需要，推进职能转移，着力解决政府与市场、政府与社会的关系问题，充分发挥市场在资源配置中的基础性作用，更好发挥社会力量在管理社会事务中的作用；推进职能下放，着力解决国务院部门管得过多过细问题，充分发挥中央和地方两个积极性；推进职能整合，着力解决职责交叉、推诿扯皮问题，提高行政效能；推进职能加强，着力解决国务院部门抓大事管宏观不够问题，改善和加强宏观管理，注重完善制度机制。通过推动职能转变，加快形成权界清晰、分工合理、权责一致、运转高效、法治保障的国务院机构职能体系，真正做到该管的管住管好，不该管的不管不干预，切实提高政府管理科学化水平。

《方案》针对国务院机构职能存在的突出问题，提出措施，明确了职能转变的方向、原则和重点。具体内容有十个方面：

（一）减少和下放投资审批事项。

（二）减少和下放生产经营活动审批事项。

（三）减少资质资格许可和认定。

（四）减少专项转移支付和收费。

（五）减少部门职责交叉和分散。

（六）改革工商登记制度。

（七）改革社会组织管理制度。

（八）改善和加强宏观管理。

（九）加强基础性制度建设。

（十）加强依法行政。

2013年3月14日，十二届人大一次会议经过表决，通过《关于〈国务院机构改革和职能转变方案〉的决定》，批准了这个方案。会后，国务院周密部署，精心组织，保证了方案顺利实施。经过这次改革，国务院正部级机构减少4个，其中组成部门减少2个，副部级机构增减相抵数量不变。改革后，除国务院办公厅外，国务院设置组成部门25个。

总的看，这次机构改革针对性比较强，力度比较大，在一些重要领域取得突破，解决了一些事关重大、社会关注的难点问题，对经济社会发展将产生深远影响。这次机构改革是同职能转变紧密结合、同步推进的，许多问题通过职能转变来解决，比单纯的机构调整更有意义。当然，国务院机构改革是一个行进的过程，随着实践的发展还将不断推进。

党的十八大后，中国坚持改革开放的决心坚定不移，党中央致力提高对外开放水平，尤其是提高开放型经济水平。习近平总书记在同出席博鳌亚洲论坛2013年年会的中外企业家代表座谈时指出："中国经济发展前景广阔，中国将坚定不移推进改革开放，加快转变发展方式，坚定不移奉行对外开放政策，继续为外国企业提供更好的环境和条件，中国的发展将为世界作出更大贡献。"他还强调："中国开放的大门不会关上。过去十年，中国全面履行入世承诺，商业环境更加开放和规范。中国将在更大范围、更宽领域、更深层次上提高开放型经济水平。中国的大门将继续对各国投资者开放，希望外国的大门也对中国投资者进一步敞开。"①

① 习近平：《论坚持全面深化改革》，中央文献出版社2018年版，第17—18页。

第二章

党的十八届三中全会与全面深化改革的顶层设计

按照党的十八大的部署，经过周密筹备，党的十八届三中全会顺利召开。这次全会延续改革开放以来历次三中全会都聚焦改革的光荣传统，就全面深化改革作出顶层设计，审议通过了《中共中央关于全面深化改革若干重大问题的决定》，明确了全面深化改革总目标，从经济、政治、文化、社会、生态文明、党的建设等六个方面作出改革部署，并明确提出全面深化改革的时间表和路线图，吹响了全面深化改革的号角。同党的十一届三中全会一样，党的十八届三中全会是一次具有划时代意义的会议，它已经以开启全面深化改革新境界而载入史册。

第一节　党的十八届三中全会的筹备

2013 年 4 月，新一届国家机构换届选举刚刚完成。中共中央政治局从历史经验和现实需要的高度，就作出了一项意义重大而深远的历史决策——党的十八届三中全会重点研究全面深化改革问题并作出决定。

中共中央政治局同时批准成立党的十八届三中全会文件起草组，习近平总书记担任组长。这是进入新世纪以来党的最高领导人首次担任全会文件起草组负责人，彰显了党中央对全面深化改革的高度重视。这充分体现了以习近平同志为核心的党中央高举改革开放旗帜、一以贯之推进改革开放的巨大勇气与坚定意志。这种坚定来自对 35 年改革开放宝贵经验的深刻总结，来自对我国基本国情和形势变化的清醒认识，来自对中国特色社会主义的自信。

4 月 20 日，中共中央向各省、自治区、直辖市，中央和国家机关，解放军和各人民团体发出通知，征求全面深化改革的意见。不到一个月的时间里，118 份意见和建议从全国各地汇集到北京。从上到下、自下而上，成千上万条关于深化改革的意见和建议反映上来。

搞好调查研究是起草好文件的重要基础。党的十八大后，习近平总书记调研的足迹遍及大江南北，遍及社区、乡村、企业、学校。他以深邃的洞察力和高屋建瓴的战略眼光，提出了全面深化改革需要调查研究的 6 个重大问题：进一步形成全国统一的市场体系，形成公平竞争的发展环境；进一步增强经济发展活力，为实现经济持续健康发展提供不竭动力；进一步提高宏观调控水平，提高政府效率和效能；进一步增强社会发展活力，促进社会和谐稳定；进一步实现社会公平正义，通过制度安排更好保障人民群众各方面权益；进一步提高党的领导水平和执政能力，充分发挥党总揽全局、协调各方的作用。这6个重要课题，直指中国改革发展的关键。

在深入基层、深入群众的过程中，全面深化改革的基本遵循逐渐明确。一是必须坚定深化改革的信心。坚持党的基本路线不动摇，坚持党的十一届三中全会以来的路线、方针、政策不动摇。矛盾越多、难度越大，越要与时俱进、攻坚克难。二是必须坚持深化改革的正确方向。增强战略定力，创新具体方法，坚持核心立场，从纷繁复杂的事物表象中把准改革脉搏，在众说纷纭的建议中开好改革药方。三是必须凝聚深化改革的共识。找出最大公约数，在深化改革上形成聚焦点。对一些领域的改革通过试点先行，逐步缩小思想认识上的差异。四是必须注重深化改革的统筹谋划。在对战略全局的思考中，对完善经济体制、政治体制、文化体制、社会体制、生态文明体制作出科学的顶层设计，提出改革的总体方案、路线图、时间表。五是必须协同推进各项改革。加强对各项改革关联性的研判，努力做到全局和局部相配套、治本和治标相结合、渐进和突破相衔接。

起草一份高质量文件，是会议的重中之重。从4月24日文件起草组第一次全体会议，到11月9日党的十八届三中全会召开，《中共中央关于全面深化改革若干重大问题的决定》（以下简称《决定》）稿起草工作历经了6个多月，整整200天的时间。在此期间，习近平总书记先后3次主持中共中央政治局常委会会议、2次主持中共中央政治局会议、多次主持文件起草组全体会议，研究部署起草工作，讨论审议《决定》稿。在文件起草组第一次全体会议上，习近平总书记要求，充分认识新时期改革的历史特点、现实条件、具体任务，人民群众对改革的新期待、新要求，对今后一段时期全面深化改革作出战略部署。起草期间，习近平总书记明确要求，要把握全党全社会关注的重点，回答各方面问题和关切，研究提出改革总体设计和针对性举措，明确改革的战略目标、战略重点、优先顺序、主攻方向、工作机制、推进方式；重大改革举措牵一发而动全身，一旦出现偏差纠正很难，必须反复论证，使之行之有效、行之久远，不能随意“翻烧饼”，要坚持“摸着石头过河”，胆子要大、步子要稳，改革重大举措多听各方意见，最后是政治决断；要自觉从大局出发思考问题，改革举措要慎重，但不能什么都不敢干，没有风险的改革是不存在的。不改革，发展难度更大。7月25日召开的中共中央政治局常委会会议充分肯定文件起草组工作，要求继续深入研究，对重大改革举措反复论证，增强可操作性，着力解决影响和制约科学发展的重大问题、紧迫问题。根据中共中央政治局会议决定，9月4日，《决定》征求意见稿下发中央党政军机关和地方100多个单位，广泛征求各方面意见。从党和国家领导岗位上退下来的老同志也对《决定》征求意见稿提出了意见和建议。9月17日下午，习近平总书记主持召开座谈会，听取各民主党派、全国工商联负责人和无党派人士对《决定》稿的意见和建议。从9月初《决定》征求意见稿下发，广泛征求各方面意见起，不到一个月，文件起草组共收到总计2564条意见和建议。

10月29日，中共中央政治局会议听取了《决定》稿在党内外征求意见的情况报告，赞成文件起草组根据各方面意见和中共中央政治局常委会会议精神对《决定》稿所作的修改，决定根据这次会议讨论的意见进行修改后将文件稿提请党的十八届三中全会审议。

文件起草的顺利推进，为十八届三中全会的召开打下了坚实的基础，作了充分准备。

第二节　党的十八届三中全会对全面深化改革作出顶层设计

2013年11月9日至12日，党的十八届三中全会在北京召开。全会高度评价党的十一届三中全会召开35年来改革开放的成功实践和伟大成就，研究了全面深化改革若干重大问题，认为改革开放是党在新的时代条件下带领全国各族人民进行的新的伟大革命，是当代中国最鲜明的特色，是决定当代中国命运的关键抉择，是党和人民事业大踏步赶上时代的重要法宝。面对新形势新任务，全面建成小康社会，进而建成富强民主文明和谐的社会主义现代化国家、实现中华民族伟大复兴的中国梦，必须在新的历史起点上全面深化改革。全会听取和讨论了习近平总书记受中央政治局委托作的工作报告，审议通过了《决定》。习近平总书记就该《决定》（讨论稿）向全会作了说明。

习近平总书记从《决定》起草过程、总体框架和重点问题等向全会作了说明。关于框架结构，习近平总书记指出，全会决定以当前亟待解决的重大问题为提领，按条条谋篇布局。除“引言”和“结束语”外，《决定》共十六个部分，分三大板块。第一部分构成第一板块，是总论，主要阐述全面深化改革的重大意义、指导思想、总体思路。第二至第十五部分构成第二板块，是分论，主要从经济、政治、文化、社会、生态文明、国防和军队六个方面，具体部署全面深化改革的主要任务和重大举措。其中，经济方面6条（第二至第七部分），政治方面3条（第八至第十部分），文化方面1条（第十一部分），社会方面两条（第十二至第十三部分），生态文明方面一条（第十四部分），国防和军队方面一条（第十五部分）。第十六部分构成第三板块，讲组织领导，主要阐述加强和改善党对全面深化改革的领导。另外，习近平总书记还就使市场在资源配置中起决定性作用和更好发挥政府作用、坚持和完善基本经济制度、深化财税体制改革、健全城乡发展一体化体制机制等10个重点问题作了分析说明。这为与会代表更好审议《决定》提供了指南。

党的十八届三中全会审议通过的《决定》明确了全面深化改革的指导思想、总目标、各领域的改革部署和时间进度安排。全面深化改革的指导思想是，高举中国特色社会主义伟大旗帜，以马克思列宁主义、毛泽东思想、邓小平理论、“三个代表”重要思想、科学发展观为指导，坚定信心，凝聚共识，统筹谋划，协同推进，坚持社会主义市场经济改革方向，以促进社会公平正义、增进人民福祉为出发点和落脚点，进一步解放思想、解放和发展社会生产力、解放和增强社会活力，坚决破除各方面体制机制弊端，努力开拓中国特色社会主义事业更加广阔的前景。

《决定》第一次提出了全面深化改革总目标，即“完善和发展中国特色社会主义制度，推进国家治理体系和治理能力现代化”。我们讲过许多现代化，包括农业现代化、工业现代化、科技现代化、国防现代化等，国家治理体系和治理能力现代化是第一次讲。深刻理解和准确把握这个总目标，是贯彻落实各项改革举措的关键。习近平总书记指出：“全面深化改革，全面者，就是要统筹推进各领域改革，就需要有管总的目标，也要回答推进各领域改革最终是为了什么、要取得什么样的整体结果这个问题。”[①] 过去，我们也提出过改革目标，但大多数是从具体领域提的。比如，我们讲过，政治体制改革总的目标是巩固社会主义制度，发展社会主义社会的生产力，发扬社会主义民主，调动广大人民的积极性。党的十四大提出，我国经济体制改革的目标是建立社会主义市场经济体制。党的十八届三中全会提出全面深化改革总目标，并在总目标统领下明确了经济体制、政治体制、文化体制、社会体制、生态文明体制和党的建设制度深化改革的分目标。这是改革进程本身向前拓展提出的客观要求，体现了我们党对改革认识的深化和系统化。治理体系和治理能力现代化的实现，决不是一蹴而就的。必须更加注重改革的系统性、整体性、协同性，加快发展社会主义市场经济、民主政治、先进文化、和谐社会、生态文明，让一切劳动、知识、技术、管理、资本的活力竞相迸发，让一切创造社会财富的源泉充分涌流，让发展成果更多更公平惠及全体人民。

《决定》明确了全面深化改革的思路。它的主要内容是：紧紧围绕使市场在资源配置中起决定性作用深化经济体制改革，坚持和完善基本经济制度，加快完善现代市场体系、宏观调控体系、开放型经济体系，加快转变经济发展方式，加快建设创新型国家，推动经济更有效率、更加公平、更可持续发展；紧紧围绕坚持党的领导、人民当家作主、依法治国有机统一

① 习近平：《论坚持全面深化改革》，中央文献出版社 2018 年版，第 88 页。

深化政治体制改革，加快推进社会主义民主政治制度化、规范化、程序化，建设社会主义法治国家，发展更加广泛、更加充分、更加健全的人民民主；紧紧围绕建设社会主义核心价值体系、社会主义文化强国深化文化体制改革，加快完善文化管理体制和文化生产经营机制，建立健全现代公共文化服务体系、现代文化市场体系，推动社会主义文化大发展大繁荣；紧紧围绕更好保障和改善民生、促进社会公平正义深化社会体制改革，改革收入分配制度，促进共同富裕，推进社会领域制度创新，推进基本公共服务均等化，加快形成科学有效的社会治理体制，确保社会既充满活力又和谐有序；紧紧围绕建设美丽中国深化生态文明体制改革，加快建立生态文明制度，健全国土空间开发、资源节约利用、生态环境保护的体制机制，推动形成人与自然和谐发展现代化建设新格局；紧紧围绕提高科学执政、民主执政、依法执政水平深化党的建设制度改革，加强民主集中制建设，完善党的领导体制和执政方式，保持党的先进性和纯洁性，为改革开放和社会主义现代化建设提供坚强政治保证。

《决定》明确了全面深化改革要遵循的原则、要坚持的重点和经验，明确了改革任务完成的时间表。关于改革的原则，全会指出，全面深化改革，必须立足于我国长期处于社会主义初级阶段这个最大实际，坚持发展仍是解决我国所有问题的关键这个重大战略判断，以经济建设为中心，发挥经济体制改革牵引作用，推动生产关系同生产力、上层建筑同经济基础相适应，推动经济社会持续健康发展。关于改革的重点，全会指出，经济体制改革是全面深化改革的重点，核心问题是处理好政府和市场的关系，使市场在资源配置中起决定性作用和更好发挥政府作用。这是自 1992 年以来，第一次提出让市场在资源配置中起决定性作用。提了 20 多年的“基础性”被“决定性”替代，这是党的经济理论的历史性突破。关于改革的经验，全会强调，改革开放的成功实践为全面深化改革提供了重要经验，必须长期坚持。最重要的是：坚持党的领导，贯彻党的基本路线，不走封闭僵化的老路，不走改旗易帜的邪路，坚定走中国特色社会主义道路，始终确保改革正确方向；坚持解放思想、实事求是、与时俱进、求真务实，一切从实际出发，总结国内成功做法，借鉴国外有益经验，勇于推进理论和实践创新；坚持以人为本，尊重人民主体地位，发挥群众首创精神，紧紧依靠人民推动改革，促进人的全面发展；坚持正确处理改革发展稳定关系，胆子要大、步子要稳，加强顶层设计和“摸着石头过河”相结合，整体推进和重点突破相促进，提高改革决策科学性，广泛凝聚共识，形成改革合力。关于时间表，全会要求，到2020年，在重要领域和关键环节改革上取得决定性成果，形成系统完备、科学规范、运行有效的制度体系，使各方面制度更加成熟更加定型。

《决定》从经济、政治、文化、社会、生态文明、国防和军队6个方面，对全面深化改革作出系统部署，强调坚持和完善基本经济制度，加快完善现代市场体系，加快转变政府职能，深化财税体制改革，健全城乡发展一体化体制机制，构建开放型经济新体制，加强社会主义民主政治制度建设，推进法治中国建设，强化权力运行制约和监督体系，推进文化体制机制创新，推进社会事业改革创新，创新社会治理体制，加快生态文明制度建设，深化国防和军队改革，加强和改善党对全面深化改革的领导。

关于经济改革，《决定》讲了六条。一是，公有制为主体、多种所有制经济共同发展的基本经济制度，是中国特色社会主义制度的重要支柱，也是社会主义市场经济体制的根基。公有制经济和非公有制经济都是社会主义市场经济的重要组成部分，都是我国经济社会发展的重要基础。必须毫不动摇巩固和发展公有制经济，坚持公有制主体地位，发挥国有经济主导作用，不断增强国有经济活力、控制力、影响力。必须毫不动摇鼓励、支持、引导非公有制经济发展，激发非公有制经济活力和创造力。要完善产权保护制度，积极发展混合所有制经济，推动国有企业完善现代企业制度，支持非公有制经济健康发展。

二是，建设统一开放、竞争有序的市场体系，是使市场在资源配置中起决定性作用的基础。必须加快形成企业自主经营、公平竞争，消费者自由选择、自主消费，商品和要素自由流动、平等交换的现代市场体系，着力清除市场壁垒，提高资源配置效率和公平性。要建立公平开放透明的市场规则，完善主要由市场决定价格的机制，建立城乡统一的建设用地市场，完善金融市场体系，深化科技体制改革。

三是，科学的宏观调控，有效的政府治理，是发挥社会主义市场经济体制优势的内在要求。必须切实转变政府职能，深化行政体制改革，创新行政管理方式，增强政府公信力和执行力，建设法治政府和服务型政府。要健全宏观调控体系，全面正确履行政府职能，优化政府组织结构，提高科学管理水平。

四是，财政是国家治理的基础和重要支柱，科学的财税体制是优化资源配置、维护市场统一、促进社会公平、实现国家长治久安的制度保障。必须完善立法、明确事权、改革税制、稳定税负、透明预算、提高效率，建立现代财政制度，发挥中央和地方两个积极性。要改进预算管理制度，完善税收制度，建立事权和支出责任相适应的制度。

五是，城乡二元结构是制约城乡发展一体化的主要障碍。必须健全体制机制，形成以工促农、以城带乡、工农互惠、城乡一体的新型工农城乡关系，让广大农民平等参与现代化进程、共同分享现代化成果。要加快构建新型农业经营体系，赋予农民更多财产权利，推进城乡要素平等交换和公共资源均衡配置，完善城镇化健康发展体制机制。

六是，适应经济全球化新形势，必须推动对内对外开放相互促进、“引进来”和“走出去”更好结合，促进国际国内要素有序自由流动、资源高效配置、市场深度融合，加快培育参与和引领国际经济合作竞争新优势，以开放促改革。要放宽投资准入，加快自由贸易区建设，扩大内陆沿边开放。

关于政治改革，《决定》部署了三个方面。一是，发展社会主义民主政治，必须以保证人民当家作主为根本，坚持和完善人民代表大会制度、中国共产党领导的多党合作和政治协商制度、民族区域自治制度以及基层群众自治制度，更加注重健全民主制度、丰富民主形式，充分发挥我国社会主义政治制度优越性。要推动人民代表大会制度与时俱进，推进协商民主广泛多层制度化发展，发展基层民主。二是，建设法治中国，必须深化司法体制改革，加快建设公正高效权威的社会主义司法制度，维护人民权益。要维护宪法法律权威，深化行政执法体制改革，确保依法独立公正行使审判权检察权，健全司法权力运行机制，完善人权司法保障制度。三是，坚持用制度管权管事管人，让人民监督权力，让权力在阳光下运行，是把权力关进制度笼子的根本之策。必须构建决策科学、执行坚决、监督有力的权力运行体系，健全惩治和预防腐败体系，建设廉洁政治，努力实现干部清正、政府清廉、政治清明。要形成科学有效的权力制约和协调机制，加强反腐败体制机制创新和制度保障，健全改进作风常态化制度。

关于文化改革，《决定》提出建设社会主义文化强国，增强国家文化软实力，必须坚持社会主义先进文化前进方向，坚持中国特色社会主义文化发展道路，坚持以人民为中心的工作导向，进一步深化文化体制改革。要完善文化管理体制，建立健全现代文化市场体系，构建现代公共文化服务体系，提高文化开放水平。

关于社会改革，《决定》提出两条：一是，实现发展成果更多更公平惠及全体人民，必须加快社会事业改革，解决好人民最关心最直接最现实的利益问题，更好满足人民需求。要深化教育领域综合改革，健全促进就业创业体制机制，形成合理有序的收入分配格局，建立更加公平可持续的社会保障制度，深化医药卫生体制改革。二是，创新社会治理，必须着眼于维护最广大人民根本利益，最大限度增加和谐因素，增强社会发展活力，提高社会治理水平，维护国家安全，确保人民安居乐业、社会安定有序。要改进社会治理方式，激发社会组织活力，创新有效预防和化解社会矛盾体制，健全公共安全体系。设立国家安全委员会，完善国家安全体制和国家安全战略，确保国家安全。

关于生态文明领域改革，《决定》指出建设生态文明，必须建立系统完整的生态文明制度体系，用制度保护生态环境。要健全自然资源资产产权制度和用途管制制度，划定生态保护红线，实行资源有偿使用制度和生态补偿制度，改革生态环境保护管理体制。

关于国防和军队方面,《决定》指出要紧紧围绕建设一支听党指挥、能打胜仗、作风优良的人民军队这一党在新形势下的强军目标，着力解决制约国防和军队建设发展的突出矛盾和问题，创新发展军事理论，加强军事战略指导，完善新时期军事战略方针，构建中国特色现代军事力量体系。要深化军队体制编制调整改革，推进军队政策制度调整改革，推动军民融合深度发展。

关于组织领导，全会强调全面深化改革必须加强和改善党的领导，充分发挥党总揽全局、协调各方的领导核心作用，提高党的领导水平和执政能力，确保改革取得成功。中央成立全面深化改革领导小组，负责改革总体设计、统筹协调、整体推进、督促落实。各级党委要切实履行对改革的领导责任。要深化干部人事制度改革，建立集聚人才体制机制，充分发挥人民群众积极性、主动性、创造性，鼓励地方、基层和群众大胆探索，及时总结经验。

从改革方案的涉及范围到改革的深度、广度来看，党的十八届三中全会通过的全面深化改革顶层设计显示了中国共产党坚定不移推进改革开放的决心，也显示出以习近平同志为核心的党中央推进中国现代化事业的雄心。与以往的改革相比，这次会议部署的改革确实是力度空前、前所未有。

第三节　开创改革开放全新局面的一次会议

自 1978 年中国实行改革开放至党的十八届三中全会，其间共召开过九次三中全会，每一次全会都对改革开放作出部署。历次三中全会，向中国人展示了中国改革开放的风雨征程。其中，1978 年 12 月召开的党的十一届三中全会，作出实行改革开放和把党的工作中心转移到社会主义现代化建设上来的重大决策，实现了新中国成立以来党的历史上具有深远意义的伟大转折。2013 年 11 月召开的党的十八届三中全会，作出全面深化改革的重大决定，开启了全面深化改革、系统整体设计推进改革的新时代，开创了中国改革开放的全新局面。习近平总书记评价这两次会议时说，党的十一届三中全会和十八届三中全会都是“划时代”[①]的。把这两次三中全会予以比较分析，更能表现出十八届三中全会的历史地位和重大作用。

一、党的十一届三中全会与十八届三中全会作为中国特色社会主义道路上的关键节点，有很多共同之处

一是都在重要关头召开。党的十一届三中全会召开时，世界上新科技革命方兴未艾，经济全球化成为时代大潮，许多发展中国家抓住机遇迅速成长和发展起来。但持续 10 年的“文化大革命”导致中国的经济濒临崩溃，“两个凡是”的指导方针又严重阻碍了国民经济的恢复和全面拨乱反正工作的顺利进行。邓小平尖锐指出：“如果现在再不实行改革，我们的现代化事业和社会主义事业就会被葬送。”[②]正是基于对党和国家前途命运的深刻把握、对社会主义革命和建设实践的深刻总结、对时代潮流的深刻洞察、对人民群众期盼和需要的深刻体悟，党召开了十一届三中全会，决定进行改革开放，把工作中心从阶级斗争转移到社会主义现代化建设上来。正是因为这一审时度势顺应时代潮流的重大决策，使中国共产党摆脱了历史困境，开启了改革开放和社会主义现代化建设历史新时期，开创了一条具有中国特色的社会主义现代化道路。可以说，党的十一届三中全会是在“文化大革命”结束后党和国家面临何去何从的重要历史关头召开的。

党的十八届三中全会召开时，中国已经进入 21 世纪的第二个 10 年，在

① 习近平：《对标重要领域和关键环节改革　继续啃硬骨头确保干一件成一件》，《人民日报》2019 年 1 月 24 日。

② 邓小平：《邓小平文选》第二卷，人民出版社 1994 年版，第 150 页。

我国综合国力达到新高度的同时，国内面临的矛盾和问题也变得更为艰巨复杂，改革进入攻坚期和深水区。正如习近平总书记所说："容易的、皆大欢喜的改革已经完成了，好吃的肉都吃掉了，剩下的都是难啃的硬骨头。"①能否保持经济社会持续健康发展，确保全面建成小康社会如期实现，就看我们在改革上能否迈出新的重大步伐，"改革开放到了一个新的重要关头"②。党的十八届三中全会以全面深化改革为议题，深刻剖析了我国改革发展稳定面临的重大理论和实践问题，阐明了全面深化改革的重大意义和走向，提出了全面深化改革的指导思想、目标任务、重大原则，描绘了全面深化改革的新蓝图、新愿景、新目标，汇集了全面深化改革的新思想、新论断、新举措，反映了社会呼声、社会诉求、社会期盼，凝聚了全党全社会进行全面深化改革的思想共识和行动智慧，开启了全面深化改革、系统整体设计推进改革的新时代，开创了我国改革开放的全新局面。可以说，十八届三中全会很好地解答了改革进入攻坚期和深水区后中国何去何从的重大时代课题，也是在重大历史关头召开的。

二是肩负同样的初心和使命。不忘初心、牢记使命，贯穿中国共产党百年奋斗历程。习近平总书记指出："为中国人民谋幸福，为中华民族谋复兴，是中国共产党人的初心和使命，也是改革开放的初心和使命。"③十一届三中全会和十八届三中全会作为党的历史上两次有关改革开放的会议，生动体现了共产党人在任何时候都不忘初心和牢记使命的历史担当。

1978 年 9 月，邓小平在东北考察期间表示："我们太穷了，太落后了，老实说对不起人民。我们现在必须发展生产力，改善人民生活条件。"④邓小平认为，如果社会主义不能让中国发展起来，不能让人民过上幸福的日子，

① 中共中央文献研究室编《习近平关于全面深化改革论述摘编》，中央文献出版社 2014 年版，第 51 页。

② 中共中央文献研究室编《习近平关于全面深化改革论述摘编》，中央文献出版社 2014 年版，第 9 页。

③ 习近平：《论坚持全面深化改革》，中央文献出版社 2018 年版，第 514 页。

④ 中共中央文献研究室编《邓小平年谱（1975—1997）》上，中央文献出版社 2004 年版，第 381 页。

那就谈不上优越性。为此，党的十一届三中全会以回应人民诉求和顺应时代潮流为出发点，作出了一系列事关人民福祉和民族复兴的重要决定。比如，将党和国家的工作中心转移到关系人民物质文化生活的经济建设上来，启动了事关千家万户的全面拨乱反正工作，重新确定了建设社会主义现代化国家的宏伟目标。这些决定、举措都是为了人民福祉和民族复兴，是中国共产党人践行初心和使命的生动体现。

党的十八届三中全会的出发点与十一届三中全会基本相同。党的十八大以来，习近平总书记多次指出，人民对美好生活的向往就是我们的奋斗目标。“前进道路上，我们必须始终把人民对美好生活的向往作为我们的奋斗目标，践行党的根本宗旨，贯彻党的群众路线，尊重人民主体地位。”[①]在此思想指引下召开的十八届三中全会指出，全面深化改革必须以促进社会公平正义、增进人民福祉为出发点和落脚点。“如果不能给老百姓带来实实在在的利益，如果不能创造更加公平的社会环境，甚至导致更多不公平，改革就失去意义，也不可能持续。”[②]不仅如此，习近平总书记还强调，我们“最根本最紧迫的任务还是进一步解放和发展生产力”，必须通过深化改革，“让一切劳动、知识、技术、管理、资本等要素的活力竞相迸发，让一切创造社会财富的源泉充分涌流”[③]。可见，十八届三中全会同样肩负着为中国人民谋幸福、为中华民族谋复兴的初心和使命。

三是都由党中央的核心引领。一个党，一个国家，核心至关重要。马克思曾指出：“一个单独的提琴手是自己指挥自己，一个乐队就需要一个乐队指挥。”邓小平指出：“任何一个领导集体都要有一个核心，没有核心的领导是靠不住的。”党的十一届三中全会和十八届三中全会作为党的历史上重要的会议，一个重要共同点就是会议期间都有党中央的核心、全党的核心来引领，核心发挥了历史性作用。

① 习近平：《论坚持全面深化改革》，中央文献出版社 2018 年版，第 514—515 页。
② 习近平：《切实把思想统一到党的十八届三中全会精神上来》，《求是》2014 年第 1 期。
③ 习近平：《切实把思想统一到党的十八届三中全会精神上来》，《求是》2014 年第 1 期。

党的十一届三中全会是在党的第二代中央领导集体核心邓小平同志的引领下召开的。“文化大革命”结束之后，全党依然受到“左”倾思想的束缚而步履维艰。为突破这一困局，邓小平在 1977 年 4 月针对“两个凡是”的错误方针致信党中央，提出要用准确完整的毛泽东思想指导全党全军全国各族人民。随后邓小平同志又支持和领导了关于真理标准问题的大讨论，从而打破“两个凡是”的禁锢，解放了广大人民群众的思想。这场大讨论，为召开三中全会提供了思想空间，为三中全会重新确立解放思想、实事求是的思想路线打下了坚实基础。1978 年 9 月，邓小平到东北考察，发表的“北方谈话”，更是起到了“点火”作用，推动许多关乎国家发展的重大问题得到了关注和探讨，尤其是提出把工作重点尽快转移到社会主义现代化建设上来的建议，受到党中央认可，并被作为 1978 年 11 月 10 日至 12 月 15 日举行的中央工作会议的中心议题。邓小平在这个具有重大意义的中央工作会议上发表重要讲话，涉及党的思想路线、发扬民主、解决历史遗留问题是为了向前看、解决新问题四个方面，提出使一部分人通过辛勤劳动日子先好起来的大政策，为十一届三中全会的召开举旗定向，成为十一届三中全会的主题报告。如果没有邓小平的高瞻远瞩、深谋远虑、敢于担当，十一届三中全会的召开绝不会如此顺利，历史性转折也绝不会如此快速实现。

党的十八届三中全会的召开与《决定》的通过，与习近平总书记的担当与引领密不可分。全会准备期间，习近平总书记亲自担任起草组的组长，先后 3 次主持中共中央政治局常委会会议、2 次主持中共中央政治局会议、多次主持文件起草组全体会议，研究部署起草工作，讨论审议《决定》稿，对文件起草组上报的每一稿都进行逐条、逐句、逐字地认真审阅。《决定》提出的一些长期讨论却悬而未决的重要议题，最后也是习近平总书记拍板定夺。参与《决定》起草的一位学者曾回忆说：“没有习近平总书记下决心，很多重大改革是难以出来的。”可以说，没有习近平总书记这位党中央的核心、全党的核心的亲力亲为和运筹帷幄，党的十八届三中全会同样不会产生如此重大的历史作用而实现改革开放史上又一次重大转折。

四是都提出了中国经济社会发展的“路线图”。1978 年以来，历次党的三中全会均聚焦改革，建构了中国共产党的改革开放新传统。作为两次尤为重要的三中全会，十一届三中全会和十八届三中全会都绘制了未来一个阶段推进发展的“路线图”。

在党的十一届三中全会上，中国共产党明确了以大胆下放权力为方向的经济体制改革任务，启动了以调动农民积极性为主要内容的农村改革，强调了加强民主法制建设和坚持民主集中制的政治体制改革的重要性，这些路线、方针、政策的通过都为改革初期的实际行动指明了路径。在会后不久召开的中央理论工作务虚会上，邓小平发表了坚持四项基本原则的重要讲话，为改革开放指明了方向，划明了底线。十一届三中全会提出了以经济建设为中心和改革开放，加上四项基本原则，20 世纪 70 年代末“一个中心、两个基本点”的基本路线呼之欲出。这实际上成为中国发展必须遵循的“路线图”。

党的十八届三中全会规划了全面深化改革的“路线图”，而这也是推动中国发展的“路线图”。在全会召开前，习近平总书记就明确了这次会议的根本目的是“提出综合改革方案，就全面深化改革进行总体部署”[①]。全会通过的《决定》，明确提出了全面深化改革的总目标和重点，用“六个紧紧围绕”描绘了全面深化改革的“路线图”，突出强调坚持社会主义市场经济方向，以经济体制改革为重点，发挥经济体制改革牵引作用。与此同时，《决定》对各个方面的改革分别要达到什么目标，以及实现目标所需要采用的改革举措也都作了详细规定。全会要求到 2020 年，在重要领域和关键环节改革上取得决定性成果，形成系统完备、科学规范、运行有效的制度体系，使各方面制度更加成熟、更加定型。可以说，十八届三中全会为未来一个阶段的改革作出了很好的顶层设计，为中国共产党领导开启下一个新的发展阶段擘画了新的宏伟蓝图。

① 《习近平会见清华大学经济管理学院顾问委员会海外委员》，《人民日报》2013 年 10 月 24 日。

二、两次全会召开的时间相隔 35 年，确实表现出植根于不同时代背景、不同历史阶段的相异之处。这些不同体现在面临的主要矛盾、形势任务、目的追求等诸多方面

任何事件都是在一定的时代发生的。发生的时间不同、时代不同，决定了历史性事件之间的差异。在不同历史发展阶段出现的事件，也总刻有鲜明的阶段性烙印。

一是两次会议召开时国内社会主要矛盾不同。党的十一届三中全会召开时面对的是比较严峻困难的国情。刚走出“文化大革命”的中国经历了相当长时期的低质量发展，计划经济观念根深蒂固、人们的思想观念比较僵化，百废待举、百业待兴、问题成堆成山。此时，中国社会主要矛盾是人民日益增长的物质文化需要同落后的社会生产之间的矛盾，人们的诉求相对简单。中国共产党要想抓住全球产业转移、新技术革命的历史性机遇，大胆突破陈年积弊，千方百计发展经济，不断解决社会主要矛盾，就成为十一届三中全会迫切需要解决的重大问题。

党的十八届三中全会面对的则是经济比较殷实的国情。经过长期努力，中国综合国力迅速提升。2012 年，中国进出口总额从 1978 年的 208 亿美元、世界排名第 29 位跃升至 38671 亿美元、世界第 2 位，中国已成为世界第二大经济体、世界第一大货物贸易国；全国城镇化率由 1978 年的 17% 上升为 52%，进入工业化中后期阶段；市场经济体制从无到有并逐渐趋于成熟，产业结构也从世界产业结构的末端迈向中高端。这时，国内社会主要矛盾已经转化为人民日益增长的美好生活需要和不平衡不充分的发展之间的矛盾，人民的诉求日益广泛多样。中国领导人面对的是日益增大的改革阻力与难度，面对的是如何更好利用国际国内两种资源、两个市场。中国共产党能否通过改革不断释放发展红利，妥善处理升级换代后的社会主要矛盾，成为十八届三中全会要面临的不同于十一届三中全会的重大历史课题。

二是完成的历史性任务不同。党的十一届三中全会主要是完成了启动改革开放、转移工作中心的历史性任务，力图扭转党面临的困境。以家庭联产承包责任制为主要内容的农村改革，有计划的商品经济，以及随后进行的以城市改革为重点的全面改革，都是以十一届三中全会为起点的。如果没有这次会议所助推的思想大解放去打破长期束缚人们的观念枷锁，前述关乎中国前进的相关政策几乎不可能出台。尽管这次会议没有完整提及“改革开放”，但国内上下公认这次会议是中国改革开放的历史起点，肯定其成功启动中国改革进程的历史意义。

党的十八届三中全会则是在改革开放的政策已经确立且经历数十年实践后召开的，其主要历史任务是启动全面深化改革，为中国特色社会主义事业发展继续注入强大动力，为“中华号”巨轮扬帆远航打下坚实基础。2013 年，中国经济建设蓬勃发展并取得重大成就，中国所面临的是如何进一步凝聚改革的共识，如何推动经济实现更高质量发展，怎样冲破利益固化的藩篱能否实现创新、协调、绿色、开放、共享的发展以及怎样让人民群众享有更多获得感、幸福感和安全感等诸多新问题。因此，十八届三中全会承担的历史任务不同于十一届三中全会。在新形势下，十八届三中全会所要完成的任务是要对下一步改革进行总体设计，将中国改革进程推进到更加深入、全面的新阶段。党的十八届三中全会明确提出了全面深化改革的总目标是完善和发展中国特色社会主义制度，推动国家治理体系和治理能力现代化。而实现这个总目标，需要几十年的努力奋斗。可见，十八届三中全会提出的总目标将不断得到丰富和细化，总目标的时间节点和方法路径也将不断明晰。

三是具体目的追求不同。任何事物的发展都离不开历史条件的限制，人们只能从所处的时代和环境出发来考虑问题。习近平总书记指出，改革开放以来，我们“实现了从‘赶上时代’到‘引领时代’的伟大跨越”[①]。这种跨越，实际上反映了两次三中全会所处的历史条件和所致力的不同改革

① 习近平：《在 2018 年春节团拜会上的讲话》，《人民日报》2018 年 2 月 15 日。

追求。

召开党的十一届三中全会的目的追求是“赶上时代”。1978 年，中国领导人出国访问。他们亲眼见到联邦德国一个年产 5000 万吨煤矿的生产率是中国相同产量的煤矿的 80 倍，法国戴高乐机场的起飞率则是北京首都国际机场的 30 倍。[①] 邓小平在得知日本的一家汽车厂人均年产汽车数量是中国最先进的长春一汽的 94 倍时，更是感叹“懂得什么是现代化了”。正因看到中国与时代潮流存在的巨大差距，中国领导人才痛定思痛，决定奋起直追。党的十一届三中全会上，党提出的路线、方针、政策，归根结底是为发展国力，避免被时代大潮抛弃。后来，邓小平曾明确指出，我们改革的目的是跟上时代。

党的十八届三中全会召开时，中国正在努力“引领时代”。经过几十年高速发展，中国综合国力显著增强，正日益走近世界舞台中央。就此，习近平总书记指出：“我们不仅要赶上时代，而且要勇于引领时代潮流、走在时代前列。”[②] 十八届三中全会作为部署新一轮改革的重要会议，针对如何更好地处理政府与市场的关系、如何更好地消除城乡二元壁垒、如何更好地实现公平正义等世界性的国家治理难题，给出了站在时代制高点的中国方案。这次会议是在中国追求从“赶上时代”到“引领时代”的宏愿背景下召开的。当然需要指出，不管是党的十一届三中全会还是十八届三中全会，都在践行党的初心和使命，但确实因为时代条件不同，因而感受的时代氛围和追求的具体目标略有差异。

四是采用方法略有不同。党的十一届三中全会拉开了中国改革开放的大幕。改革开放是一场深刻的社会变革，影响广泛而深远，不亚于一场革命，因此被称为新的伟大革命。但这次革命毕竟与战争年代的革命不同，共产党人面临着大量新问题。如何推动改革开放呢？以邓小平同志为主要

---

① 曹普：《1978 年高层出国考察引发思想冲击波》，《学习时报》2008 年 12 月 8 日。

② 中共中央文献研究室编《习近平关于科技创新论述摘编》，中央文献出版社 2016 年版，第 79 页。

代表的中国共产党人主要采取了“摸着石头过河”、试点先行的办法，包括农村进行包产到户的试点、对外开放过程中的经济特区试点、城市改革中的国企改革试点，试点积累经验后再扩大改革开放范围。这些方法，大大降低了前进阻力，取得了良好效果。

随着改革开放向纵深推进，任何重大改革都牵一发而动全身，单兵突进行不通了，必须更加注重改革的宏观思考和顶层设计。党的十八届三中全会在这种背景下召开。习近平总书记强调要树立进取意识、责任意识，坚持辩证法，从纷繁复杂的事物表象中把准改革脉搏，不断探索改革的内在规律，重点把握和处理好解放思想和实事求是的关系、整体推进和重点突破的关系、全局和局部的关系、顶层设计和“摸着石头过河”的关系、胆子要大和步子要稳的关系、改革和法治的关系等。后来他还提出：“必须坚持辩证唯物主义和历史唯物主义世界观和方法论，正确处理改革发展稳定关系。……我国是一个大国，决不能在根本性问题上出现颠覆性错误。我们坚持加强党的领导和尊重人民首创精神相结合，坚持‘摸着石头过河’和顶层设计相结合，坚持问题导向和目标导向相统一，坚持试点先行和全面推进相促进，既鼓励大胆试、大胆闯，又坚持实事求是、善作善成，确保了改革开放行稳致远。”[①]习近平总书记的重要论述，既是对十八大以来推进改革积累的新经验的集中概括，也是在总结了改革开放几十年宝贵经验基础上得来的。

但不能简单说，党的十八大以来改革推进靠顶层设计，党的十八大以前就只有“摸着石头过河”。实际上，党的十八大以前也有顶层设计，党的十八大以后也有“摸着石头过河”。党的十二届三中全会通过的关于经济体制改革的文件，党的十四届三中全会关于建立社会主义市场经济体制的决定，都是推进经济改革的顶层设计。否则，邓小平“总设计师”的称谓从何而来？党的十八大以来，也有“摸着石头过河”的做法。设立中国（上海）自贸试验区就是“摸着石头过河”。“摸着石头过河是富有中国智慧的

① 习近平：《论坚持全面深化改革》，中央文献出版社 2018 年版，第 521 页。

改革方法，也是符合马克思主义认识论和实践论的方法。”[①]“摸着石头过河就是摸规律。”[②]既要尊重客观规律，坚持按照客观规律办事，又要积极发挥主观能动性，勇于推进理论和实践创新，不断深化对改革规律的认识。[③]“摸着石头过河和加强顶层设计是辩证统一的，推进局部的阶段性改革开放要在加强顶层设计的前提下进行，加强顶层设计要在推进局部的阶段性改革开放的基础上来谋划。”[④]要加强宏观思考和顶层设计，同时也要继续鼓励大胆试验、大胆突破。

简要比较两次全会异同，我们能够更加深刻理解党的十八届三中全会的划时代意义。党的十八届三中全会必将在中共党史、新中国史、改革开放史上写下浓墨重彩的一笔。

第四节　中央全面深化改革领导小组的成立

全面深化改革，任务艰巨繁重，必须加强和改善党的领导。2013 年 11 月 12 日，习近平总书记在党的十八届三中全会第二次全体会议上讲话时指出，“中央将成立全面深化改革领导小组，负责改革总体设计、统筹协调、整体推进、督促落实”，强调“涉及全局的重大改革由中央统一部署，各地区各部门要按照中央要求推进改革，不要自行其是，更不要一哄而起”。[⑤]这是为了更好发挥党总揽全局、协调各方的领导核心作用，保证改革顺利推进和各项改革任务落实。

12 月 30 日，中共中央政治局召开会议。会议决定，成立中央全面深

① 习近平：《论坚持全面深化改革》，中央文献出版社 2018 年版，第 59 页。

② 习近平：《论坚持全面深化改革》，中央文献出版社 2018 年版，第 6 页。

③ 中共中央文献研究室编《习近平关于全面深化改革论述摘编》，中央文献出版社 2014 年版，第 48 页。

④ 习近平：《论坚持全面深化改革》，中央文献出版社 2018 年版，第 7 页。

⑤ 习近平：《论坚持全面深化改革》，中央文献出版社 2018 年版，第 63 页。

化改革领导小组，由习近平总书记任组长。中央全面深化改革领导小组负责改革的总体设计、统筹协调、整体推进、督促落实，主要职责是：研究确定经济体制、政治体制、文化体制、社会体制、生态文明体制和党的建设制度等方面改革的重大原则、方针政策、总体方案；统一部署全国性重大改革；统筹协调处理全局性、长远性、跨地区、跨部门的重大改革问题；指导、推动、督促中央有关重大改革政策措施的组织落实，推动全面落实改革目标任务。

2014 年 1 月 22 日下午，中共中央总书记、国家主席、中央军委主席、中央全面深化改革领导小组组长习近平主持召开中央全面深化改革领导小组第一次会议并发表重要讲话。他强调，全面深化改革，我们具备有利条件，具备实践基础，具备理论准备，也具备良好氛围，要把握大局、审时度势、统筹兼顾、科学实施，充分调动各方面积极性，坚定不移朝着全面深化改革目标前进。会议审议通过了《中央全面深化改革领导小组工作规则》《中央全面深化改革领导小组专项小组工作规则》《中央全面深化改革领导小组办公室工作细则》；审议通过了中央全面深化改革领导小组下设经济体制和生态文明体制改革、民主法制领域改革、文化体制改革、社会体制改革、党的建设制度改革、纪律检查体制改革小组等 6 个专项小组名单；审议通过了《中央有关部门贯彻落实党的十八届三中全会〈决定〉重要举措分工方案》；听取了各地区各部门贯彻落实党的十八届三中全会精神进展情况，研究了领导小组近期工作。

习近平总书记在讲话中指出，党的十八届三中全会以后，各地区各部门迅速行动，深入学习宣传全会精神，全党全国思想认识高度一致，抓改革的机遇意识、责任意识、紧迫意识普遍增强，主动性、自觉性明显提高。各地区各部门结合实际情况，制定和采取一系列改革举措，涉及经济体制、政治体制、文化体制、社会体制、生态文明体制和党的建设制度方方面面，突出了凝聚全社会改革共识和合力、致力推进国家治理体系和治理能力现代化，突出了使市场在资源配置中起决定性作用和更好发挥政府作用，突出了促进社会公平正义、增进人民福祉，突出了对社会热点问题的积极回应，行动比较快，指向比较准，落点比较实，反响比较好。

习近平总书记强调，对改革行政审批制度、改革工商注册制度、推进社会主义核心价值体系建设、实施单独两孩政策、废止劳动教养制度、改革和完善干部考核评价制度、改进干部选拔任用机制、坚持厉行节约反对浪费、深入开展党风廉政建设和反腐败斗争等全社会高度关注、各方面抱有急切期盼解决的问题，我们及时组织有关部门研究出台了政策措施和制度文件，有的还作出了法律决定。总的看，当前贯彻落实三中全会精神，上上下下热情很高。我们也要看到，贯彻落实三中全会精神，也存在一些值得注意的问题。主要是有的地方、单位、干部对三中全会精神理解不深、把握不准，对全面深化改革的艰巨性、复杂性、关联性、系统性估计不足；有的对全面深化改革的重要性和紧迫性认识不足，抓改革作风不扎实、工作不到位。还要看到，随着改革不断推进，对利益关系的触及将越来越深，对此也要有足够思想准备。对改革进程中已经出现和可能出现的问题，困难要一个一个克服，问题要一个一个解决，既敢于出招又善于应招，做到“蹄疾而步稳”。

习近平总书记指出，中央全面深化改革领导小组的责任，就是要把党的十八届三中全会提出的各项改革举措落实到位。要深入学习领会三中全会精神，党的十八大和十八届三中全会作出的各项部署是我们议事决策的总依据，领导小组要带头学习好、理解深、消化透，善于观大势、谋大事，站在国内国际两个大局、党和国家工作大局、全面深化改革全局来思考和研究问题。要牢牢把握改革正确方向，在涉及道路、理论、制度等根本性问题上，在大是大非面前，必须立场坚定、旗帜鲜明。要严格按规则和程序办事，坚持集思广益、民主集中，凡是议定的事要分头落实，不折不扣抓出成效。要强化改革责任担当，看准了的事情，就要拿出政治勇气来，坚定不移干。要充分调动各方面积极性，改革任务越繁重，我们越要依靠人民群众支持和参与，善于通过提出和贯彻正确的改革措施带领人民前进，善于从人民的实践创造和发展要求中完善改革的政策主张。

习近平总书记指出，专项小组、中央改革办、牵头单位和参与单位，要建好工作机制，做到既各司其职、各负其责又加强协作配合，形成工作合力。一要抓统筹，既抓住重点也抓好面上，既抓好当前也抓好长远，处理好重大关系，统筹考虑战略、战役、战斗层面的问题，做好政策统筹、方案统筹、力量统筹、进度统筹工作。二要抓方案，全面深化改革总体部署已经有了，要抓紧出台施工方案，按照施工方案推进各项改革举措落地。三要抓落实，三中全会各项具体改革举措，要有时间表，一项一项抓落实，以多种形式督促检查，指导和帮助各地区各部门分解任务、落实责任。四要抓调研，加强对重大改革问题的调研，尽可能多听一听基层和一线的声音，尽可能多接触第一手材料，做到重要情况心中有数。要推动各地区各部门加强调研，注重发挥有关专家学者、研究机构对全面深化改革的调研咨询作用。

一年之计在于春。习近平总书记指出，专项小组和中央改革办要尽快运转起来。各省区市要尽快建立全面深化改革领导小组，有关部委的改革责任机制也要尽快建立起来，并同领导小组形成联系机制。要抓紧研究提出领导小组 2014 年工作要点，把握大局、扎实推进，战略上勇于进取，战术上稳扎稳打。把三中全会对全面深化改革的总体部署落实下来，要在总体工作思路上多动脑筋、多下功夫。

具有划时代意义的党的十八届三中全会的召开，全面深化改革顶层设计的出台，中央全面深化改革领导小组的建立以及第一次会议的召开，都标志着一场前所未有的大改革、大开放从此拉开了大幕。

第三章

全面深化改革
蹄疾步稳推进

党的十八大后，我们稳步推进全面深化改革，坚决破除各方面体制机制弊端，改革全面发力、多点突破、纵深推进，着力增强改革系统性、整体性、协同性，压茬拓展改革广度和深度，推出1500多项改革举措，重要领域和关键环节改革取得突破性进展，主要领域改革主体框架基本确立。全面深化改革取得重大突破，中国特色社会主义制度更加完善，国家治理体系和治理能力现代化水平明显提高，全社会发展活力和创新活力明显增强。

第一节　经济体制改革深入推进

党的十八大以来，经济领域改革积极推进。党的十八届三中全会作出全面深化改革总体部署的同时，强调要坚持社会主义市场经济方向，牢牢抓住经济体制改革这个重点。这几年来，面对世界经济因金融危机陷入衰退、国内经济发展方式加快转变的复杂形势，党中央在精准概括经济发展状态即新常态的基础上，深化社会主义市场经济体制改革，积极妥善处理政府与市场关系，大力推进供给侧结构性改革，坚持不以 GDP 增长率论英雄，坚决实施创新驱动发展战略，以新发展理念引领我国经济发展保持了稳中有进的良好态势。

一、牢牢把握经济发展新常态这个“大逻辑”

党的十八大后，党中央综合分析世界经济长周期和我国发展阶段性特征及其相互作用，作出了“我国经济发展进入新常态”的重大战略判断。

2013 年 12 月 10 日，习近平总书记在中央经济工作会议上首次提出“新常态”①。2014 年 5 月 10 日，习近平总书记在河南考察时又指出：“我国发展仍处于重要战略机遇期，我们要增强信心，从当前我国经济发展的阶段性特征出发，适应新常态，保持战略上的平常心态。”②12 月 9 日，在中央经济工作会议上习近平总书记详尽分析了中国经济新常态的趋势性变化，并强调：“我国经济发展进入新常态，是我国经济发展阶段性特征的必然反映，是不以人的意志为转移的。认识新常态、适应新常态、引领新常态，是当

---

① 习近平：《习近平著作选读》第二卷，人民出版社 2023 年版，第 404 页。

② 《习近平近日在河南考察调研》，《新闻和报纸摘要》2014 年 5 月 11 日。

前和今后一个时期我国经济发展的大逻辑。”[①] 中国经济呈现新常态，有几个主要特点：一是经济发展从高速增长转为中高速增长；二是经济结构不断优化升级，第三产业、消费需求逐步成为主体，城乡区域差距逐步缩小，居民收入占比上升，发展成果惠及更广大民众；三是从要素驱动、投资驱动转向创新驱动。

2015 年 6 月 16 日至 18 日，习近平总书记在贵州调研时指出：“适应新常态、把握新常态、引领新常态，是当前和今后一个时期我国经济发展的大逻辑。要深刻认识我国经济发展新特点新要求，着力解决制约经济持续健康发展的重大问题。”[②]2016 年 1 月 18 日，习近平总书记在省部级主要领导干部学习贯彻党的十八届五中全会精神专题研讨班开班式上讲话时又明确指出，全面认识和把握新常态，需要从时间和空间大角度审视我国发展。从时间上看，我国发展经历了由盛到衰再到盛的几个大时期，今天的新常态是这种大时期更替变化的结果。从空间上看，我国出口优势和参与国际产业分工模式面临新挑战，经济发展新常态是这种变化的体现。在认识新常态时，要准确把握其内涵，注意克服几种不当倾向。一是，新常态不是一个事件，不要用好坏来判断。有人问，新常态是一个好状态还是一个坏状态？这种问法是不科学的。新常态是一个客观状态，是我国经济发展到今天这个阶段必然会出现的一种状态，有内在必然性，并没有好坏之分，我们要因势而谋、因势而动、因势而进。二是，新常态不是一个筐子，不要什么都往里面装。新常态主要表现在经济领域，不要滥用新常态概念，搞出一大堆“新常态”，什么文化新常态、旅游新常态、城市管理新常态等，甚至把一些不好的现象都归入新常态。三是，新常态不是一个“避风港”，不要把不好做或难做好的工作都归结于新常态，似乎推给新常态就有不去解决的理由了。新常态不是不干事，不是不要发展，不是不要 GDP 增

---

① 《中央经济工作会议在北京举行　习近平李克强作重要讲话》，《人民日报》2014 年 12 月 12 日。

② 《习近平在贵州调研时强调：看清形势适应趋势发挥优势善于运用辩证思维谋划发展》，《人民日报》2015 年 6 月 19 日。

长，而是要更好发挥主观能动性、更有创造精神地推动发展。适应新常态，究竟该怎么做？习近平总书记给我们支了招："我们要坚持以经济建设为中心，坚持以新发展理念引领经济发展新常态，加快转变经济发展方式、调整经济发展结构、提高发展质量和效益，着力推进供给侧结构性改革，推动经济更有效率、更有质量、更加公平、更可持续地发展，加快形成崇尚创新、注重协调、倡导绿色、厚植开放、推进共享的机制和环境，不断壮大我国经济实力和综合国力。"①

这种对经济发展状态的精准判断和明确指示为经济领域改革指明了方向。

二、抓住经济体制改革这个重点

经济体制改革一直是中国自1978年以来推进改革的重点内容。党的十八届三中全会指出，经济体制改革是全面深化改革的重点，核心问题是处理好政府和市场的关系，使市场在资源配置中起决定性作用和更好发挥政府作用。这是党的历史上第一次明确提出让市场在资源配置中起决定性作用。

回顾一下改革历史有助于把上面这段话理解得更深刻透彻。1992年10月，党的十四大提出了我国经济体制改革的目标是建立社会主义市场经济体制，提出要使市场在国家宏观调控下对资源配置起基础性作用。这一重大理论突破，对我国改革开放和经济社会发展发挥了极为重要的作用。经过20多年实践，我国社会主义市场经济体制已经初步建立，但仍存在不少问题，主要是：市场秩序不规范，以不正当手段谋取经济利益的现象广泛存在；生产要素市场发展滞后，要素闲置和大量有效需求得不到满足并存；市场规则不统一，部门保护主义和地方保护主义大量存在；市场竞争不充

① 习近平：《在庆祝中国共产党成立95周年大会上的讲话》(2016年7月1日)，《人民日报》2016年7月2日。

分，阻碍优胜劣汰和结构调整；等等。这些问题不解决好，难以形成完善的社会主义市场经济体制。从党的十四大以来的 20 多年间，对政府和市场关系，我们一直在根据实践拓展和认识深化寻找新的科学定位。党的十五大提出“使市场在国家宏观调控下对资源配置起基础性作用”，党的十六大提出“在更大程度上发挥市场在资源配置中的基础性作用”，党的十七大提出“从制度上更好发挥市场在资源配置中的基础性作用”，党的十八大提出“更大程度更广范围发挥市场在资源配置中的基础性作用”。可以看出，我们对政府和市场关系的认识不断深化。

在起草党的十八届三中全会文件过程中，许多方面提出，应该从理论上对政府和市场关系进一步作出定位，这对全面深化改革具有重大作用。考虑各方面意见和现实发展要求，经过反复讨论和研究，中央认为对这个问题从理论上作出新的表述条件已经成熟，应该把市场在资源配置中的“基础性作用”修改为“决定性作用”。这才有了这个最新、最重要的大判断。这实际上是要处理好在资源配置中市场起决定性作用还是政府起决定性作用这个问题。作出“使市场在资源配置中起决定性作用”的定位，有利于在全党全社会树立关于政府和市场关系的正确观念，有利于转变经济发展方式、转变政府职能、抑制消极腐败现象。

当然，我国实行的是社会主义市场经济体制，仍然要坚持党的全面领导，发挥我国社会主义制度的优越性。市场在资源配置中起决定性作用，并不是起全部作用。发展社会主义市场经济，既要发挥市场作用，也要发挥政府作用，但市场作用和政府作用的职能是不同的。更好发挥政府作用，就是强调科学的宏观调控、有效的政府治理。党的十八届三中全会对健全宏观调控体系、全面正确履行政府职能、优化政府组织结构进行了部署，强调政府的职责和作用主要是保持宏观经济稳定，加强和优化公共服务，保障公平竞争，加强市场监管，维护市场秩序，推动可持续发展，促进共同富裕，弥补市场失灵。这种对政府和市场的准确定位，是经济领域改革的必然要求，也是改革目标。

三、实施创新驱动发展战略

创新是第一动力，能够改变人类生存和生活方式。经济改革的目的是解放和发展生产力，释放社会活力。要解放和发展生产力就必须实施创新驱动发展战略。从全球范围看，科学技术越来越成为推动经济社会发展的主要力量，实施创新驱动是大势所趋。从国内看，创新能力不强，科技发展水平总体不高，是制约我国经济发展的瓶颈。作为一个正在崛起中的大国，在科技创新上要独立自主。历史也表明，真正的核心技术买不来、要不来，只能靠自己。

实施创新驱动发展战略，要紧扣世界发展大势，跟踪全球科技发展方向，坚持问题导向，明确我国科技创新主攻方向和突破口，着力攻克一批关键核心技术，加速赶超甚至引领步伐。要把重要领域的科技创新摆在更加突出的位置，抓紧实施国家重大科技专项，加快建设以国家实验室为引领的创新基础平台，积极发挥体制优势，争取尽快抢占高科技制高点。2015 年 11 月 2 日，万众瞩目的大飞机 C919 总装下线，露出“真容”。它是我国第一架自行设计制造、具有完全知识产权的大型客机，反映了我国创新能力大幅提升、创新体系建设迈向世界前列。2016 年，我国创新能力位居全球第 25 位，进入创新型国家行列，中低端技术产品出口全面超过日本。这既是中央果断实施创新驱动发展战略、呼吁大众创业万众创新的可喜结果，也是我们从大向强进发的一个必经阶段。

不创新必然落后，创新慢了也会落后。当今世界，各大国都在积极强化创新部署，如美国提出再工业化战略、德国提出“工业 4.0”战略[①]、日本强调独创力关系国家兴亡、英国强调人民的想象力是国家最大的资源。我们只有积极实施创新驱动发展战略，我国经济发展质量和效益的提高这个中心任务才有扎实的基础和强大后劲。

---

① “工业 4.0”战略是德国政府旨在将信息通信技术同传统制造技术进行深度结合以保持制造业世界领先地位的一项发展战略，将对全球制造业产生广泛而深远的影响，被称为“第四次工业革命”。

四、积极推进供给侧结构性改革

推进供给侧结构性改革，是适应和引领经济发展新常态的重大创新，是适应国际金融危机发生后综合国力竞争新形势的主动选择。我国经济增速自2010年以来波动下行，持续时间已有5年多，经济运行呈现出不同以往的态势和特点，一些行业和产业产能严重过剩，同时大量关键装备、核心技术、高端产品还严重依赖进口。一些有大量购买力支撑的消费需求，在国内得不到有效供给，消费者将大把钞票花费在出境购物或“海淘”购物上。这说明，“供给和需求不平衡、不协调的矛盾和问题日益凸显，突出表现为供给侧对需求侧变化的适应性调整明显滞后。这就需要在适度扩大总需求的同时加快推进供给侧结构性改革”[①]。

供给侧结构性改革，就是用改革的办法推进结构调整，减少无效和低端供给，扩大有效和中高端供给，增强供给结构对需求结构的适应性和灵活性，提高全要素生产率。权威人士指出：“推进供给侧结构性改革，既有明确的理念，也有清晰的思路，还有具体的任务。各地区各部门要按照创新、协调、绿色、开放、共享‘五大发展理念’的要求，适应经济发展新常态，实行宏观政策要稳、产业政策要准、微观政策要活、改革政策要实、社会政策要托底的总体思路，围绕去产能、去库存、去杠杆、降成本、补短板‘五大重点任务’，坚定地干、大胆地干、扎实地干、精准地干、决不回头地干。”[②]实施供给侧结构性改革，就是要通过一系列政策举措，特别是科技创新、发展实体经济、保障和改善人民生活的政策措施，来解决我国经济供给侧存在的问题，为经济持续健康发展提供源源不断的内生动力。

2016年12月举行的中央经济工作会议，总结了党的十八大以来的经济工作，并再一次明确2017年要继续深化供给侧结构性改革。会议指出，“党的十八大以来，我们初步确立了适应经济发展新常态的经济政策框架。第一，

---

① 王一鸣、陈昌盛、李承健：《正确理解供给侧结构性改革》，《人民日报》2016年3月29日。

② 《七问供给侧结构性改革——权威人士谈当前经济怎么看怎么干》，《人民日报》2016年1月4日。

作出经济发展进入新常态的重大判断，把认识、把握、引领新常态作为当前和今后一个时期做好经济工作的大逻辑。第二，形成以新发展理念为指导、以供给侧结构性改革为主线的政策体系，引导经济朝着更高质量、更有效率、更加公平、更可持续的方向发展，提出引领我国经济持续健康发展的一套政策框架。第三，贯彻稳中求进工作总基调，强调要保持战略定力，坚持问题导向、底线思维，发扬钉钉子精神，一步一个脚印向前迈进。党中央对经济形势作出的重大判断、对经济工作作出的重大决策、对经济工作思想方法作出的重大调整，经受了实践检验，是符合实际的。全党同志要坚定信心，按照党中央确定的思路和方法，朝着我们的奋斗目标不断前进”。

会议还指出，我国经济运行面临的突出矛盾和问题，虽然有周期性、总量性因素，但根源是重大结构性失衡，导致经济循环不畅，必须从供给侧、结构性改革上想办法，努力实现供求关系新的动态均衡。供给侧结构性改革，最终目的是满足需求，主攻方向是提高供给质量，根本途径是深化改革。最终目的是满足需求，就是要深入研究市场变化，理解现实需求和潜在需求，在解放和发展社会生产力中更好满足人民日益增长的物质文化需要。主攻方向是提高供给质量，就是要减少无效供给、扩大有效供给，着力提升整个供给体系质量，提高供给结构对需求结构的适应性。根本途径是深化改革，就是要完善市场在资源配置中起决定性作用的体制机制，深化行政管理体制改革，打破垄断，健全要素市场，使价格机制真正引导资源配置。要加强激励、鼓励创新，增强微观主体内生动力，提高盈利能力，提高劳动生产率，提高全要素生产率，提高潜在增长率。

会议对 2017 年经济工作作出部署，指出要继续深化供给侧结构性改革，强调要以“三去一降一补”五大任务为抓手，推动供给侧结构性改革取得初步成效，部分行业供求关系、政府和企业理念行为发生积极变化。

为了更好推进工作，会议还专门就“稳中求进”作出论述。会议强调，稳中求进工作总基调是治国理政的重要原则，也是做好经济工作的方法论，明年贯彻好这个总基调具有特别重要的意义。稳是主基调，稳是大局，在稳的前提下要在关键领域有所进取，在把握好度的前提下奋发有为。要继续实施积极的财政政策和稳健的货币政策。财政政策要更加积极有效，预算安排要适应推进供给侧结构性改革、降低企业税费负担、保障民生兜底的需要。货币政策要保持稳健中性，适应货币供应方式新变化，调节好货币闸门，努力畅通货币政策传导渠道和机制，维护流动性基本稳定。要在增强汇率弹性的同时，保持人民币汇率在合理均衡水平上的基本稳定。要把防控金融风险放到更加重要的位置，下决心处置一批风险点，着力防控资产泡沫，提高和改进监管能力，确保不发生系统性金融风险。要坚持基本经济制度，坚持社会主义市场经济改革方向，坚持扩大开放，稳定民营企业家信心。要加强预期引导，提高政府公信力。按照守住底线、突出重点、完善制度、引导舆论的思路，深入细致做好社会托底工作，扩大人民群众获得感，维护社会和谐稳定。

在推进供给侧结构性改革中，我国经济结构逐渐优化，经济社会发展确实做到了稳中有进。党的十九大报告指出，国内生产总值从 54 万亿元增长到 80 万亿元，稳居世界第二[①]。

五、国有企业改革进入新阶段

国有企业是中国特色社会主义的重要物质基础和政治基础，是中国共产党执政兴国的重要支柱和依靠力量。新中国成立以来，特别是改革开放以来，国有企业发展取得了巨大成就。国有企业为中国经济社会发展、科技进步、国防建设、民生改善作出了历史性贡献，功勋卓著，功不可没。但也要看到，国有企业存在政企不分、国有资产流失、国有资本保值增值面临危险等问题。改革开放以来，国企改革一直是经济改革领域的重要内容。

---

① 习近平：《习近平著作选读》第二卷，人民出版社 2023 年版，第 3 页。

党的十八大以来，国企改革成为全面深化改革的重要组成部分。2014年10月24日，经习近平总书记批准，中央国企改革领导小组在国务院设立，中央政治局委员、国务院副总理马凯任组长，国务委员王勇任副组长，办公室设在国资委。习近平总书记曾指示，领导班子要把国企做强做大，挡住私有化逆流，不要辜负人民的殷殷期望。自此，国企改革进入新阶段。

2014年11月13日，国资委传达学习习近平总书记对国企改革的指示。2015年1月5日，国资委党组会议再次学习这一重要指示，会议披露习近平总书记的批示内容主要是：高度重视国资国企改革发展重大问题，高度肯定国有企业的地位和作用，强调国有企业是我国经济发展的重要力量，也是我们党和国家事业发展的重要物质基础，明确指出要做强做优做大国有企业，不断提高国有企业的活力、影响力、控制力和抗风险能力，对加强国资国企改革发展提出了明确要求。2015年6月5日，习近平总书记主持召开中央全面深化改革领导小组第13次会议并表示，把国有企业做强做优做大，不断增强国有经济活力、控制力、影响力、抗风险能力，要坚持党的建设与国有企业改革同步谋划、党的组织及工作机构同步设置，实现体制对接、机制对接、制度对接、工作对接，确保党的领导、党的建设在国有企业改革中得到体现和加强。防止国有资产流失，要坚持问题导向，立足机制制度创新，强化国有企业内部监督、出资人监督、审计监督、纪检监督、巡视监督以及社会监督，加快形成全面覆盖、分工明确、协同配合、制约有力的国有资产监督体系。7月17日，习近平总书记在长春召开部分省区党委主要负责同志座谈会时表示，要深化国有企业改革，完善企业治理模式和经营机制，真正确立企业的市场主体地位，增强企业内在活力、市场竞争力、发展引领力。国有企业是推进现代化、保障人民共同利益的重要力量，要坚持国有企业在国家发展中的重要地位不动摇，坚持把国有企业搞好、把国有企业做大做强做优不动摇。推进国有企业改革，要有利于国有资本保值增值，有利于提高国有经济竞争力，有利于放大国有资本功能。这“三个有利于”是判断国企改革成败的标准。2015年8月24日，中共中央、国务院《关于深化国有企业改革的指导意见》颁布实施，明确指出国企改革的指导思想是：深入学习贯彻习近平总书记系列重要讲话精神，坚持和完善基本经济制度，坚持社会主义市场经济改革方向，适应市场化、现代化、国际化新形势，以解放和发展社会生产力为标准，以提高国有资本效率、增强国有企业活力为中心，完善产权清晰、权责明确、政企分开、管理科学的现代企业制度，完善国有资产监管体制，防止国有资产流失，全面推进依法治企，加强和改进党对国有企业的领导，做强做优做大国有企业，不断增强国有经济活力、控制力、影响力、抗风险能力，主动适应和引领经济发展新常态，为促进经济社会持续健康发展、实现中华民族伟大复兴中国梦作出积极贡献。文件对处理好政企关系、合理安排薪酬制度、管好国有资本等国企改革关键问题进行了详细部署。这是对国有企业改革的顶层设计，为国有企业改革绘制了蓝图、拟定了时间表和“路线图”。

2016 年 7 月 4 日，全国国有企业改革座谈会在北京召开。习近平总书记在会上作出指示强调，国有企业是壮大国家综合实力、保障人民共同利益的重要力量，必须理直气壮做强做优做大，不断增强活力、影响力、抗风险能力，实现国有资产保值增值。要坚定不移深化国有企业改革，着力创新体制机制，加快建立现代企业制度，发挥国有企业各类人才积极性、主动性、创造性，激发各类要素活力。要按照创新、协调、绿色、开放、共享的新发展理念的要求，推进结构调整、创新发展、布局优化，使国有企业在供给侧结构性改革中发挥带动作用。要加强监管，坚决防止国有资产流失。要坚持党要管党、从严治党，加强和改进党对国有企业的领导，充分发挥党组织的政治核心作用。各级党委和政府要牢记搞好国有企业、发展壮大国有经济的重大责任，加强对国有企业改革的组织领导，尽快在国有企业改革重要领域和关键环节取得新成效。李克强总理作出批示指出，长期以来，国有企业为推动经济社会发展、提升综合国力作出了重大贡献。当前，面对新常态、新形势，要认真贯彻党中央、国务院决策部署，牢固树立新发展理念，坚持不懈推动国有企业改革，积极推进建立现代企业制度和完善的法人治理结构，遵循市场规律，瘦身健体提质增效，淘汰过剩落后产能，以推动供给侧结构性改革。要紧紧抓住世界新科技革命和产业变革的机遇，落实创新驱动发展战略，积极发展新经济，依托“互联网+”和大众创业、万众创新，弘扬企业家精神和工匠精神，不断创新技术、产品与服务，提高主业的核心竞争力，推动传统产业改造升级。要按照突出重点、规范有序、量力而行、防范风险的要求，更加扎实有效地推进“引进来”和“走出去”。各地区、各部门要着力破除体制机制障碍，完善监管制度，积极为国有企业改革营造良好环境。这两个重要批示为国有企业改革进一步指明了方向。

2016年10月10日至11日，全国国有企业党的建设工作会议在北京召开。习近平总书记出席会议并发表重要讲话。他强调：“要通过加强和完善党对国有企业的领导、加强和改进国有企业党的建设，使国有企业成为党和国家最可信赖的依靠力量，成为坚决贯彻执行党中央决策部署的重要力量，成为贯彻新发展理念、全面深化改革的重要力量，成为实施‘走出去’战略、‘一带一路’建设等重大战略的重要力量，成为壮大综合国力、促进经济社会发展、保障和改善民生的重要力量，成为我们党赢得具有许多新的历史特点的伟大斗争胜利的重要力量。要坚持有利于国有资产保值增值、有利于提高国有经济竞争力、有利于放大国有资本功能的方针，推动国有企业深化改革、提高经营管理水平，加强国有资产监管，坚定不移把国有企业做强做优做大。”[①]这次会议强调加强国企党建，实际上是为国有企业进一步改革加油打气。

在经济领域大力推进改革的同时，党中央高度重视“三农”问题和城镇化问题。这两大问题不仅关系经济改革进展，还关系全面改革的成效。习近平总书记指出：中国要强，农业必须强；中国要美，农村必须美；中国要富，农民必须富。近几年来中央每年发布涉农一号文件（2013年一号文件的主题是“加快发展现代农业进一步增强农村发展活力”、2014年一号

---

① 习近平：《坚持党对国有企业的领导不动摇　开创国有企业党的建设新局面》，《人民日报》2016年10月12日。

文件的主题是“全面深化农村改革加快推进农业现代化”、2015年一号文件的主题是“加大改革创新力度加快农业现代化建设”、2016年一号文件的主题是“落实发展新理念加快农业现代化实现全面小康目标”、2017年一号文件的主题是“深入推进农业供给侧结构性改革加快培育农业农村发展新动能”），针对农村农业存在的问题，精准发力，推动“三农”工作取得重大明显进展。中央全面深化改革领导小组审议通过了多个关于农村改革发展的文件，大力推动了农村改革。如2014年9月29日下午，习近平总书记主持召开中央全面深化改革领导小组第五次会议审议通过了《关于引导农村土地承包经营权有序流转发展农业适度规模经营的意见》《积极发展农民股份合作赋予集体资产股份权能改革试点方案》。党的十八大以来，党中央还着力推进以人为核心的新型城镇化，并取得宝贵经验，为经济改革进一步深入实施奠定了良好基础。

这些年来，供给侧结构性改革深入推进，经济结构不断优化，数字经济等新兴产业蓬勃发展，高铁、公路、桥梁、港口、机场等基础设施建设快速推进。农业现代化稳步推进，粮食生产能力达到1.2万亿斤。城镇化率年均提高1.2个百分点，8000多万农业转移人口成为城镇居民。区域发展协调性增强，京津冀协同发展、长江经济带发展成效显著。创新驱动发展战略大力实施，创新型国家建设成果丰硕，“天宫”“蛟龙”“天眼”“悟空”“墨子”“大飞机”等重大科技成果相继问世。这一切都使得我国经济发展速度始终保持中高速增长，在世界主要国家中名列前茅，中国发展对世界经济增长贡献率超过30%。[①] 其中，2016年美国对全球经济增长贡献率仅为中国的1/4。印度尼赫鲁大学中国与东南亚研究中心教授狄伯杰在接受采访时表示：“中国仍然是全球经济发展的引擎，能继续让全球获益。”[②]

---

① 习近平：《习近平著作选读》第二卷，人民出版社2023年版，第3页。

② 《中国仍是全球经济的引擎》，《人民日报》2017年2月2日。

第二节　政治体制改革稳步推进

党的十八大报告提出，政治体制改革是我国全面改革的重要组成部分。必须继续积极稳妥推进政治体制改革，发展更加广泛、更加充分、更加健全的人民民主。[①]党的十八届三中全会通过的《中共中央关于全面深化改革若干重大问题的决定》明确提出："紧紧围绕坚持党的领导、人民当家作主、依法治国有机统一深化政治体制改革，加快推进社会主义民主政治制度化、规范化、程序化，建设社会主义法治国家，发展更加广泛、更加充分、更加健全的人民民主。"全会从加强社会主义民主政治制度建设、推进法治中国建设、强化权力运行制约和监督体系三个方面作出部署。

2014 年 1 月 22 日举行的中央全面深化改革领导小组第一次会议，审议通过了中央全面深化改革领导小组下设经济体制和生态文明体制改革、民主法制领域改革、文化体制改革、社会体制改革、党的建设制度改革、纪律检查体制改革 6 个专项小组的名单，研究了领导小组近期工作。可见，政治体制改革由专项小组负责。党的十八大和十八届三中全会的有关部署，标志着新一轮中国政治体制改革扬帆起航。

一、人民民主不断发展

在人民当家作主方面，习近平总书记指出："保证和支持人民当家作主不是一句口号、不是一句空话，必须落实到国家政治生活和社会生活之中。"2013 年开始实行城乡按相同人口比例选举人大代表，这是 60 年来第一次。在十二届全国人大代表中，党政领导干部的比例比上届下降了 6.93%，来自基层的工农代表比上届提高了 5.18%，来自基层一线的代表更多了。全国政协十二届委员会从 2013 年 10 月召开双周协商座谈会开始，一直到党的十九大召开前合计开了 60 多次这样的会议。村民代表会议制度不

① 《十八大报告辅导读本》，人民出版社 2017 年版，第 25 页。

断健全成熟，民众参与力度大大增加。2013 年 10 月 22 日发表的《西藏的发展与进步》白皮书显示，西藏 95%以上的村建立了村民代表会议制度，并不断健全以村规民约、村民自治章程为主体的民主管理制度和以村务公开为主要内容的民主监督制度。数据还显示，到 2012 年底，中国村委会直接选举的比例已经超过 98%。安徽省淮北市濉溪县临涣镇的林立，有一家自己的茶馆。2017 年，临涣镇人大主席团在该茶馆挂牌成立“人大代表谈心室”，为群众交心谈心、提出建议、化解矛盾提供场所。这都表明，人民民主权利在扩大。

社会主义协商民主制度不断健全。党的十八大报告指出，要完善协商民主制度和工作机制，推进协商民主广泛、多层、制度化发展。通过国家政权机关、政协组织、党派团体等渠道，就经济社会发展问题和涉及群众切身利益的实际问题广泛协商，广纳群言、广集民智，增进共识、增强合力。坚持和完善中国共产党领导的多党合作和政治协商制度，充分发挥人民政协作为协商民主重要渠道作用，围绕团结和民主两大主题，推进政治协商、民主监督、参政议政制度建设，更好协调关系、汇聚力量、建言献策、服务大局。加强同民主党派的协商。把政治协商纳入决策程序，坚持协商于决策之前和决策实施之中，增强民主协商实效性。深入进行专题协商、对口协商、界别协商、提案办理协商。积极开展基层民主协商。

党的十八大后社会主义协商民主建设成效显著，尤其是政党协商方面有很大进展。政党协商是中国共产党同民主党派基于共同的政治目标，就党和国家重大方针政策和重要事务，在决策之前和决策实施之中，直接进行政治协商的重要民主形式。政党协商位居社会主义协商民主七种形式之首，是中国共产党领导的多党合作和政治协商制度的重要内容，是社会主义协商民主体系的重要组成部分，是中国共产党提高执政能力的重要途径。

2015年1月，党中央颁发了《关于加强社会主义协商民主建设的意见》，把政党协商摆在协商民主的突出位置，提出了加强政党协商的总体要求。2015 年 5 月，党中央召开中央统战工作会议，颁发《中国共产党统一战线工作条例（试行）》，进一步对加强政党协商作出部署。在此基础上，2015年12月10日，中共中央办公厅印发《关于加强政党协商的实施意见》（以下简称《意见》）。《意见》主要由政党协商的指导思想和重要意义、政党协商的内容、政党协商的形式、政党协商的程序、政党协商的保障机制、加强和完善党对政党协商的领导等六部分组成。《意见》指出中共中央同民主党派中央开展政党协商的主要内容包括：中共全国代表大会、中共中央委员会的有关重要文件；宪法的修改建议，有关重要法律的制定、修改建议；国家领导人建议人选；国民经济和社会发展的中长期规划以及年度经济社会发展情况；关系改革发展稳定等重要问题；统一战线和多党合作的重大问题；其他需要协商的重要问题。关于政党协商的形式，《意见》明确了会议协商、约谈协商、书面协商等三种形式。其中会议协商包括专题协商座谈会、人事协商座谈会、调研协商座谈会和其他协商座谈会。专题协商座谈会由中共中央主要负责同志主持召开，就党和国家重要方针政策、事关全局的重大问题进行协商，一般每年4至5次；人事协商座谈会由中共中央负责同志主持召开，就重要人事安排在酝酿阶段进行协商；调研协商座谈会由中共中央负责同志主持召开，主要就民主党派中央的重点考察调研成果及建议进行协商，邀请有关部门参加，一般每年2次；其他协商座谈会由中共中央负责同志或委托中共中央统战部主持召开，通报重要情况，听取意见和建议。

这个重要文件是社会主义协商民主得以大发展的重要标志，具有鲜明特点。一是明确了政党协商的基本内涵。《意见》首次对政党协商的定义予以完整明确的界定。二是明确了政党协商的内容。增加了“年度经济社会发展情况”“统一战线和多党合作的重大问题”等内容，对一些具体表述作了调整、合并，明确为七个方面，体现了政党协商的政治性、政党性特点。三是明确了政党协商的程序。对中央层面的会议协商、约谈协商、书面协商三种协商形式的流程都作了具体明确规定。特别是明确了会议协商制订计划、会前准备、会中协商等具体程序。四是明确了政党协商的保障机制。增加了考察调研机制，并对四种机制作出了具体明确规范，确保了政党协商形式、程序落实到位。[①]《意见》的出台意味着政党协商实现了有制可依、有规可守、有序可循，有利于扩大民主党派和无党派人士有序政治参与、畅通意见表达渠道，有利于增进政治共识、广泛凝心聚力，有利于促进科学民主决策、推进国家治理体系和治理能力现代化。

二、行政体制改革成效显著

行政体制改革是政治体制改革的重要内容，要按照建立中国特色社会主义行政体制的目标，深入推进政企分开、政资分开、政事分开、政社分开，持续推进简政放权、放管结合、优化服务，建立权责统一、权威高效的依法行政体制，建设职能科学、结构优化、廉洁高效、人民满意的服务型政府。其中，转变政府职能是深化行政体制改革的核心。但现在政府职能转变还不到位，政府对微观经济运行干预过多过细，宏观经济调节还不完善，市场监管问题较多，社会管理亟待加强，公共服务比较薄弱。

转变政府职能，要明确创造良好发展环境、提供优质服务、维护社会公平正义的总方向，坚持积极稳妥、循序渐进、成熟先行。例如，大部制改革，也不能盲目追求大，要追求科学合理、更有效率，还要注意发挥地方和社会的积极性，不要把什么都攥在手上。

这几年来，在落实国务院机构改革和转变政府职能方面，尤其是在努力推进行政体制改革方面成效明显，在削减行政审批权力和给企业减税方面力度很大。这届政府自成立以来，连续 5 年把加快转变职能、简政放权作为开年第一场国务院常务会议的议题。据统计，这届政府有 41 次国务院常务会议涉及“简政放权”议题。自 2013 年实施以来，“简政放权”已经成为我国政治经济领域被热议的词汇。2017 年 1 月 4 日召开的国务院第一次常务会议目标盯准的还是简政放权，继续推动简政放权、放管结合、优化服务向纵深发展。据统计，截至 2016 年底，国务院部门层面的行政审批

① 《中央统战部负责人谈〈关于加强政党协商的实施意见〉》，中国经济网 2015 年 12 月 12 日。

项目减少了600多项，另外取消了中央指定地方实施的行政审批项目200多项。不仅是行政审批，简政放权的其他项目，比如非行政许可项目彻底清零，职业资格取消了433项，中介服务减掉了300多项，工商登记前置审批减少了85%等，成效十分显著。[①]

2017年2月8日召开的国务院常务会议透露，2013年以来，我国各地区各部门持续推出减费降费措施，中央层面统一取消、停征、减免涉企政府性基金和行政事业性收费496项，地方取消收费600项以上。2015年以来又出台了一系列减少涉企经营服务性收费和企业社保费用支出的举措。这次会议还指出，目前收费名目较多、乱收费等问题依然突出，将进一步清理和规范涉企收费，持续为实体经济减负。李克强总理在会上明确要求，各部门要抓紧建立收费目录清单制度，切实减少涉企收费自由裁量权。在2017年的全国两会上，李克强总理在政府工作报告中，再次提到了为企业减负的问题。

三、司法体制改革推进迅速

一段时期，司法不公现象引起社会上很多议论，司法公信力亟待提高。党的十八大以来，以习近平同志为核心的党中央以巨大勇气推进司法体制改革。总体思路是先由中央提出司法体制改革任务，规划司法体制改革"路线图"，而后由中央全面深化改革领导小组审议通过司法体制改革有关文件，最后由最高人民法院、最高人民检察院、公安部、司法部等单位细化司法体制改革部署，制定本系统具体改革方案，通过法定程序将改革落到实处。这样的改革思路、领导体制和工作机制，保证了司法体制改革取得扎扎实实的进展及成效。

2015年5月，中共中央办公厅、国务院办公厅印发的《关于贯彻落实党

---

① 王红茹:《国务院常务会议41次研究简政放权，改革进入深水区，硬骨头怎么啃？》,《中国经济周刊》2017年第3期。

的十八届四中全会决定进一步深化司法体制和社会体制改革的实施方案》，为进一步深化司法体制绘就了“路线图”和时间表。近几年司法体制改革成果主要体现在司法管理和运行体制以及人权保障等几个方面。

在司法管理体制改革方面，一是最高人民法院设立巡回法庭。2014 年 12 月 2 日，中央全面深化改革领导小组第七次会议审议通过了《最高人民法院设立巡回法庭试点方案》。2015 年 1 月 28 日，最高人民法院第一巡回法庭在广东省深圳市挂牌，巡回区为广东、广西、海南三省区。1 月 31 日，最高人民法院第二巡回法庭在辽宁省沈阳市揭牌成立，巡回区为辽宁、吉林、黑龙江三省。二是设立跨行政区划人民法院、人民检察院。2014 年 12 月 2 日，中央全面深化改革领导小组第七次会议审议通过了《设立跨行政区划人民法院、人民检察院试点方案》，明确在北京和上海试点设立跨行政区划人民法院、人民检察院。2014 年 12 月 28 日，备受各界关注的上海市第三中级人民法院正式挂牌，这是全国第一家跨行政区划法院。12 月 30 日，全国第二家跨行政区划法院——北京市第四中级人民法院成立，由此揭开了我国跨行政区划法院改革的新篇章。北京四中院在建院伊始就率先全面推进立案登记制改革，行政案件立案率从 2014 年全市法院的 32% 提高到 88%。集中管辖审理以区县政府为被告的行政诉讼案件，2015 年受案数比 2014 年全市法院同类案件受案数增加了近 7 倍。三是设立知识产权法院。2014 年 6 月 6 日，中央全面深化改革领导小组第三次会议审议通过了《关于设立知识产权法院的方案》。8 月 31 日，十二届全国人大常委会第十次会议作出决定，在北京、上海、广州设立知识产权法院。2014 年 11 月 6 日、12 月 16 日、12 月 28 日，北京、广州、上海知识产权法院先后挂牌成立。作为全国首家知识产权审判专业机构，北京知识产权法院按照中央司法体制改革的精神，突出主审法官、合议庭的主体地位，努力实现“让审理者裁判，让裁判者负责”。其中主审法官实行员额制，通过法官遴选委员会按照公平、公正、公开原则组织的考核选拔，从北京三级法院经验丰富的优秀知识产权法官中遴选产生，其知识产权审判经验和审判能力较为突出。这有助于审判的公正权威。四是完善司法人员分类管理制度。2015 年 9

月 15 日召开的中央全面深化改革领导小组第十六次会议审议通过了《法官、检察官单独职务序列改革试点方案》。长期以来，法官、检察官的工资制度按照其所对应的行政级别来发放。作为专业的司法人员，法官、检察官的专业程度相对来讲要比普通公务员高，其承担的社会角色比普通公务员也更重要。从国外的情况看，法官、检察官的工资水平比普通公务员高也很普遍。开展法官、检察官单独职务序列和工资制度改革试点，是促进法官、检察官队伍专业化、职业化建设的重要举措。五是健全防止人为干扰司法制度。2015 年 2 月 27 日召开的中央全面深化改革领导小组第十次会议审议通过了《领导干部干预司法活动、插手具体案件处理的记录、通报和责任追究规定》。3 月，中共中央办公厅、国务院办公厅和中共中央政法委员会分别印发了《领导干部干预司法活动、插手具体案件处理的记录、通报和责任追究规定》《司法机关内部人员过问案件的记录和责任追究规定》，为司法机关依法独立、公正行使职权提供了制度保障。围绕这个方面主要建立了三项制度：一是司法机关对领导干部干预司法活动、插手具体案件处理的记录制度；二是党委、政法委对领导干部违法干预司法活动、插手具体案件处理的通报制度；三是纪检监察机关对领导干部违法干预司法活动以及司法人员不记录或者不如实记录的责任追究制度。

在司法权运行机制改革方面，一是完善人民法院、人民检察院司法责任制。2015 年 8 月召开的中央全面深化改革领导小组第十五次会议审议通过了《关于完善人民法院司法责任制的若干意见》和《关于完善人民检察院司法责任制的若干意见》，强调完善人民法院司法责任制，要以严格的审判责任制为核心，以科学的审判权力运行机制为前提，以明晰的审判组织权限和审判人员职责为基础，以有效的审判管理和监督制度为保障，让审理者裁判、由裁判者负责，确保人民法院依法独立公正行使审判权；要坚持问题导向，遵循司法权运行规律，着力改进审判组织形式、裁判文书签署机制、审判委员会制度；要落实法官在职责范围内对办案质量终身负责，严格依纪依法追究法官违法审判责任，同时建立健全法官履职保护机制。完善人民检察院司法责任制，目标是构建公正高效的检察权运行机制和公平合理的司法责任认定、追究机制，做到谁办案谁负责、谁决定谁负责。因此，就要健全司法办案组织和运行机制、健全检察委员会运行机制、明晰各类检察人员职权、健全检察管理和监督机制、严格责任认定和追究等，形成对检察人员司法办案工作的全方位、全过程规范监督制约体系。检察人员应该对其履行检察职责的行为承担司法责任，在职责范围内对办案质量终身负责，依法履职受法律保护。二是积极推进司法公开。在最高人民法院的推动下，全国各级法院重点建设了审判流程、裁判文书、执行信息三大公开平台。三是完善人民陪审员、人民监督员制度。2015 年 2 月 27 日召开的中央全面深化改革领导小组第十次会议审议通过了《深化人民监督员制度改革方案》；4 月 1 日召开的中央全面深化改革领导小组第十一次会议审议通过了《人民陪审员制度改革试点方案》。《人民陪审员制度改革试点方案》规定，改革人民陪审员选任条件，将原来担任人民陪审员的年龄从 23 周岁提高到 28 周岁，学历要求从大专以上降低到高中以上学历，并且规定农村地区和贫困偏远地区公道正派、德高望重的人不受学历要求限制，进一步扩大人民陪审员选任范围，强调要吸收普通群众，兼顾社会各阶层人员的结构比例，实现人民陪审员的广泛性和代表性。4 月 24 日，十二届全国人大常委会第十四次会议作出授权在部分地区开展人民陪审员制度改革试点工作的决定，确保改革于法有据。四是检察机关开展公益诉讼改革试点。2015 年 5 月 5 日召开的中央全面深化改革领导小组第十二次会议审议通过了《检察机关提起公益诉讼改革试点方案》。7 月 1 日，十二届全国人大常委会第十五次会议作出《关于授权最高人民检察院在部分地区开展公益诉讼试点工作的决定》。2 日，最高人民检察院印发《检察机关提起公益诉讼改革试点方案》（以下简称《试点方案》），决定在北京、内蒙古、江苏、云南等 13 个省区市的检察机关中开展为期两年的试点工作，重点针对生态环境和资源保护、国有资产保护、国有土地使用权出让、食品药品安全等领域侵害国家和社会公共利益的情况，及时提起民事或行政公益诉讼，加强对国家和社会公共利益的保护。2016 年 1 月 6 日，最高人民检察院发布《人民检察院提起公益诉讼试点工作实施办法》，对《试点方案》规定作了进一步解释，对《试点方案》没有规定而实践需要予以规范的也作出了具体规定。

在人权司法保障机制建设方面，一是健全错案防止、纠正、责任追究机制。在2013年出台的《关于切实防止冤假错案的规定》基础上，中央政法单位进一步制定配套措施，建立冤假错案有效防范、及时纠正机制，严格落实罪刑法定、疑罪从无、证据裁判等法律原则和制度。一批影响较大的冤假错案得到平反。二是依法保障律师执业权利。2015年9月15日召开的中央全面深化改革领导小组第十六次会议审议通过了《关于深化律师制度改革的意见》。会后，最高人民法院、最高人民检察院、公安部、国家安全部、司法部联合出台了《关于依法保障律师执业权利的规定》。这对于保障律师执业权利、推进律师事业发展、充分发挥律师的重要作用具有重要意义。三是逐步减少适用死刑罪名。十二届全国人大常委会第十六次会议于2015年8月29日表决通过了《中华人民共和国刑法修正案（九）》，取消了走私武器弹药罪、走私核材料罪、走私假币罪、伪造货币罪、集资诈骗罪、组织卖淫罪、强迫卖淫罪、阻碍执行军事职务罪、战时造谣惑众罪9个非致命性暴力犯罪的死刑罪名，并进一步提高了对死缓罪犯执行死刑的条件。四是规范涉案财物处置司法程序。2014年12月30日召开的中央全面深化改革领导小组第八次会议审议通过了《关于进一步规范刑事诉讼涉案财物处置工作的意见》。此外，推行立案登记制改革、完善法律援助制度、设立国家司法救助制度等司法便民利民举措陆续出台，司法体制改革迈出坚实步伐。

四、纪律检查体制改革稳步推进

党的十八大以来，纪检部门充分发挥了反腐利剑作用。为更好发挥作用，党的十八届三中全会明确提出改革党的纪律检查体制，健全反腐败领导体制和工作机制，改革和完善各级反腐败协调小组职能。2014年1月22日，中央全面深化改革领导小组成立，下设6个专项小组，纪律检查体制改革小组是其中之一。中央书记处书记、中央纪委副书记赵洪祝担任纪律检查体制改革专项小组组长，下设办公室，负责统筹协调、组织推进。2014年6月30日，中央政治局召开会议，审议通过了《党的纪律检查体制改革实施方案》（以下简称《方案》）。《方案》共9个部分17条，立足纪检工作实际，对纪律检查体制改革的指导思想、目标要求、主要任务、方法措施和时间进度作出安排。此后，纪律检查体制改革有条不紊地展开。

一是中央纪委带头调整优化内部机构，围绕"三转"、聚焦主业，发挥改革示范引领作用。遵照党章、党内法规和党中央指示精神，明确职责定位，聚焦中心任务，转职能、转方式、转作风，强化监督执纪问责。将中央纪委监察部参与的议事协调机构从125个清理至14个，在机构、编制和人员数量不变的情况下，增设纪检监察室，加强党风政风监督执纪和纪律审查力量。组建组织部、宣传部，加强干部队伍建设和党风廉政建设舆论宣传工作。2016年中央纪委宣传部、中央电视台联合制作的八集专题片《永远在路上》，影响极大。中央纪委按照打铁还需自身硬、信任不能代替监督的要求，在纪检监察系统开展会员卡专项清退活动，设立纪检监察干部监督室，强化自我监督和纪律约束，对纪检监察干部违反中央八项规定精神的案件点名道姓公开曝光，解决"灯下黑"问题。2017年1月在中央电视台播出的《打铁还需自身硬》，表明纪委系统比较注重加强自身建设。党的十八大以来，中央纪委机关谈话函询218人、组织调整21人、立案查处17人，全国纪检监察系统共谈话函询5800人次、组织处理2500人、处分7900人。[①]这些数据印证了谁来监督纪委的必要性，也显示了中央纪委不回避问题、自己"清理门户"的决心。监督别人的人首先要监管好自己，把纪委的权力关进制度笼子。2017年1月，中央纪委制定颁布了《中国共产党纪律检查机关监督执纪工作规则（试行）》，这有利于纪检系统构建自我监督体系，推进纪检机关治理体系和治理能力现代化。十八届中央纪委第七次会议继续明确了内部改革方向，指出要围绕全面从严治党，持续深化"三转"，在

---

① 《扎实推进纪检和国家监察体制改革》，《中国纪检监察报》2017年2月10日。

推进纪检和监察体制改革的同时，探索内部机构改革。要创新组织制度，调整内设机构，将执纪监督和执纪审查部门职责分开，使执纪监督、执纪审查、案件审理各环节相互协调、相互制约。

二是落实“两个责任”即党委主体责任和纪委监督责任，制定切实可行的责任追究制度。2014年6月30日召开的中央政治局会议明确指出：“深化党的纪律检查体制改革，关键在落实党风廉政建设主体责任和监督责任。各级党委的主体责任是前提、是基础，各级领导干部既要洁身自好、管住自己，更要敢于担当，切实抓好党风廉政建设和反腐败工作。党委（党组）书记是第一责任人，其他成员对职责范围内的党风廉政建设负领导责任，要一级抓一级，层层传导压力。对不认真履行职责、抓党风廉政建设不力的，要严肃追究责任。推动党委（党组）落实党风廉政建设主体责任，认真落实纪委监督责任。”根据中央精神，中央纪委主要负责同志多次主持召开中央和国家机关部委、国有企业和国有金融机构党组（党委）书记座谈会，推动各级党委强化责任担当，扛起主体责任。中央纪委副书记分别约谈数个省市党委书记，主持召开省区市纪委书记座谈会，督促落实主体责任和监督责任。在中央纪委领导示范下，各地区各部门制定落实主体责任意见，明确了党委主体责任清单和纪委监督责任清单。根据中央建立形成切实可行的责任追究制度要求，国家制定出台了《中国共产党问责条例》。同时，各级纪委积极履行协助党委加强党风建设和组织协调反腐败工作的职责，加强了对同级党委特别是常委会成员的监督，更好发挥了党内监督专门机关的作用。

三是落实“两个为主”即查办腐败案件以上级纪委领导为主，各级纪委书记、副书记的提名和考察以上级纪委会同组织部门为主。落实“两个为主”的目的是积极推动党的纪律检查工作双重领导体制具体化、程序化、制度化，强化上级纪委对下级纪委的领导。这是因为在实践中，各级纪委如何监督同级党委一直是个难题。党的十八大以来，一些地方和系统暴露出的腐败问题，也印证了对下级党员干部威慑力较强的各级纪委，在面对同级党委，尤其是面对“一把手”时往往监督乏力。为落实查办腐败案件以上级纪委领导为主的要求，2014 年 4 月 17 日，中央纪委副书记张军在查办腐败案件体制机制改革试点工作动员部署会上称，开展好查办腐败案件体制机制改革试点工作，要在党委和上级纪委的领导下，积极、稳妥组织实施。中央纪委办公厅已向各试点单位发出《关于开展查办腐败案件体制机制改革试点工作的通知》，在河北、浙江、河南、广东、陕西、国务院国资委、商务部、海关总署推行查办腐败案件体制机制改革试点，查办腐败案件以上级纪委领导为主，要求必须及时向中央纪委有关部门报告线索处置和案件查办的有关情况。2015 年，已实行下级纪委向上级纪委报告线索处置、案件查办情况制度。同时，已研究制定落实中央八项规定精神情况月报、党员和国家工作人员外逃信息统计报告制度等。为落实各级纪委书记、副书记的提名和考察以上级纪委会同组织部门为主的要求，中央有关部门制定了实施方案。2015 年 3 月 26 日，经中央全面深化改革领导小组会议审议，中共中央办公厅印发了《省（自治区、直辖市）纪委书记、副书记提名考察办法（试行）》《中央纪委派驻纪检组组长、副组长提名考察办法（试行）》《中管企业纪委书记、副书记提名考察办法（试行）》。三个提名考察办法的出台，是落实党章规定和党的十八届三中全会精神的重要举措，是党的纪律检查体制改革取得的新的制度成果，标志着纪检体制改革迈出又一坚实步伐，必将进一步提升党领导反腐败工作的水平。

四是落实“两个全覆盖”即中央纪委向中央一级党和国家机关派驻纪检机构全覆盖和对地方、部门、企事业单位巡视全覆盖。党的十八届三中全会明确要求，要全面落实中央纪委向中央一级党和国家机关派驻纪检机构，实行统一名称、统一管理。派驻机构对派出机关负责，履行监督职责。为实现中央纪委向中央一级党和国家机关派驻纪检机构全覆盖，2014 年 12 月 11 日，中共中央政治局常委会议审议通过了《关于加强中央纪委派驻机构建设的意见》，对派驻机构的职能定位、设置形式、工作关系等进行了改革创新。2014 年底，中央决定，由中央纪委在中共中央办公厅、中央组织部、中央宣传部、中央统战部、全国人大机关、国务院办公厅、全国政协机关等中央和国家机关新设七家派驻机构，这在我党历史上尚属首次，迈出了纪委派驻机构“全覆盖”的重要一步。2015 年 12 月 1 日，中央纪委召开派驻机构全覆盖工作动员部署会议，会议通过《关于全面落实中央纪委向中央一级党和国家机关派驻纪检机构的方案》。2016 年初，中央纪委共设置 47 家派驻机构，实现了对 139 家中央一级党和国家机关派驻纪检机构的全覆盖。与此同时，中央纪委进一步规范和清理中央单位纪检组长（纪委书记）的分工和兼职，明确各纪检组长（纪委书记）不再分管驻在部门其他业务工作，一心一意履行监督职责，充分发挥“派”的权威和“驻”的优势。巡视全覆盖是党的十八届三中全会作出的重大部署。按照全覆盖要求，中央巡视对象 285 个，省区市巡视对象 8865 个。2015 年《中国共产党巡视工作条例》的出台，也为巡视全覆盖提供了法规依据。2016 年 10 月，党的十八届六中全会审议通过的《中国共产党党内监督条例》进一步明确，党委要在一届任期内实现巡视全覆盖。这是党中央根据党风廉政建设和反腐败斗争形势依然严峻复杂的判断作出的重大部署。2017 年 7 月 14 日，中央印发《中共中央关于修改〈中国共产党巡视工作条例〉的决定》和修改后的《中国共产党巡视工作条例》。这是党的十八大以来对该条例的第二次修改，能及时把巡视工作实践创新固化为制度成果，实现了巡视内容、方式方法、制度建设的与时俱进，为深入开展巡视工作提供了重要遵循和制度保障，充分体现了中央对巡视工作的高度重视。党的十八大以来，中央巡视工作领导小组共组织开展 12 轮巡视，巡视了 277 个党组织，并对 16 个省区市党委进行“回头看”，对 4 个中央单位党组织开展“机动式”巡视，在党的历史上实现首次一届任期内巡视全覆盖，兑现了党中央的政治承诺，展示了党内监督没有禁区的鲜明立场和全面从严治党的坚定决心。

巡视组确实发挥了“顺风耳”和“千里眼”的作用。根据巡视发现的问题线索，中央查处了一大批高级领导干部，查办了山西“系统性塌方式腐败”、湖南衡阳破坏选举案、四川南充拉票贿选案、辽宁拉票贿选案等一系列重大案件。数据显示，在中央纪委执纪审查的案件中，有超过 60% 的问题线索来自于巡视。巡视已成为党风廉政建设和反腐败斗争的重要平台，是强化党内监督的重要举措，推动了全面从严治党不断向纵深发展。[①]

五是国家监察委员会试点工作稳步推进。2016年10月召开的党的十八届六中全会透露出建立新的国家监察机构的消息。全会结束后，筹建国家监察委员会的工作陆续开展。2016年11月7日，中央纪委公布了《关于在北京市、山西省、浙江省开展国家监察体制改革试点方案》。此后不久，中央政治局常委、中纪委书记王岐山同志到北京、山西、浙江就开展国家监察体制改革试点工作进行调研。他强调监察委员会实质上是反腐败机构。监察体制改革的任务是加强党对反腐败工作的统一领导，整合行政监察、预防腐败和检察机关查处贪污贿赂、失职渎职以及预防职务犯罪等工作力量，成立监察委员会，作为监督执法机关与纪委合署办公，实现对所有行使公权力的公职人员监察全覆盖。2016年12月25日，十二届全国人大常委会第二十五次会议通过了《全国人大常委会关于在北京市、山西省、浙江省开展国家监察体制改革试点工作的决定》，决定从2016年12月26日起，将试点地区人民政府的监察厅（局）、预防腐败局及人民检察院查处贪污贿赂、失职渎职以及预防职务犯罪等部门的相关职能整合至监察委员会，这标志着国家监察体制改革试点工作正式拉开序幕。2017年1月6日至8日召开的十八届中央纪委七次全会，确定的年度重点任务之一就是"筹备组建国家监察委员会"。会议公报提出"扎实推进监察体制改革，完善党和国家自我监督。在党中央领导下，中央纪委牵头抓总，落实改革方案，推动制定国家监察法，筹备组建国家监察委员会。中央试点工作领导小组要加强指导、协调和服务，试点地区党委负主责，纪委要抓好组织实施，整合行政监察、预防腐败和检察机关查处贪污贿赂、失职渎职以及预防职务犯罪等工作力量，成立省市县三级监察委员会，构建集中统一、权威高效的监察体系"[②]。王岐山同志在工作报告中明确了筹备国家监察委的"路线图"：

---

① 《党内监督：巡视"利剑"展锋芒（砥砺奋进的五年）》，《人民日报》2017年7月26日。

② 《中国共产党第十八届中央纪律检查委员会第七次全体会议公报》，《人民日报》2017年1月9日。

中纪委要发挥牵头抓总作用，协助全国人大常委会完成国家监察法一审、二审；抓紧筹备组建国家监察委员会，编制“三定”规定，“为十三届全国人大一次会议审议通过国家监察法、设立国家监察委员会、产生国家监察委员会组成人员，做好组织机构、干部人事、法律法规准备”①。这次会议明确提出，到2017年3月底完成省级监察委员会组建工作，6月底完成市县两级监察委员会组建工作，要密切联系本地区实际，实事求是、循序渐进，发现和解决试点中的具体问题，为在全国推开积累经验。把握好动态平衡，推动人员融合和工作流程磨合，形成与执法、司法机关既有机衔接又相互制衡的体制机制，促进依规治党和依法治国有机统一。

建立国家监察委员会势在必行。我国公务员队伍中党员比例超过80%，县处级以上领导干部中党员比例超过95%，党内监督已实现全覆盖，而行政监察对象主要是行政机关及其工作人员，范围过窄。原来的行政监察针对的只是狭义政府，而不是广义政府，没有做到全覆盖。深化国家监察体制改革，就是要构建集中统一、权威高效的国家监察体系，实现对所有行使公权力的公职人员监察全覆盖，赋予监察机关相应职责，整合工作力量，成立监察委员会，与纪委合署办公，加强党对国家监察工作的统一领导。这是一项重大组织制度创新，对于实现依法治国和依规治党、党内监督和国家监督有机统一，推进国家治理体系和治理能力现代化，增强人民群众对党的信心和信任，厚植党执政的政治基础，更好地体现党的领导、人民当家作主和依法治国的有机统一，具有十分重要的意义。②

此外，还健全了反腐倡廉法规制度体系，完善了惩治和预防腐败、防控廉政风险、防止利益冲突、领导干部报告个人有关事项、任职回避等方面法律法规，开始推行新提任领导干部有关事项公开制度试点。这些在

---

① 王岐山：《推动全面从严治党向纵深发展以优异成绩迎接党的十九大召开——在中国共产党第十八届中央纪律检查委员会第七次全体会议上的工作报告》（2017年1月6日），《人民日报》2017年1月20日。

② 《推动全面从严治党迈向标本兼治——二〇一六年党内监督全覆盖和国家监察体制改革综述》，《人民日报》2017年1月3日。

《中国共产党纪律处分条例》《中国共产党廉洁自律准则》等党内法规中都有明确规定。为强化领导干部报告个人事项执行力度，2013 年 12 月，中组部印发了《关于进一步做好领导干部报告个人有关事项工作的通知》，要求启动领导干部个人有关事项报告抽查核实工作，并不断强化对领导干部的监督。2014 年 1 月，中组部印发《领导干部个人有关事项报告抽查核实办法（试行）》，在全国范围内正式启动了领导干部个人有关事项报告抽查核实，并建立抽查核实机制。2014 年 12 月，中组部又发出通知，对 2015 年领导干部报告个人事项工作作出安排，把抽查核实之弦绷得越来越紧。这可有效防止领导干部造假的问题。

五、群团改革进展顺利

群团改革是全面深化改革的重要组成部分。2015 年 7 月 6 日至 7 日，党的群团工作会议由党中央在北京召开，这在党的历史上还是第一次。这次会议的主要任务是分析研究新形势下党的群团工作面临的新情况、新问题，总结成功经验，解决突出问题，推动改革创新。习近平总书记在会上强调，对党的群团工作取得的显著成绩，必须充分肯定，同时必须注重解决存在的问题，特别是要重点解决脱离群众的问题。工会、共青团、妇联等群团组织要增强自我革新的勇气，抓住巩固和拓展党的群众路线教育实践活动成果、开展“三严三实”专题教育的时机，在群团组织中深入推动思想教育、问题整改、体制创新，转变思想观念，强化群众意识，改进工作作风，提高工作水平。会议强调要切实保持和增强党的群团工作的政治性、先进性、群众性，提出群团改革要坚持眼睛向下、面向基层，改革和改进机关机构设置、管理模式、运行机制，坚持力量配备、服务资源向基层倾斜；要积极联系和引导相关社会组织。会后不久，《中共中央关于加强和改进党的群团工作的意见》颁布实施。此后群团改革进入快车道。

2015 年 11 月，《全国总工会改革试点方案》经中央全面深化改革领导小组审议通过，工会改革工作正式启动。2016 年 8 月，中共中央办公厅印发了《共青团中央改革方案》，强调共青团是党的助手和后备军，是党和政府联系青年的桥梁和纽带。推进共青团改革是全面从严治党的一部分，是焕发共青团生机活力的重要举措。9 月，中共中央办公厅印发了《全国妇联改革方案》，强调妇女工作是党的群众工作的重要组成部分。妇联组织是党领导下的人民团体，是党和政府联系妇女群众的桥梁和纽带，是党开展妇女工作最可靠、最有力的助手。必须抓住全面深化改革重大历史机遇，以强烈的责任担当和自我革新勇气，全面推进全国妇联改革，引领带动各级妇联组织改革，努力提高为党做好妇女工作的能力和水平，开创妇联工作新局面。12 月，中共中央办公厅印发《中国侨联改革方案》。侨联是党领导的人民团体，是党和政府联系广大归侨侨眷和海外侨胞的桥梁和纽带，是团结服务归侨侨眷和海外侨胞的群众组织。深化侨联改革，更有利于做好侨联工作。

群团事业是党的事业的重要组成部分，群团改革也必将有利于巩固我们党的执政基础和群众基础。2017 年 2 月 6 日，中央全面深化改革领导小组第三十二次会议听取了全国总工会、上海市、重庆市群团改革试点工作总结报告，指出试点工作围绕保持和增强政治性、先进性、群众性这条主线，着力破除“机关化、行政化、贵族化、娱乐化”问题，取得明显成效。已经开展试点的群团和地方要继续在建机制、强功能、增实效上下功夫，巩固改革成果。其他群团和地方要学习借鉴试点经验，针对实际问题抓实改革举措。各级党委要切实加强对群团工作的组织领导。这为群团改革进一步工作指明了方向。

第三节　文化体制改革成效明显

一个国家强盛，必定以文化的繁荣兴盛为支撑。没有文化传承和文化繁荣，一个国家、一个民族就失去了文脉和滋养，就不可能屹立于世界民族之林。习近平总书记指出："中华民族创造了源远流长的中华文化，也一定能够创造出中华文化新的辉煌。"[①]党的十八大以来，文化体制改革攻坚克难、纵深推进，重点任务全面发力，取得重大进展和阶段性成效。一批具有"四梁八柱"性质的重大改革取得突破性进展，改革主体框架基本确立，重点改革支撑作用日益凸显，为社会主义文化建设注入了新动力，文化建设呈现新面貌。

一、制定总体方案，明确改革的"路线图"和时间表

2013 年 8 月 19 日，习近平总书记在全国宣传思想工作会议上强调，要在继续大胆推进改革、推动文化事业全面繁荣和文化产业快速发展、建设社会主义文化强国的同时，把握好意识形态属性和产业属性、社会效益和经济效益的关系，始终坚持社会主义先进文化前进方向，始终把社会效益放在首位。这为新形势下深化文化体制改革指明了前进方向、提供了根本遵循。

2014 年 3 月，《深化文化体制改革实施方案》（以下简称《实施方案》）正式出台，这是中央全面深化改革领导小组审议通过的第一个专项小组改革方案。《实施方案》明确了改革的指导思想、目标思路、主要任务和政策保障，为今后一个时期的文化改革发展规划了"路线图"、确立了时间表、布置了任务书。改革总的思路和布局是，紧紧围绕一个核心目标，着力抓住两个关键环节，加快构建五个体系。"一个核心目标"，即培育和弘扬社会主义核心价值观、建设社会主义文化强国；"两个关键环节"，即完善文化管理体制、深化国有文化单位改革；"五个体系"，即构建现代公共文化服务体系、现代文化市场体系、优秀传统文化传承体系、对外文化传播和对外话语体系、文化政策法规体系。根据中央关于落实党的十八届三中全会《中共中央关于全面深化改革若干重大问题的决定》重要举措分工要求，文

---

① 《增强实现中华民族伟大复兴精神力量——深入学习领会习近平总书记在文化传承发展座谈会上重要讲话精神》，《人民日报》2023 年 6 月 4 日。

化体制改革专项小组负责协调25项重点工作，据此开列出《重要改革举措及工作项目》，细化为104个工作项目。在此基础上，建立年度任务台账和联系跟踪机制，重点任务进展一月一反馈、一季一督查，全力推进、逐一销号。明确应于2015年完成的有50项，现已基本完成；应于2017年完成的39项，现已完成9项；应于2020年完成的15项长期性任务也在积极落实，改革正按照既定目标稳妥有序推进。①

二、弘扬社会主义核心价值观，推动社会主义核心价值观法治化

核心价值观在一定社会的文化中是起中轴作用的，是决定文化性质和方向的最深层次要素，是一个国家的重要稳定器。习近平总书记指出："人类社会发展的历史表明，对一个民族、一个国家来说，最持久、最深层的力量是全社会共同认可的核心价值观。"②在当代中国，我们的民族、我们的国家应该坚守的社会主义核心价值观，就是党的十八大提出的要倡导的"富强、民主、文明、和谐，自由、平等、公正、法治，爱国、敬业、诚信、友善"。其中，富强、民主、文明、和谐是国家层面的价值要求，自由、平等、公正、法治是社会层面的价值要求，爱国、敬业、诚信、友善是公民层面的价值要求。这个概括，实际上回答了我们要建设什么样的国家、建设什么样的社会、培育什么样的公民的重大问题。这个概括，既体现了社会主义本质要求，继承了中华优秀传统文化，也吸收了世界文明有益成果，体现了时代精神。人民有信仰，国家有力量，民族有希望。我们把培育和践行社会主义核心价值观作为凝魂聚气、强基固本的基础工程，广泛开展社会主义核心价值观宣传教育，不断夯实了中国特色社会主义的思想根基。

近年来，党和政府通过发挥榜样作用、从娃娃抓起、从学校抓起、运

---

① 刘阳：《以改革创新精神谱写"中国梦"的文化篇章——党的十八大以来文化体制改革述评》，《人民日报》2016年5月11日。

② 习近平：《习近平著作选读》第一卷，人民出版社2023年版，第238页。

用各种文化形式，让人们一起来践行社会主义核心价值观。为更好地把践行社会主义核心价值观推向深入，2016 年 10 月 11 日下午，习近平总书记主持召开中央全面深化改革领导小组第二十八次会议。会议审议通过了《关于进一步把社会主义核心价值观融入法治建设的指导意见》。把社会主义核心价值观融入法治建设，是坚持依法治国和以德治国相结合的必然要求。把社会主义核心价值观融入法治国家、法治政府、法治社会建设全过程，融入科学立法、严格执法、公正司法、全民守法各环节，把社会主义核心价值观的要求体现到宪法法律、行政法规、部门规章和公共政策中，以法治体现道德理念、强化法律对道德建设的促进作用，有利于推动社会主义核心价值观更加深入人心。

近年来，从中央到地方都大力培育和践行社会主义核心价值观，注重全方位贯穿、深层次融入，在落细、落小、落实上下功夫，使社会主义核心价值观的影响像空气一样无所不在、无时不有，成为百姓日用而不觉的行为准则。培育和践行社会主义核心价值观，要强化教育引导、实践养成、制度保障，把社会主义核心价值观融入社会发展各方面，引导全体人民自觉践行；要坚持全民行动、干部带头，从家庭做起，从娃娃抓起；要高度重视家风建设、学校教育，引导青少年扣好人生第一粒扣子；要广泛开展先进模范学习宣传活动，营造崇尚英雄、学习英雄、捍卫英雄、关爱英雄的浓厚氛围，推动全社会形成见贤思齐的良好风气；要把社会主义核心价值观的要求体现到宪法法律、法规规章和公共政策之中，转化为具有刚性约束的法律规定。

三、文化管理体制和国有文化单位改革继续深化

一是推动媒体融合发展，报网融合、台网融合迈出实质性步伐。纸质媒体面临新媒体的冲击，多数选择了适应时代潮流、积极改变。2014 年 9 月，中共中央办公厅、国务院办公厅印发了《关于推动传统媒体和新兴媒体融合发展的指导意见》。以中央主要媒体为龙头、以重点项目为抓手，切

实推动媒体融合在重点工作、重要领域和重大项目上顺利布局。这几年来，新闻单位全力推进重点项目建设，媒体融合发展步伐明显加快，着力打造“中央厨房”等全媒体采编平台，大幅提高新闻生产效率。在拓展传播渠道方面，人民网成功上市。一段时期内，《人民日报》、新华社客户端累计下载量均突破1.2亿次，“央视影音”移动客户端下载量达1.67亿次。在督察考评方面，研究制定《媒体融合重点项目绩效考评工作方案》和考评指标体系。

二是推进文艺评奖制度改革，增强评奖导向性和权威性。2015年10月，中共中央办公厅、国务院办公厅印发《关于全国性文艺评奖制度改革的意见》。中宣部制定了《全国性文艺评奖改革方案》，对各类文艺评奖的具体设置和改革的操作流程予以规范。2015年12月，中国文联专门出台了《中国文联全国性文艺评奖管理办法（修订稿）》和《中国文联全国性文艺评奖评委库建立实施规范》，对其主办的全国性文艺评奖作出规范。此次调整后，节庆活动中举办的文艺评奖大幅度清理压缩，压缩幅度87.5%；中央和国家机关、人民团体举办的常设全国性文艺评奖数量压缩75.4%。中宣部举办的精神文明建设“五个一工程”奖的评奖数额从原来的268个压缩为60个；文化部常设评奖项目仅保留政府奖1项，而子项文华奖、群星奖、动漫奖的评奖数量则压缩89%，同时取消所属单位举办的所有全国性文艺比赛和展演中的评奖活动；国家新闻出版广电总局仅保留中国广播影视大奖1项，子项中国电影华表奖、中国电视剧飞天奖均为两年评一次，评奖数额从176个压缩到60个；中国文联举办的13项常设全国性文艺评奖，取消1项，保留12项，保留的12个奖项的评奖数量由1123个压缩为248个，子项数量由229个压缩为67个，三级分项全部取消；中国作家协会的4个奖项评奖统一调整为四年评一次，评奖数量从107个压缩为88个。[①] 至党的十九大召开前，所有常设全国性文艺评奖已按照改革要求落实到位。以此为契机，文艺作品评价体系得到进一步完善。文化部、中国文联等文化主管部门积极探索“以评代奖”模式，强化评论、交流、展演等活动。

---

① 陈原：《文艺评奖：压数提质　增强公信》，《人民日报》2016年8月9日。

三是推动社会效益和经济效益相统一，确保国有文化企业履行责任使命。2015 年 9 月，中共中央办公厅、国务院办公厅印发实施《关于推动国有文化企业把社会效益放在首位、实现社会效益和经济效益相统一的指导意见》，明确提出了对社会效益的具体要求，制定可量化、可核查的社会效益考核指标，明确社会效益考核权重应占 50%以上，并将社会效益考核细化量化到政治导向、文化创作生产和服务、受众反应、社会影响、内部制度和队伍建设等具体指标中。截至 2016 年 5 月底，北京、天津、内蒙古、吉林、上海、江苏等 16 个省区市已正式印发相应实施意见。有关部门进一步细化完善政策措施，形成了一批重要制度成果和管理规范，积极落实相关任务部署。按照“社会效益指标考核权重应占 50%以上”要求，北京、上海、天津、江苏、浙江、重庆等地，完善了本地区国有文化企业负责人经营业绩考核及薪酬管理办法。在国内经济下行压力持续加大的背景下，国有文化企业“30 强”总体规模实力和发展水平进一步提升，市场竞争力和盈利能力不断增强，主营收入和净资产首次突破 3000 亿元大关，分别比上届同比增长 18%、37%。①

四、积极构建五大体系

在构建现代公共文化服务体系方面，一是加快构建公共文化服务体系，提升服务均等化、标准化水平。2015 年 1 月，国家印发《关于加快构建现代公共文化服务体系的意见》，成立由文化部牵头、26 个成员单位组成的国家公共文化服务体系建设协调组，制定方案、细化任务、形成合力。截至 2016 年 6 月底，除新疆外，各省区市出台了实施意见和标准，半数将公共文化服务纳入政府绩效考核指标。针对贫困地区这一公共文化服务体系建设薄弱环节，加大了资金、项目和政策支持力度。2015 年底，中宣部牵头启动“贫困地区百县万村综合文化服务中心示范工程”。文化部等 7 个部委联合印发了《“十三五”时期贫困地区公共文化服务体系建设规划纲要》。

① 张贺：《当好文化建设主力军》，《人民日报》2016 年 8 月 7 日。

二是购买公共文化服务，探索社会化公共文化服务保障机制。2015 年 5 月，国务院办公厅转发《关于做好政府向社会力量购买公共文化服务工作的意见》。文化部制定本部适用的《文化部向社会力量购买公共文化服务管理暂行办法》，并公布向社会力量购买公共文化服务的具体目录。在天津，通过直接补助，市民只需支付 100 元即可购买面值 500 元的“文惠卡”，可用于购买 11 个市属专业院团的演出门票，部分场次享受补贴后的票价不足 10 元。2015 年，通过发售 6 万张文惠卡，各市属院团当年卖票演出 914 场，同比增长 90.2%，平均上座率 88.8%，同比增幅超过 1 倍，极大地促进了天津文化演出市场的繁荣。截至 2016 年 5 月底，全国 25 个省区市出台了适合本地区的购买公共文化服务实施意见，并探索完善政府购买公共文化服务投入机制。三是推进基层文化服务中心建设，促进公共文化设施共建共享。2015 年，中央全面深化改革领导小组将“推进基层综合性文化服务中心建设试点工作”列为由文化部牵头的重点改革任务。2015 年 10 月，国务院办公厅印发《关于推进基层综合性文化服务中心建设的指导意见》，在乡镇（街道）和村（社区）建立基层综合性公共文化设施和场所。以基层综合性文化服务中心为依托，加快推进县级文化馆、图书馆总分馆制建设；利用数字化等新技术手段，丰富基层综合性文化服务中心的服务内容和方式。浙江的文化礼堂、安徽的农民文化乐园、山东的贫困村文化大院、甘肃的“乡村大舞台”……一批符合当地实际的建设模式应运而生。全国文化信息资源共享工程各级资源总量达到 412.46TB，数字图书馆资源总量达到 1024TB。已全面完成广播电视村村通工程盲村覆盖任务，直播卫星“户户通”达到 5059 万户。建成乡镇综合文化站 4 万多个，边远地区卫星数字农家书屋 2.2 万家。2780 个博物馆、纪念馆和 43510 个公共图书馆、美术馆、文化馆，以及有条件的科技馆实现了免费开放。四是加强贫困地区公共文化建设。与国家脱贫攻坚战略相衔接，制定出台《“十三五”时期贫困地区公共文化服务体系建设规划纲要》。启动百县万村综合文化服务中心示范工程，即在全国贫困县每个乡镇确定一个村作为示范点，2017 年前达到“七个一”标准，即建成一个文化活动广场、一个文化活动室、一个简易戏台、一面宣传展示墙，配备一套文化器材、一套广播器材、一套体育活动器材。实施“阳光工程”，发挥文化志愿者作用，解决贫困地区特别是村级公共文化服务人才不足问题。为了解决贫困地区特别是村级公共文化服务人才不足问题，2016 年文化部启动了“阳光工程”，招募文化志愿者，今年（2016 年）将有1200名文化志愿者配备到1200个村，开展为期一年的志愿服务。[①]五是制定公共文化服务保障法。2016 年 12 月 25 日，全国人大常委会表决通过了《中华人民共和国公共文化服务保障法》，2017 年 3 月 1 日开始实施，这标志着我国公共文化服务法律保障取得历史性突破，人民群众基本文化权益和基本文化需求实现从行政性“维护”到法律“保障”的跨越，公共文化服务将实现从可多可少、可急可缓的随机状态到标准化、均等化、专业化发展的跨越。

在现代文化市场体系构建方面，一是推进文化市场综合执法改革，促进文化市场持续健康发展。2016 年 4 月，中共中央办公厅、国务院办公厅印发《关于进一步深化文化市场综合执法改革的意见》（以下简称《意见》）。按照文件要求，文化部下发专门通知，对《意见》所涉重点任务进行分解细化；进一步充实完善文化市场管理工作领导小组，牵头建立文化市场管理工作联席会议制度，形成工作合力；举办专题培训班，对有关精神和要求进行解读；建立改革任务台账，督促各地科学设置文化市场综合执法机构，落实相关任务。二是推进传统出版和新兴出版融合发展，加快培育新兴出版业态。2015 年 3 月，国家新闻出版广电总局会同中华人民共和国财政部印发《关于推动传统出版和新兴出版融合发展的指导意见》。国家新闻出版广电总局将 168 个出版融合发展项目列入改革发展项目库给予重点支持，并出台《关于推动网络文学健康发展的指导意见》《网络出版服务管理规定》等配套管理办法。加大财政支持力度，2015 年安排资金 2.41 亿元，重点支持 36 个出版融合发展项目。通过扎实推进内容、渠道、平台、经营、管理等方面融合，传统出版和新兴出版在一定程度上实现了融合共生、优

---

① 张贺：《建设基层文化服务中心　激发农村文化活力》，《人民日报》2016 年 8 月 3 日。

势互补、此长彼长。据统计，2015 年出版、印刷和发行服务营业收入超过 2.1 万亿元，同比保持了 7%以上中高速增长，数字出版营业收入超过 4400 亿元，继续保持 30%左右增长速度。三是推动制定电影产业促进法。中国电影业迎来发展春风。2016 年 8 月 9 日，中国电影股份有限公司登陆 A 股市场，正式在上海证券交易所挂牌上市。首个交易日，中影股份即上涨 43.95%被秒停，公司总市值冲至 240 亿元。高涨的股价背后，市场对整个中国电影行业的信心表现得牛气冲天。中影股份并不是国内第一家上市的影视公司。早在 2009 年，“中国影视娱乐第一股”的称号便被华谊兄弟获得。7 年间，万达院线、光线传媒、华策影视等民营影视公司也相继登陆资本市场。此次中影股份的上市之所以获得非同一般的关注，原因恰恰在于，它不仅意味着又一家影视企业进入了资本市场，使得中国电影行业的市场化、金融化程度得到进一步提高，更重要的是，作为国有电影第一股，它代表着国有文化企业改革获得的卓越成就，也意味着中国电影国家队正式进入资本市场迎接更艰巨的考验。为促进电影业发展，2016 年 11 月 7 日，第十二届全国人大常委会第二十四次会议表决通过了《中华人民共和国电影产业促进法》。这部于 2017 年 3 月 1 日施行的法律，对电影创作、摄制，电影发行、放映，电影产业支持、保障，以及法律责任等分别作了详细规定。这意味着，电影产业被纳入国民经济和社会发展规划，成为拉动内需、促进就业、推动国民经济增长的重要产业。而通过简政放权降低电影行业准入门槛，通过正向倡导为从业者划定不可逾越的红线，尤其是明确加大财政、税收、金融、用地等方面的扶持力度，这一系列重大利好，必定会为电影产业的持续健康发展送来春风。近年来，中国电影市场迅猛发展。2010 年，全国电影票房突破 100 亿元，而 2015 年这一数据已经突破 440 亿元，中国电影市场稳居世界第二大电影市场的位置。

在优秀传统文化传承体系方面，一是实施中华优秀传统文化传承发展工程。2017 年 1 月，中共中央办公厅、国务院办公厅印发了《关于实施中华优秀传统文化传承发展工程的意见》（以下简称《意见》），要求各地区各部门结合实际认真贯彻落实。《意见》强调，实施中华优秀传统文化传承发展工程的总体目标是：到 2025 年，中华优秀传统文化传承发展体系基本形成，研究阐发、教育普及、保护传承、创新发展、传播交流等方面协同推进并取得重要成果，具有中国特色、中国风格、中国气派的文化产品更加丰富，文化自觉和文化自信显著增强，国家文化软实力的根基更为坚实，中华文化的国际影响力明显提升。二是支持戏曲传承发展，形成共促传承发展的良好局面。2015 年 7 月，国务院办公厅出台《关于支持戏曲传承发展的若干政策》。戏曲振兴工程被列入“十三五”时期经济社会发展规划纲要，“送地方戏”被列入《国家基本公共文化服务指导标准（2015—2020）》“基本服务项目”。中国京剧“像音像”集萃工程、“名家传戏”工程、剧本扶持工程、“戏曲剧本孵化计划”、经典京剧电影工程、“高雅艺术进校园”等启动，以项目为抓手推动各项政策落地见效。2015 年，国家艺术基金资助戏曲类项目 162 项，资助资金 2.46 亿元，占总量 32.8%；中央文化产业发展专项资金对 81 家县级国有戏曲院团和 47 家民营戏曲表演团体进行了奖励，资助资金共计 5460 万元。各地纷纷出台配套政策，强化落实举措。

在对外文化传播和对外话语体系方面，习近平总书记有很多精辟阐述，包括“文化交流是民心工程、未来工程”“讲好中国故事，传播好中国声音”等等。他也率先垂范，提出了“中国梦”“经济发展新常态”“人类命运共同体”等这些国内外都能听得懂、听得进的新概念。党的十八大以来，在政府推动、民间参与、市场运作的合力推动下，创新对外话语体系和表达方式，对外传播的辐射力、文化交流的亲和力、文化贸易的竞争力显著增强。主动设置议题，传播中国声音，阐释中国特色，《习近平谈治国理政》发行到 100 多个国家和地区。有的国家的总统深入研究习近平总书记的著作，甚至为其着迷。结合“一带一路”建设，深化中外人文交流合作，感知中国、中国文化年、欢乐春节等品牌活动影响扩大、成效明显，丝绸之路影视桥、丝路书香工程深入推进。建成海外中国文化中心 25 个，推进孔子学院、孔子课堂建设。加强国际传播能力建设，发展合作传播，中央主要媒体的国际新闻信息原创率、首发率、落地率显著提高。加快发展对外文化贸易和投资，鼓励各种所有制企业参与文化“走出去”，加强文化出口平台和渠道建设，拓展国际营销网络，扩大海外优质资产规模。据初步测算，2015 年，我国文化产品出口 871.2 亿美元，文化服务出口 165.9 亿美元，比上年增长 37.2%，高于我国服务出口增速 22 个百分点；文化体育和娱乐业对外投资比上年增长 257.9%，高于非金融类对外直接投资增速 248 个百分点。近年来，中国出版业先后实施了经典中国国际出版工程、中国图书对外推广计划、中外图书互译计划等八大工程，构建了内容生产、翻译出版、发行推广和资本运营等全流程、全领域的“走出去”格局，打开了 190 多个国家和地区出版物市场。我国图书版权贸易逆差大幅缩小，我国版权输出和引进品种比例，从 2010 年的 1∶2.9 提高到 2014 年的 1∶1.66，我国成为重要的国际版权输出国。

在文化政策法规体系构建方面，也取得明显进展。经中央审议批准，印发了一系列指导性意见：《关于繁荣发展社会主义文艺的意见》《关于推动国有文化企业把社会效益放在首位、实现社会效益和经济效益相统一的指导意见》《关于推动传统媒体与新兴媒体融合发展的指导意见》《关于加快构建现代公共文化服务体系的意见》《关于全国性文艺评奖制度改革的意见》《关于进一步深化文化市场综合执法改革的意见》等。

加强了中国特色新型智库建设。2013 年 11 月，党的十八届三中全会提出“加强中国特色新型智库建设，建立健全决策咨询制度”，并纳入全面深化改革重大举措。2014 年 10 月 27 日，中央全面深化改革领导小组第六次会议审议通过了《关于加强中国特色新型智库建设的意见》。习近平总书记在会议上强调，智力资源是一个国家、一个民族最宝贵的资源。我们进行治国理政，必须善于集中各方面智慧、凝聚最广泛力量。改革发展任务越是艰巨繁重，就越需要强大的智力支持。近些年来，我国智库发展很快，在出思想、出成果、出人才方面取得了很大成绩，为推动改革开放和社会主义现代化建设作出了重要贡献。同时，随着形势发展，智库建设跟不上、不适应的问题也越来越突出，尤其是缺乏具有较大影响力和国际知名度的高质量智库。要从推动科学决策、民主决策，推进国家治理体系和治理能力现代化、增强国家软实力的战略高度，把中国特色新型智库建设作为一项重大而紧迫的任务切实抓好。要坚持党的领导，把握正确导向，充分体现中国特色、中国风格、中国气派；坚持科学精神，鼓励大胆探索；坚持围绕大局，服务中心工作；坚持改革创新，规范发展。要统筹推进党政部门、社科院、党校、行政学院、高校、军队、科技和企业、社会智库协调发展，形成定位明晰、特色鲜明、规模适度、布局合理的中国特色新型智库体系，重点建设一批具有较大影响力和国际知名度的高端智库，重视专业化智库建设。2015 年 1 月，中共中央办公厅、国务院办公厅印发了《关于加强中国特色新型智库建设的意见》。2015 年 11 月 9 日上午，中央全面深化改革领导小组第十八次会议召开，审议通过了《国家高端智库建设试点工作方案》。会议强调，开展国家高端智库建设试点工作，要紧紧围绕“四个全面”战略布局，以服务党和政府决策为宗旨，以政策研究咨询为主攻方向，以完善组织形式和管理方式为重点，以改革创新为动力，优先选择若干基础条件较好、专业特色突出的机构进行试点，建设一批国家急需、特色鲜明、制度创新、引领发展的高端智库。要加强试点工作的组织领导和统筹协调，规范决策研究、成果转化、考核评估、经费投入等工作，选好配强首席专家，建好专业研究团队，重点围绕国家重大战略需求，开展前瞻性、针对性、储备性政策研究，及时总结和推广试点经验。为更好建设国家高端智库，经中央批准，由中宣部牵头，在全国社科规划领导小组下设立国家高端智库理事会，将其作为国家高端智库建设的议事机构和评估机构。中宣部研究起草了《国家高端智库管理办法（试行）》，与财政部共同制定了《国家高端智库专项经费管理办法（试行）》，将其作为高端智库运行管理和专项经费管理的基本规范，为试点工作搭建了初步的制度框架。

2015 年 12 月 1 日，国家高端智库建设试点工作会议召开。会议强调建设中国特色新型智库是推进国家治理体系和治理能力现代化、提升国家软实力的重要举措，要深入贯彻党中央精神，精心组织试点工作，着力建设一批国家急需、特色鲜明、制度创新、引领发展的高端智库，推动我国智库建设实现新的发展。这次会议标志着试点工作正式启动。全国遴选出首批包括中国社科院、中央党校在内的25家单位，开展国家高端智库建设试点。各试点智库积极聚焦全局性、战略性、前瞻性问题，深入开展应用对策研究，短期内就推出了一批高质量决策咨询成果。

第四节　社会领域改革进步显著

在新的历史起点上，党的十八届三中全会顺应社会发展的基本需求，把“促进社会公平正义”定为社会体制改革的价值目标，明确社会体制下一步改革的三个方向，即“改革收入分配制度，促进共同富裕”“推进社会领域制度创新，推进基本公共服务均等化”“加快形成科学有效的社会治理体制”。2014年2月，中央全面深化改革领导小组第二次会议审议通过了《关于深化司法体制和社会体制改革的意见及贯彻实施分工方案》，提出要加快形成科学有效的社会治理体制，促进社会公平正义，保障人民安居乐业。根据党的十八届三中全会和中央全面深化改革领导小组通过的实施方案的部署，这几年社会领域改革聚焦民生改善和社会治理，主要推动了以下几项工作。

一、精准脱贫

消除贫困、改善民生、逐步实现共同富裕，是社会主义的本质要求，是中国共产党的重要使命。长期以来，中国共产党和政府做了大量工作，使7亿多农村贫困人口成功脱贫，这一成就得到世界赞誉。但进入新时代后，我国脱贫攻坚形势依然严峻，全国仍有近一亿的贫困人口，不少群众贫困程度还很深。中央对扶贫开发工作高度重视，党的十八大以及随后召开的中央经济工作会议和中央农村工作会议，都对扶贫开发工作提出了明确要求。

解决问题，调研先行。习近平总书记在2012年12月29日考察河北阜平时指出："我这次来的目的，就是慰问革命老区群众。阜平地处太行山深处，是著名的革命老区，属于燕山—太行山集中连片特殊困难地区，很有代表性。一直想找个机会过来看望一下乡亲们，了解困难群众生产生活情况，同大家一起商量脱贫致富之策。要看就要真看，看真贫，通过典型了解贫困地区真实情况，窥一斑而见全豹。"①在这次考察期间，习近平总书记表示，"我们要加大投入力度，把集中连片特殊困难地区作为主战场，把稳定解决扶贫对象温饱、尽快实现脱贫致富作为首要任务，坚持政府主导，坚持统筹发展，注重增强扶贫对象和贫困地区自我发展能力，注重解决制约发展的突出问题，努力推动贫困地区经济社会加快发展"②。2013年11月3日，习近平总书记调研考察湖南省花垣县湘西十八洞村时首次提出了"精准扶贫"的重要思想，并作出"实事求是、因地制宜、分类指导、精准扶贫"的重要指示，提出十八洞模式要"可复制、可推广"六字原则和"不能搞特殊化，但不能没有变化"的十三字要求。小康不小康，关键看老乡。2015年1月19日，习近平总书记在云南考察工作时指出，扶贫开发是我们第一个百年奋斗目标的重点工作，是最艰巨的任务。现在距实现全面建成小康社会只有五六年时间了，时不我待，扶贫开发要增强紧迫感，真抓实干，不能光喊口号，决不能让困难地区和困难群众掉队。要以更加明确的目标、更加有力的举措、更加有效的行动，深入实施精准扶贫、精准脱贫，项目安排和资金使用都要提高精准度，扶到点上、根上，让贫困群众真正得到实惠。

2015年6月18日，习近平总书记在贵州召开部分省区市党委主要负责同志座谈会时再次强调，扶贫开发贵在精准，重在精准，成败之举在于精准。各地都要在扶持对象精准、项目安排精准、资金使用精准、措施到户精准、因村派人（第一书记）精准、脱贫成效精准上想办法、出实招、见真效。要坚持因人因地施策，因贫困原因施策，因贫困类型施策，区别不

① 习近平：《习近平著作选读》第一卷，人民出版社2023年版，第70页。
② 习近平：《习近平著作选读》第一卷，人民出版社2023年版，第73页。

同情况，做到对症下药、精准滴灌、靶向治疗，不搞大水漫灌、走马观花、大而化之。要因地制宜研究实施“四个一批”的脱贫攻坚行动计划，即通过扶持生产和就业发展一批，通过移民搬迁安置一批，通过低保政策兜底一批，通过医疗救助扶持一批，实现贫困人口精准脱贫。

为落实习近平总书记精准扶贫思想，切实做好扶贫工作，2015 年 11 月 27 日至 28 日，中央扶贫开发工作会议在北京召开，中央政治局常委与地方党政主要负责人全部出席。在这个堪称“史上最高规格”的扶贫会上，吹响了消除绝对贫困、决胜小康社会的最强劲号角。习近平总书记在会上不仅指出要重点解决好“扶持谁”“谁来扶”“怎么扶”“如何退”的问题[①]，还指出“脱贫攻坚战的冲锋号已经吹响。我们要立下愚公移山志，咬定目标、苦干实干，坚决打赢脱贫攻坚战，确保到 2020 年所有贫困地区和贫困人口一道迈入全面小康社会”[②]。会议强调，要坚持精准扶贫、精准脱贫，重在提高脱贫攻坚成效。要解决好“扶持谁”的问题，确保把真正的贫困人口弄清楚，把贫困人口、贫困程度、致贫原因等搞清楚，以便做到因户施策、因人施策。要解决好“谁来扶”的问题，加快形成中央统筹、省（自治区、直辖市）负总责、市（地）县抓落实的扶贫开发工作机制，做到分工明确、责任清晰、任务到人、考核到位。精准扶贫是为了精准脱贫。要设定时间表，实现有序退出，既要防止拖延病，又要防止急躁症。要留出缓冲期，在一定时间内实行摘帽不摘政策。要实行严格评估，按照摘帽标准验收。要实行逐户销号，做到脱贫到人，脱没脱贫要同群众一起算账，要群众认账。这次会议结束后不久，《中共中央、国务院关于打赢脱贫攻坚战的决定》公开发布。2016 年，国务院组织编制印发了《“十三五”脱贫攻坚规划》，中共中央办公厅、国务院办公厅就落实《中共中央、国务院关于打赢脱贫攻坚战的决定》制定了 10 个配套文件，32 个牵头部门和 77 个参与部门共出台 118 个政策文件或实施方案。

---

① 习近平：《习近平著作选读》第一卷，人民出版社 2023 年版，第 396—404 页。

② 《习近平总书记谈精准扶贫》，《新华每日电讯》2016 年 3 月 7 日。

这几年，我们的脱贫工作投入力度空前。中央和省级财政专项扶贫资金首次突破1000亿元，其中中央财政扶贫资金667亿元，同比增长43.4%；省级财政超过400亿元，同比增长50%以上。建起脱贫攻坚责任制，中西部22个省份党委和政府向中央签订责任书。2016年底对这22个省份脱贫攻坚工作进行了督查巡查，开展成效考核，委托专家学者开展第三方评估。明确贫困县必须作为、提倡作为、禁止作为的9项标准。党建扶贫发出威力。开展建档立卡“回头看”，扶贫对象识别精准度进一步提高。各地共向贫困村选派驻村工作队12.8万个，派出驻村干部54万多人。全国选派18.8万名优秀干部到贫困村和基层党组织薄弱村担任第一书记，提升带动群众脱贫能力。社会力量广泛参与扶贫。东西部扶贫协作首次实现对全国30个民族自治州全覆盖，明确了京津冀协同发展中京津两市与河北省张家口、承德和保定三市的扶贫协作任务。启动“携手奔小康”行动，东部发达地区267个经济较强县（市、区）结对帮扶西部406个贫困县。国务院国资委组织中央企业设立贫困地区产业投资基金，51家央企参与出资。[①]大力实施产业扶贫。根据中央部署，各地积极实施发展生产脱贫一批、易地搬迁脱贫一批、生态补偿脱贫一批、发展教育脱贫一批、社会保障兜底一批“五个一批”工程。为保证贫困地区如期脱贫，有关部门明确要求贫困地区的党政主要负责人，在没有解决脱贫问题之前不能调离。

据中国网报道，习近平总书记牵挂的十八洞村村民生活近年来有了大变化。十八洞村有225户993人，通过“户主申请，群众投票识别，三级会审，公告公示，乡镇审核，县级审批，入户登记”，从全村甄别出136户542位贫困人口。人均纯收入由2013年的1668元增加到2015年的3580元，增长115%，减贫61户269人。这些贫困人口已实现不愁吃、不愁穿，学生义务教育、家庭基本医疗和住房全部得到保障，学生入学率100%，家庭人口加入新型农村合作医疗率100%，住房全部达到安全标准。[②]

---

① 《脱贫攻坚首战全面告捷》，《人民日报》2017年2月17日。

② 《习近平牵挂的湖南花垣县十八洞村如何精准扶贫》，中国网2016年10月25日。

经过上下艰苦努力，加上引导贫困群众树立宁愿苦干、不愿苦熬的观念，截至 2020 年底，全国 832 个贫困县全部摘帽，12.8 万个贫困村全部出列，近 1 亿农村贫困人口实现脱贫，提前 10 年实现联合国 2030 年可持续发展议程减贫目标，历史性地解决了绝对贫困问题，创造了人类减贫史上的奇迹。[①]

二、户籍制度改革

一纸户籍，仿佛一堵高墙，将城里人与农村人分隔于墙的两边。给户籍松绑，解决农民进城的身份之困，户籍制度改革不仅关乎亿万百姓的切身利益，也直接关系到新型城镇化建设的成败。党的十八届三中全会明确提出："加快户籍制度改革，全面放开建制镇和小城市落户限制，有序放开中等城市落户限制，合理确定大城市落户条件，严格控制特大城市人口规模。"2014 年 6 月 6 日，中央全面深化改革领导小组第三次会议审议通过了《关于进一步推进户籍制度改革的意见》。习近平总书记在会上强调，推进人的城镇化重要的环节在户籍制度，加快户籍制度改革，是涉及亿万农业转移人口的一项重大举措。总的政策要求是全面放开建制镇和小城市落户限制，有序放开中等城市落户限制，合理确定大城市落户条件，严格控制特大城市人口规模，促进有能力在城镇稳定就业和生活的常住人口有序实现市民化，稳步推进城镇基本公共服务常住人口全覆盖。户籍制度改革是一项复杂的系统工程，既要统筹考虑，又要因地制宜、区别对待。要坚持积极稳妥、规范有序，充分考虑能力和可能，优先解决存量，有序引导增量。要尊重城乡居民自主定居意愿，合理引导农业转移人口落户城镇的预期和选择。要促进大、中、小城市和小城镇合理布局、功能互补，搞好基本公共服务，还要维护好农民的土地承包经营权、宅基地使用权、集体收益分配权。2014 年 7 月，国务院发布的《关于进一步推进户籍制度改革的意见》提出，建立城乡统一的户口登记制度。取消农业户口与非农业户口

---

① 《中共中央关于党的百年奋斗重大成就和历史经验的决议》，人民出版社 2021 年版，第 48 页。

性质区分和由此衍生的蓝印户口等户口类型，统一登记为居民户口，体现户籍制度的人口登记管理功能。这为户籍改革明确了前进路径。

2016 年 1 月 1 日起开始施行的《居住证暂行条例》，以各地已出台的居住证制度为参考，注意与户口、身份证制度的比较，突出居住证的赋权功能，突出政府及其相关部门的服务职能，在明确居住证的性质和申领条件的基础上，一方面确立了为居住证持有人提供的基本公共服务和便利，另一方面鼓励各地不断创造条件提供更好的服务。北京、上海、广州、深圳等多个城市已经开始实行居住证制度。广东为居住证持证人列出了 15 条待遇，持有居住证的境内人员在符合资格条件的情况下还可以报名参加广东省内公开选拔领导干部。《上海市居住证积分管理办法》则规定，符合一定条件的创业人才和创新创业中介服务人才将可以获得 120 分的加分，这意味着这类人才将可以享受包括子女教育在内的多项公共服务待遇。2016 年 9 月 29 日，《国家人权行动计划（2016—2020 年）》发布，提出要落实国务院户籍制度改革方案，取消农业户口与非农业户口性质区分，建立城乡统一的户籍登记制度。全面实施《居住证暂行条例》，推进居住证制度覆盖全部未落户城镇常住人口。这些政策的出台，意味着户籍改革来到了新的阶段，必将极大调动人们的积极性，促进以人为核心的新型城镇化的健康发展。

三、全面实施两孩政策

调整完善生育政策，促进人口长期均衡发展，是以习近平同志为核心的党中央，科学把握人口发展规律，从中华民族长远发展的战略高度出发作出的重大决策。2013 年 11 月，党的十八届三中全会指出，坚持计划生育的基本国策，启动实施一方是独生子女的夫妇可生育两个孩子的政策，逐步调整完善生育政策，促进人口长期均衡发展。12 月，党中央、国务院印发《关于调整完善生育政策的意见》，进一步明确了生育政策调整的重要意义和总体思路。截至 2014 年底，“单独两孩”政策顺利落地一年后，全国共有 106.9 万对单独夫妇申请再生育，基本符合预期。

为了进一步推动人口结构优化，2015 年 10 月 29 日，中共十八届五中全会提出，促进人口均衡发展，坚持计划生育的基本国策，完善人口发展战略，全面实施一对夫妇可生育两个孩子政策，积极开展应对人口老龄化行动。这意味着实行了 36 年的独生子女政策自此终结。2015 年 12 月底，党中央、国务院发布了《关于实施全面两孩政策，改革完善计划生育服务管理的决定》，之后全国人大常委会修订了《中华人民共和国人口与计划生育法》。从 2016 年 1 月 1 日开始全面实施两孩政策。2016 年是实施全面两孩政策的第一年，也是实施“单独两孩”政策的第三年，政策效应逐步显现。国家统计局根据 1‰抽样调查，推算出全国出生人口为 1786 万，生育水平提升到 1.7 以上。根据国家有关部门统计数据，全年住院分娩活产数为 1846 万人，这也从另一方面反映了政策的积极效应。但考虑到生活压力大、无人照顾等因素，也有很多有一个孩子的家庭，不愿再生孩子。有关部门围绕群众生得出、生得起、生得好等方面的迫切需求，不断完善有关配套政策。

2021 年 5 月 31 日，中共中央政治局会议指出，进一步优化生育政策，实施一对夫妻可以生育三个子女政策及配套支持措施，有利于改善我国人口结构、落实积极应对人口老龄化国家战略、保持我国人力资源禀赋优势。6 月，党中央、国务院颁布了《关于优化生育政策促进人口长期均衡发展的决定》，明确提出要实施三孩生育政策及配套支持措施。2021 年 8 月 20 日，全国人大常委会会议表决通过了关于修改人口与计划生育法的决定，修改后的《中华人民共和国人口与计划生育法》规定，国家提倡适龄婚育、优生优育，一对夫妻可以生育三个子女。

从“单独两孩”到“全面两孩”再到“全面三孩”，我国生育政策的不断优化调整，相信能为党和国家事业的长远发展提供坚强的人口保证。

四、深化教育体制改革

教育是民族振兴和社会进步的基石，事关国家未来。习近平总书记指出，中国这么多人，教育上去了，将来人才就会像井喷一样涌现出来。这是最有竞争力的。他还强调，“深化教育体制改革，目的是提高教育质量”[①]，使我国教育越办越好、越办越强。针对制约教育发展的体制机制障碍，党的十八大以来，我们加强顶层设计与基层探索有机互动，教育改革加快推进。

一是全面启动考试招生制度改革。2014 年 8 月，中央全面深化改革领导小组第四次会议审议通过了《关于深化考试招生制度改革的实施意见》。习近平总书记指出，考试招生制度是国家基本教育制度。总体上看，我国考试招生制度符合国情，同时也存在一些问题。必须通过深化改革，促进教育公平、提高人才选拔水平，适应培养德智体美劳全面发展的社会主义建设者和接班人的要求。深化考试招生制度改革，总的目标是形成分类考试、综合评价、多元录取的考试招生模式，健全促进公平、科学选才、监督有力的体制机制，构建衔接沟通各级各类教育、认可多种学习成果的终身学习立交桥。考试招生制度改革要在充分论证搞好顶层设计的基础上，试点先行，分步实施，有序推进。随后国务院印发了《关于深化考试招生制度改革的实施意见》，以“促进公平、科学选才”为导向，全面启动恢复高考以来最全面、最系统的一次考试招生制度改革。上海、浙江启动高考综合改革试点，积极探索基于统一高考和高中学业水平考试成绩、参考综合素质评价的多元录取机制。减少和规范高考加分项目及分值，全国性鼓励类加分项目全部取消，地方性加分项目减少 63%，13 个省份取消所有地方性加分项目，大部分省份普遍降低分值。推行高考成绩公布后填报志愿，完善平行志愿投档方式，增加学生选择机会。自主招生选拔安排在全国统一高考后进行，不得采用联考方式。

---

① 习近平：《习近平谈治国理政》第三卷，外文出版社 2020 年版，第 350 页。

二是现代学校制度建设迈出关键步伐。坚持和完善普通高校党委领导下的校长负责制，健全党委与行政议事决策制度和协调运行机制。加强学术组织建设，充分发挥学术委员会在学术事务方面的作用。推进校内民主管理，切实保障教职工民主参与和监督的权利。加强高校理事会建设，完善多方参与学校治理平台。

三是教育管理体制改革有力有序推进。先后取消、下放了 21 项教育行政审批事项，评审、评估、评价事项减少三分之一。加强省级政府教育统筹，推动省级政府落实城乡教育协调发展、保障教育投入等方面的职责。强化国家教育督导，国务院出台《教育督导条例》，成立教育督导委员会。建立责任督学挂牌督导制度，超过 99%的中小学校实现了挂牌督导。实行日常督导和专项督导相结合，开展学校安全、重大突发事件等专项督导。通过《关于深化职称制度改革的意见》，强调深化职称制度改革，要以职业分类为基础，以科学评价为核心，以促进人才开发使用为目的，健全职称制度体系，完善职称评价标准，创新职称评价机制，促进职称评价和人才培养使用相结合，改进职称管理服务方式。要突出品德、能力、业绩导向，克服“唯学历、唯资历、唯论文”倾向，科学、客观、公正评价专业技术人才，让专业技术人才有更多时间和精力深耕专业，让作出贡献的人才有成就感和获得感。要向基层倾斜，对在艰苦偏远地区和基层一线工作的专业技术人才、急需紧缺的特殊人才等，要有一些特殊政策。全面推开中小学教师职称制度改革，在中小学设置正高级教师职称（职务），拓宽中小学教师职业发展通道。不少中小学老师有了高级职称，也有了教授头衔。

四是积极稳妥做好教育对外开放工作。出国留学与学成归国同步扩大，2014 年我国出国留学人员 45.98 万人，比 2009 年增长了 100.54%；各类留学回国人员 36.48 万人，比 2009 年增长了 236.84%。来华留学与攻读学位人员同步增长，实施留学中国计划，我国正成为新兴留学目的地国。2014 年共有来自 203 个国家和地区的 37.7 万名学生在华学习，比 2009 年增长了 58.3%。来华留学的学历生比例稳步提高，2014 年达到 43.6%。“引进来”

与“走出去”同步提高，高质量中外合作办学资源持续增多，5 年新设 4 所中外合作大学，新增 643 个本科及以上层次中外合作办学机构和项目。海外办学迈出实质性步伐，已有 4 所机构、98 个项目在境外落地，在 132 个国家设立了 478 所孔子学院和 884 个孔子课堂。

五是依法治教迈出重要步伐。全国所有高校全面启动章程制定工作，112 所“985”和“211”高校已全部完成。中小学章程建设取得积极进展，一些地方已率先实现一校一章程。研究制定青少年法治教育大纲，完善中小学法治知识课程设计。[①]2015 年，国务院颁布了《统筹推进世界一流大学和一流学科建设总体方案》，确定了“双一流”建设的重大举措。这样做的主要目的是，坚持继承和创新相结合，坚持发展方向，改进实施方式，重点支持若干所高校和一批学科进入世界一流行列，若干学科进入世界一流学科前列。这些教育改革举措，推动教育公平取得明显成效。但也要看到，教育优质资源仍然过于集中、大城市上学难入托难、中西部地区教育水平相对较低等问题依然需要积极加以解决。

五、深化医药卫生体制改革

党的十八大和十八届三中全会明确提出要深化医药卫生体制改革，提高人民健康水平。党的十八届五中全会通过的《中共中央关于制定国民经济和社会发展第十三个五年规划的建议》，还提出要推进“健康中国”建设，深化医药卫生体制改革，理顺药品价格，实行医疗、医保、医药联动，建立覆盖城乡的基本医疗卫生制度和现代医院管理制度。

党的十八大以来，深化医药卫生体制改革取得明显进展，形成了一批符合实际、行之有效的经验做法。第一，推进公立医院改革。公立医院是我国医疗服务体系的主体。要把深化公立医院改革作为保障和改善民生的

---

① 《“十二五”以来特别是党的十八大以来我国教育改革发展的辉煌成就》，《光明日报》2015 年 10 月 13 日。

重要举措，着力解决好群众就医问题。2015 年 4 月 1 日下午，习近平总书记主持召开中央全面深化改革领导小组第十一次会议，审议通过了《关于城市公立医院综合改革试点的指导意见》。会议强调，要坚持公立医院公益性的基本定位，将公平可及、群众受益作为改革出发点和立足点，落实政府办医责任，统筹推进医疗、医保、医药改革，坚持分类指导，坚持探索创新，破除公立医院逐利机制，建立维护公益性、调动积极性、保障可持续的运行新机制，构建布局合理、分工协作的医疗服务体系和分级诊疗就医格局。城市公立医院改革综合性强、涉及面广，在改革公立医院管理体制、建立公立医院运行新机制、强化医保支付和监控作用、建立符合医疗行业特点的人事薪酬制度、构建各类医疗机构协同发展的服务体系、推动建立分级诊疗制度、加快推进医疗卫生信息化建设等方面都要大胆探索、积极创新。要落实政府的领导责任、保障责任、管理责任、监督责任。要立足我国国情，加快推进改革试点，尽快形成可复制、可推广的经验。随后，县级公立医院改革全面推开，医疗服务价格进一步理顺，全国 100 个城市开展了公立医院综合改革试点，试点城市三级公立医院次均诊疗费用和人均住院费用增长得到初步控制。

第二，实施整合城乡居民基本医疗保险制度。自从 2003 年建立新型农村合作医疗制度和 2007 年建立城镇居民基本医疗保险制度以来，居民医疗保险领域形成了城乡分割的局面。这种状况导致两者在筹资标准、待遇政策以及经办管理等多方面产生显著差异和不少矛盾，不利于社会公平，不利于人员流动，并出现重复参保、重复补贴等问题，增加了政府的管理成本和不合理负担。整合城镇居民基本医疗保险和新型农村合作医疗两项制度，建立统一的城乡居民基本医疗保险制度，是推进医疗卫生体制改革、实现城乡居民公平享有基本医疗保险权益、促进社会公平正义、增进人民福祉的重大举措。2015 年 12 月 9 日下午，习近平总书记主持召开中央全面深化改革领导小组第十九次会议，审议通过了《关于整合城乡居民基本医疗保险制度的意见》。会议指出，要按照统一制度、整合政策、均衡水平、完善机制、提升服务的总体思路，从统一覆盖范围、统一筹资政策、统一保障待遇、统一医保目录、统一定点管理、统一基金管理等方面进行整合，积极构建保障更加公平、管理服务更加规范、医疗资源利用更加有效的城乡居民医保制度。要推动实现医疗、医保、医药“三医联动”，推动基本医保、大病保险、医疗救助、商业健康保险、社会慈善等衔接配合，努力构建多层次的医疗保障体系。文件通过后，各地积极行动，整合工作成效显著。截至2016年8月底，18个省实现城乡居民医保整合。

第三，加强儿童医疗卫生服务改革。儿童健康事关家庭幸福和民族未来，但我国每千名儿童儿科执业（助理）医师数仅为0.49人，低于世界主要发达国家（0.85 ~ 1.3人）。还存在儿童医院数量偏少、设置儿科床位的医疗机构不足1/3、儿科床位缺口大等问题。为解决这些问题，2016年3月22日上午，习近平总书记主持召开中央全面深化改革领导小组第二十二次会议，审议通过了《关于加强儿童医疗卫生服务改革与发展的意见》。会议指出，加强儿童医疗卫生服务改革与发展，要紧紧围绕加强儿科医务人员培养和队伍建设、完善儿童医疗卫生服务体系、推进儿童医疗卫生服务领域改革、防治结合提高服务质量等关键问题，系统设计改革路径，切实缓解儿童医疗服务资源短缺问题。要落实政府责任，加强组织领导，密切协作配合，完善配套措施。这为深化儿童医疗卫生服务改革提供了基本遵循。

第四，推进家庭医生签约服务制度。推进家庭医生签约服务，对促进医疗卫生工作重心下移、资源下沉，实现人人享有基本医疗卫生服务的目标具有积极意义。2016年4月18日上午，习近平总书记主持召开中央全面深化改革领导小组第二十三次会议，审议通过了《关于推进家庭医生签约服务的指导意见》（以下简称《意见》）。《意见》指出要重点在签约服务方式、内容、收付费、考核、激励机制、技术支撑等方面实现突破，优先覆盖老年人、慢性病患者、结核病等慢性传染病患者、严重精神障碍患者、孕产妇、儿童、残疾人等重点人群。对家庭医生要有职业保障措施。一般来说，居民在签约后，将享受到家庭医生团队提供的基本医疗、公共卫生和约定的健康管理服务。基本医疗服务涵盖常见病、多发病的中西医诊治，合理用药，就医路径指导和转诊预约等。公共卫生服务涵盖国家基本公共卫生服务项目和规定的其他公共卫生服务。健康管理服务主要是针对居民健康状况和需求，制定不同类型的个性化签约服务内容，可包括健康评估、康复指导、家庭病床、家庭护理、中医药“治未病”服务、远程健康监测等。通过不断优化签约服务内涵来满足居民的多样化医疗卫生服务需求。总体上，签约进展比较顺利。

第五，推动改革完善药品生产流通机制。2016年12月30日下午，习近平总书记主持召开中央全面深化改革领导小组第三十一次会议，审议通过了《关于进一步改革完善药品生产流通使用政策的若干意见》。会议指出，改革完善药品生产流通使用政策，要严格药品上市审评审批制度，加快推进药品质量和疗效一致性评价，有序推进药品上市许可持有人制度试点，加强药品生产质量安全监管。要完善药品、耗材、医疗器械采购机制，推行药品购销“两票制”改革，减少流通环节，净化流通环境，整治突出问题。要破除以药养医机制，取消药品加成，理顺医疗服务价格，落实政府投入责任。贯彻落实药品医疗器械审评审批制度改革，让患者以更快速度、更低价格用上救命药、放心药；实施《中医药健康服务发展规划（2015—2020年）》，构建医疗康复、老年护理、健康管理、健身养生等新兴产业组合发展的崭新格局……一系列改革举措的实施，推动中国医药卫生事业续写亮丽答卷：城乡居民基本公共卫生服务项目类别基本覆盖居民生命全过程；七大类重大公共卫生服务项目累计覆盖近2亿人；居民个人卫生支出占卫生总费用的比例为20年来最低水平。就此，世界卫生组织驻华代表施贺德博士评价说，“祝贺中国在‘健康中国’道路上取得显著进展：平均寿命增加，医疗保障网覆盖超过95%人口，提前实现联合国千年发展目标，孕产妇和婴幼儿死亡率降低”[①]。这对健康中国的建设意义重大，对世界其他国家也有重要借鉴意义。

---

① 《为了13亿人民的健康福祉——党的十八大以来我国医药卫生事业发展述评》，新华社北京2016年2月27日电。

2016年8月30日上午，习近平总书记主持召开中央全面深化改革领导小组第二十七次会议，会议提出要鼓励各地因地制宜推广，支持各地差别化探索，在公立医院运行机制改革、医保经办管理体制、药品供应保障制度建设、分级诊疗制度建设、综合监管制度建设、建立符合医疗行业特点的人事薪酬制度等方面大胆探索创新，全力取得突破。可见，改革仍未完成，医药体制改革还在路上。

六、科技体制改革日益深化

科技改变未来，创新是第一动力。习近平总书记指出："科技是国之利器，国家赖之以强，企业赖之以赢，人民生活赖之以好。中国要强，中国人民生活要好，必须有强大科技。"①他还说"科技创新是核心"②。这就要求深化科技体制改革，不断推进科技创新。科技体制改革是全面深化改革的重要内容，是实施创新驱动发展战略、建设创新型国家的根本要求。党的十八大以来，中央对科技体制改革和创新驱动发展作出了全面部署，出台了一系列重大改革举措。为更好地贯彻落实中央的改革决策，形成系统、全面、可持续的改革部署和工作格局，打通科技创新与经济社会发展通道，最大限度地激发科技第一生产力、创新第一动力的巨大潜能，2015年5月5日下午，中央全面深化改革领导小组第十二次会议审议通过了《深化科技体制改革实施方案》。会议强调，深化科技体制改革非常重要，要坚持问题导向，突出改革整体性，强调继承和发展，注重可操作性，聚焦制约科技创新和驱动发展的突出矛盾，统筹衔接当前和长远举措，明确分工、完成时限，把握节奏，分步实施。9月，中共中央办公厅、国务院办公厅印发了《深化科技体制改革实施方案》（以下简称《方案》）。《方案》明确提出，力争到2020年在科技体制改革的重要领域和关键环节取得突破性成果，基本建立适应创新驱动发展战略要求、符合社会主义市场经济规律和科技创新

① 习近平：《习近平著作选读》第一卷，人民出版社2023年版，第490页。
② 习近平：《习近平著作选读》第一卷，人民出版社2023年版，第494页。

发展规律的国家创新体系，进入创新型国家行列。自主创新能力显著增强，技术创新的市场导向机制更加健全，企业、科研院所、高等学校等创新主体充满活力、高效协同，军民科技融合深度发展，人才、技术、资本等创新要素流动更加顺畅，科技管理体制机制更加完善，创新资源配置更加优化，科技人员积极性、创造性充分激发，大众创业、万众创新氛围更加浓厚，创新效率显著提升，为到2030年建成更加完备的国家创新体系、进入创新型国家前列奠定坚实基础。

按照中央部署和改革方案，这几年科技改革日益深化。一是推动科技领域事业单位改革。2015年5月，中央全面深化改革领导小组审议通过了《中国科协所属学会有序承接政府转移职能扩大试点工作实施方案》。会议指出，中国科协所属学会有序承接政府转移职能扩大试点工作，要围绕服务改革需要，以科技评估、工程技术领域职业资格认定、技术标准研制、国家科技奖励推荐等适宜学会承接的科技类公共服务职能的整体或部分转接为重点，加强制度和机制建设，完善可负责、可问责的职能转接机制，强化效果监督和评估，尽快形成可复制可推广的经验模式。2016年1月11日下午，习近平总书记主持召开中央全面深化改革领导小组第二十次会议，审议通过了《科协系统深化改革实施方案》，指出：科协系统深化改革，要把自觉接受党的领导、团结服务科技工作者、依法依章程开展工作有机统一起来，改革联系服务科技工作者的体制机制，改革治理结构和治理方式，创新面向社会提供公共服务产品的机制，把科协组织建设成为党领导下团结联系广大科技工作者的人民团体。

二是以增加知识价值为导向的分配政策出台。2016年8月30日，中央全面深化改革领导小组第二十七次会议审议通过了《关于实行以增加知识价值为导向分配政策的若干意见》（以下简称《意见》）。会议强调实行以增加知识价值为导向的分配政策，要针对科研人员岗位特点，统筹自然科学、哲学社会科学等不同科学门类，统筹基础研究、技术开发、成果转化创新链条，加强系统设计、分类管理，构建体现智力劳动价值的薪酬体系和收入增长机制，激发广大科研人员积极性、主动性、创造性。要通过加大绩效工资分配激励力度、落实科研成果性收入等激励措施，完善分配机制，使科研人员收入与岗位职责、工作业绩、实际贡献紧密联系。《意见》提出通过稳定提高基本工资、加大绩效工资分配激励力度、落实科技成果转化奖励等激励措施，更好实现知识创造价值、价值创造者得到合理回报的良性循环。2016 年以来，财政部、国家自然科学基金委、国家社科基金规划办等部门出台了有关政策，加大了智力报偿力度，“买醋的钱也可以用来买酱油了”。

三是科技计划管理改革取得决定性进展。部际联席会议制度不断完善，30 多个部门共同商议，合力推进国家科技计划统筹协调，促进科技创新与各领域发展的协同。纳入整合范围的近百项科技计划（专项、基金等）基本完成优化整合，新五类科技计划布局初步成型。国家自然科学基金年度资助计划、重大项目立项安排等向部际联席会议报告。科技重大专项管理改革方案和新工作规则经科技体制改革领导小组会议审议通过，新修订的工作规则由国务院办公厅印发。重点研发计划部署启动 42 个重点专项 1163 个科技项目，承担单位覆盖全国各省区市，立项数量明显减少，资助强度显著增加。技术创新引导专项设立 9 支市场化运作的基金和中央引导地方科技发展专项资金。基地和人才专项初步形成顶层设计方案。中共中央办公厅、国务院办公厅印发实施《关于进一步完善中央财政科研项目资金管理等政策的若干意见》，对发挥法人单位作用、加强经费管理服务、扩大科研人员资金使用自主权等提出针对性举措。《中央财政科技计划（专项、基金等）项目管理专业机构管理暂行规定》印发，专业机构全面承接国家科技计划具体项目管理。全程嵌入式科技计划监督和评估体系正式运转，实现专业机构和重点研发计划全覆盖。在促进团队协作、减轻申报工作量等方面推出改革举措，加强信息公开，评审专家通过专家库随机抽取，严格执行专家回避制度，继续推行网络和视频评审，实现可申诉、可查询、可追溯和留痕管理。

四是新的科技成果转移转化制度体系初步建立。国务院颁布《实施〈促进科技成果转化法〉若干规定》，国务院办公厅印发《促进科技成果转移转化行动方案》，形成从修订法律、制定配套政策到部署具体行动的“三部曲”。教育部、中国科学院、农业部、卫生计生委、国土资源部、国防科工局等制定了细化落实文件。以国家科技计划成果为重点，围绕产业需求发布11个领域521项成果包。一批线上与线下结合的技术交易平台加快发展。河北·京南、宁波、浙江3个国家科技成果转移转化示范区建设启动；江苏实施重大科技成果转化专项，推进170项科技成果转化，带动社会投入过百亿元；内蒙古积极探索荒漠化防治技术产业化创新模式。各省区市都创造和积累了成果转化的新思路和新模式，取得了新成效。

五是重点政策加快落实和完善。发布《国有科技型企业股权和分红激励暂行办法》，出台《关于完善股权激励和技术入股有关所得税政策的通知》，有利于激励创新的中长期分配机制初步建立。制定《关于加强和改进教学科研人员因公临时出国管理工作的指导意见》，科研人员出国分类管理政策进一步完善。制定《科研事业单位领导人员管理暂行办法》，领导人员选拔任用、激励保障等制度更加规范。研究形成开展扩大高校院所自主权改革试点工作方案。研究提出《科技型中小企业认定标准和备案管理办法》。普惠性政策进一步落实，新增备案高新技术企业2.5万家，累计达10.4万家，据国家税务总局统计，2015年减免高新技术企业所得税1150亿元，研发费用加计扣除政策减免税收约760亿元。制定生物安全政策和规划，推进《中华人民共和国人类遗传资源管理条例》立法。

六是创新服务职能进一步强化。2017年2月，中央全面深化改革领导小组第三十二次会议审议通过《国家科技决策咨询制度建设方案》（以下简称《方案》）。《方案》指出，建设国家科技决策咨询制度，要把立足点放在支撑国家发展全局、服务党中央重大科技决策需求上，着力做好机制设计。国家科技决策咨询委员会既要对科技创新发展面临的重点难点问题及时提出意见和建议，又要瞄准世界科技前沿，从全球科技创新视角为国家经济社会发展、保障和改善民生、国防建设等方面重大科技决策提供咨询建议。要健全国家科技预测机制，完善国家科技创新调查制度。中国科学院、中国工程院国家高端智库建设试点加快推进。科技领域“放管服”改革继续深化，编制责任清单、权力清单，厘清与行政权力对应的责任事项、责任主体。创新调查制度基本建成，国家、区域、企业、高校、研究机构创新能力监测评价体系初步建立。科技报告制度进一步完善，25个省区市建立报告系统，上线报告超过7万份。此外，各部门加快职能转变，协同联动格局初步形成。如中国科学院“率先行动计划”深入实施，研究所分类改革取得初步成效。科技部与国家发展改革委、财政部、工信部等在规划编制、区域创新、重大项目、战略性新兴产业、中国制造2025等方面的合作进一步深化。科技创新极大推动了我国科技事业发展。“神威·太湖之光”跑出了超算世界的中国速度，以超第二名近三倍的运算速度成为“世界最快计算机”，包括处理器在内的全部核心部件皆为中国造；我国自主研发的水下机器人“潜龙二号”成功首潜、探索一号首次万米深渊科考，向世界展现了创新加速跑的中国深度；实践十号卫星、量子科学实验卫星“墨子号”及我国首颗碳卫星的成功发射令世界瞩目，神舟十一号和天宫二号对接、长征五号火箭成功首飞，这些画面重新定义了中国科技创新的高度。①

七、社会体制改革不断深入

社会体制是国家为了维护社会秩序、促进社会发展而对社会服务和管理作出的一种制度安排，是组织社会生活、建构公平正义社会的基本制度。社会体制改革是中国特色社会主义事业总体布局中社会建设的重要组成部分，是一项影响深远的社会变革。从广义上看，上述教育、医药领域改革也属于社会体制改革。党的十八届三中全会明确提出进行社会体制改革，并成立社会体制改革专项小组。2014年2月，中央全面深化改革领导小组第二次会议审议通过了《关于深化司法体制和社会体制改革的意见及贯彻

① 《创新中国跑出加速度——2016年重大科技成果盘点》，《科技日报》2016年12月30日。

实施分工方案》。

近几年来，在社会保障、社会治理、收入分配等方面，我国出台了一系列重大改革举措。2015年10月13日上午，习近平总书记主持召开中央全面深化改革领导小组第十七次会议，审议通过了《关于完善矛盾纠纷多元化解机制的意见》。会议指出，完善矛盾纠纷多元化解机制，对于保障群众合法权益、促进社会公平正义具有重要意义。要坚持党委领导、政府主导、综治协调，充分发挥各部门职能作用，引导社会各方面力量积极参与矛盾纠纷化解；坚持源头治理、预防为主，将预防矛盾纠纷贯穿重大决策、行政执法、司法诉讼等全过程；坚持人民调解、行政调解、司法调解联动，鼓励通过先行调解等方式解决问题；坚持依法治理，运用法治思维和法治方式化解各类矛盾纠纷。要着力完善制度、健全机制、搭建平台、强化保障，推动各种矛盾纠纷化解方式的衔接配合，建立健全有机衔接、协调联动、高效便捷的矛盾纠纷多元化解机制。同年11月9日，中央全面深化改革领导小组召开第十九次会议，通过了《关于深入推进城市执法体制改革改进城市管理工作的指导意见》。会议指出，推进执法体制改革改进城市管理工作，要主动适应新型城镇化发展要求和人民群众生产生活需要，以城市管理现代化为指向，坚持以人为本、源头治理、权责一致、协调创新的原则，理顺管理体制，提高执法水平，完善城市管理，构建权责明晰、服务为先、管理优化、执法规范、安全有序的城市管理体制，让城市成为人民追求更加美好生活的有力依托。要加快推进执法重心和执法力量向市县下移，推进城市管理领域大部门制改革，实现机构综合设置，统筹解决好机构性质、执法人员身份编制等问题。要牢固树立为人民服务的思想，健全法律法规体系和执法制度，特别是要建设一支过硬的执法队伍，真正做到依法、规范、文明执法。要坚持试点先行，分类分层推进。这一切举措都是让城管人员变成可爱的人、有温度的人。2016年1月11日，中央全面深化改革领导小组召开第二十次会议，审议通过了《关于健全落实社会治安综合治理领导责任制的规定》，强调要落实“属地管理”和“谁主管谁负责”的原则，构建职责明确、奖惩分明、衔接配套、务实管用的领导责任体系。要以理顺管理体制、明确岗位职责为核心，以完善管理制度、落实职业保障为重点，推动警务辅助人员管理实现制度化、规范化、法治化，为维护国家安全和社会稳定提供有效的人力资源保障。

几年来，社会体制改革涉及社会领域体制机制的方方面面，有很多进展，主要表现在以下几个方面。一是深化就业体制改革。消除城乡、行业、身份、性别等一切影响平等就业的制度障碍和就业歧视，促进以高校毕业生为重点的青年就业和农村转移劳动力、城镇困难人员、退役军人就业，形成大众创业、万众创新的新局面。增强失业保险制度预防失业、促进就业功能，完善就业、失业监测统计制度。创新劳动关系协调机制，畅通职工表达合理诉求渠道。深化就业体制改革和实施就业优先的政策，使我国就业形势和城镇失业率在经济增长下行的情况下保持总体稳定。

二是深化收入分配体制改革。规范收入分配秩序，建立个人收入和财产信息系统，保护合法收入，调节过高收入，清理规范隐性收入，取缔非法收入，增加低收入者收入，扩大中等收入者比重，努力缩小城乡、区域、行业收入分配差距。健全工资决定和正常增长机制，完善最低工资和工资支付保障制度，完善企业工资集体协商制度。完善以税收、社会保障、转移支付为主要手段的再分配调节机制，加大税收调节力度。随着各种调节收入分配政策的力度加大，我国近年来衡量收入差距的基尼系数逐年平缓降低。

三是深化社会保障制度改革。推进实现基础养老金全国统筹，正式启动机关事业单位养老保险制度改革。整合城乡居民基本养老保险制度、基本医疗保险制度。建立健全合理兼顾各类人员的社会保障待遇确定和正常调整机制。建立公开规范的住房公积金制度，改进住房公积金提取、使用、监管机制。加快发展企业年金、职业年金、商业保险，构建多层次社会保障体系。研究制定渐进式延迟退休年龄政策。截至 2015 年 9 月底，全国基本养老、基本医疗、失业、工伤保险参保人数分别为 8.52 亿人、6.58 亿人、1.71 亿人、2.11 亿人。

四是深化社会治理体制改革。改进社会治理方式，加强党委领导，发挥政府主导作用，鼓励和支持社会各方面参与，实现政府治理和社会自我调节、居民自治良性互动。坚持依法治理，加强法治保障，运用法治思维和法治方式化解社会矛盾。建立畅通有序的诉求表达、心理干预、矛盾调处、权益保障机制。全国上访和群体性事件不断上涨的势头得到有效遏制，社会秩序保持总体稳定。[①] 坚持好、发展好“枫桥经验”。1963 年，浙江枫桥干部群众创造了“依靠群众就地化解矛盾”的“枫桥经验”，并根据形势变化不断赋予其新的内涵。随后，“枫桥经验”成为全国政法综治战线的一面旗帜。2013 年 10 月，习近平总书记就坚持和发展“枫桥经验”作出重要指示强调，各级党委和政府要充分认识“枫桥经验”的重大意义，发扬优良作风，适应时代要求，创新群众工作方法，善于运用法治思维和法治方式解决涉及群众切身利益的矛盾和问题，把“枫桥经验”坚持好、发展好，把党的群众路线坚持好、贯彻好。浙江省各级党委和政府高度重视学习推广“枫桥经验”，紧紧扭住做好群众工作这条主线，为经济社会发展提供了重要保障。这几年，“最多跑一次”的浙江做法、“街巷吹哨、部门报到”的北京做法等，都是社会治理创新的典型、激发全国各地基层治理的创新之举。

第五节　生态文明体制改革积极作为

环境就是民生，青山就是美丽，蓝天也是幸福。习近平总书记指出，要“像保护眼睛一样保护生态环境，像对待生命一样对待生态环境，坚决摒弃损害甚至破坏生态环境的发展模式，坚决摒弃以牺牲生态环境换取一时一地经济增长的做法，让良好生态环境成为人民生活的增长点、成为经

---

① 李培林：《社会体制改革多亮点——党的十八大以来全面深化改革新实践》，《求是》2016 年第 5 期。

济社会持续健康发展的支撑点、成为展现我国良好形象的发力点，让中华大地天更蓝、山更绿、水更清、环境更优美”[①]。一段时期，我们在生态环境方面欠账太多了，如果不下大力气把这项工作紧紧抓起来，将来会付出惨痛代价。

党的十八大以来，以习近平同志为核心的党中央坚持把生态文明建设作为统筹推进“五位一体”总体布局和协调推进“四个全面”战略布局的重要内容，以前所未有的力度抓生态文明建设。党的十八届三中全会决定全面深化改革，生态文明领域的改革被纳入改革总体布局。2014 年 1 月，中央全面深化改革领导小组第一次会议召开，明确建立经济体制和生态文明体制改革小组。2 月 28 日召开的中央全面深化改革领导小组第二次会议审议通过了《关于经济体制和生态文明体制改革专项小组重大改革的汇报》。经济体制和生态文明体制改革专项小组正式亮相。围绕中央对生态文明制度建设的部署，各地区积极行动，生态文明体制改革迎难而上，取得显著成效。

一、树立生态建设理念

科学的理念是正确行动的先导。党的十八大以来，我们大力树立生态建设理念。一是大力宣扬“绿水青山就是金山银山”的“两山论”。习近平总书记在浙江工作时就提出了“两山论”。党的十八大后随着广泛宣传，“两山论”深入人心。2016 年 3 月，习近平总书记参加十二届全国人大四次会议黑龙江代表团审议时指出，绿水青山就是金山银山，黑龙江的冰天雪地也是金山银山。“冰天雪地也是金山银山”的理念不胫而走。11 月 28 日，习近平总书记在关于做好生态文明建设的批示中强调要“树立‘绿水青山就是金山银山’的强烈意识”[②]。这些走心的理念一旦确立起来，就会影响和指导环保行动。二是走自己的绿色发展之路。中国是一个发展中的大国，

---

① 习近平：《习近平著作选读》第一卷，人民出版社 2023 年版，第 604 页。
② 习近平：《习近平著作选读》第一卷，人民出版社 2023 年版，第 535 页。

建设现代化国家，走西方有的国家“先污染后治理”的老路行不通，而应探索走出一条环境保护新路，既要经济社会发展也要保持环境优美。这就要正确处理经济发展同生态环境保护之间的关系，更加自觉推动绿色发展、循环发展、低碳发展，决不以牺牲环境、消费资源为代价换取一时的经济增长。要让老百姓切实感受到经济发展带来的实实在在的环境效益，为子孙后代留下可持续发展的绿色银行。三是牢固树立绿色发展理念。2013 年 4 月 10 日，习近平总书记在海南考察工作结束时指出：“保护生态环境就是保护生产力，改善生态环境就是发展生产力。良好的生态环境是最公平的公共产品，是最普惠的民生福祉”[①]。进而，党的十八届五中全会提出了新发展理念，倡导绿色发展理念。绿色发展就是要解决好人与自然和谐共生的问题。人类发展活动必须尊重自然、顺应自然、保护自然，否则就会受到大自然的报复，这个规律人类不可抗拒。树立绿色发展理念，就必须坚持节约资源和保护环境的基本国策，坚持可持续发展，坚定走生产发展、生活富裕、生态良好的文明发展道路，加快建设资源节约型、环境友好型社会，形成人与自然和谐发展的现代化建设新格局。四是牢固树立生态红线观念。生态红线就是国家生态安全的底线和生命线，不能突破，要将各类开发活动限制在资源环境承载能力之内。2016 年 11 月 1 日上午，习近平总书记主持召开中央全面深化改革领导小组第二十九次会议，审议通过了《关于划定并严守生态保护红线的若干意见》。会议强调，划定并严守生态保护红线，要按照山水林田湖系统保护的思路，实现一条红线管控重要生态空间，形成生态保护红线全国“一张图”。要统筹考虑自然生态整体性和系统性，开展科学评估，按生态功能重要性、生态环境敏感性和脆弱性划定生态保护红线，并将生态保护红线作为编制空间规划的基础，明确管理责任，强化用途管制，加强生态保护和修复，加强监测监管，确保生态功能不弱化、面积不减少、性质不改变。五是树立以系统工程思路抓生态建设的理念。习近平总书记强调，环境治理是一个系统工程，必须作为重大民生实事紧紧抓在手上。这实际上提出了以系统工程思路抓生态建设的新理念。此外，

① 习近平:《习近平著作选读》第一卷，人民出版社 2023 年版，第 113 页。

我们还要牢固树立尊重自然、顺应自然、保护自然，发展和保护相统一，绿水青山就是金山银山，自然价值和自然资本，空间均衡，山水林田湖是一个生命共同体等生态理念。

二、注重顶层设计

近年来，国家环保部等部门积极推进生态文明建设，在生态环保体制改革等方面做了大量工作，也取得了一定成效。但是，生态文明建设面临的体制性障碍尚未得到根本改变，现行的生态管理体制权威性和有效性还不够，部门职能分散交叉较为突出，政出多门、权责脱节、力量分散、重复建设等问题突出，基层的监管能力薄弱，甚至还存在“小马拉大车”的现象，不能适应政府职能转变的需要，这些方面影响了我们的行政效能，削弱了环境监管的合力，迫切需要进一步改革和完善。

为加快建立系统完整的生态文明制度体系，加快推进生态文明建设，增强生态文明体制改革的系统性、整体性、协同性，有关部门在大量调研基础上形成了《生态文明体制改革总体方案》（以下简称《方案》）。2015 年 9 月 11 日，中央政治局召开会议审议通过了这一顶层设计。会议强调，推进生态文明体制改革要坚持正确方向，坚持自然资源资产的公有性质，坚持城乡环境治理体系统一，坚持激励和约束并举，坚持主动作为和国际合作相结合，坚持鼓励试点先行和整体协调推进相结合。《方案》从指导思想、总体要求、改革目标等方面对生态文明体制改革进行了部署。其中，《方案》明确改革的目标是：到 2020 年，构建起由自然资源资产产权制度、国土空间开发保护制度、空间规划体系、资源总量管理和全面节约制度、资源有偿使用和生态补偿制度、环境治理体系、环境治理和生态保护市场体系、生态文明绩效评价考核和责任追究制度等八项制度构成的产权清晰、多元参与、激励约束并重、系统完整的生态文明制度体系，推进生态文明领域国家治理体系和治理能力现代化，努力走向社会主义生态文明新时代。《方案》提出要健全自然资源资产产权制度、建立国土空间开发保护制度、建立空间规划体系、完善资源总量管理和全面节约制度、健全资源有偿使用和生态补偿制度、建立健全环境治理体系、健全环境治理和生态保护市场体系、完善生态文明绩效评价考核和责任追究制度。这几年，按照党的十八大以来党中央的有关部署，国家环保部等相关部门积极作为，生态文明体制改革取得明显进展。

三、出台生态文明建设重大举措

生态文明建设是一场涉及生产方式、生活方式、思维方式和价值观念的革命性变革，只有通过实施一项项扎实的举措才能取得实效。党的十八大以来，我们采取了一系列重大举措，推动生态文明建设取得显著进步。一是实施新的环境保护法。2014 年修订通过的《中华人民共和国环境保护法》于 2015 年 1 月 1 日正式实施。这一环境领域的基本大法将环境保护融入经济社会发展，明确规定国家建立跨行政区域的重点区域、流域环境污染和生态破坏联合防治协调机制，实行统一规划、统一标准、统一监测，实施统一的防治措施。该法有“史上最严环保法”之称，也被人解释为“长了牙齿的老虎”，释放出了强有力的环保监控信号。

二是加快实施主体功能区战略。以主体功能区规划为基础统筹各类空间性规划，推进“多规合一”。2016 年 4 月 18 日召开的中央全面深化改革领导小组第二十三次会议审议通过了《宁夏回族自治区空间规划（多规合一）试点方案》。会议要求加强组织领导、积极探索、大胆创新，中央有关部门要支持配合、跟踪进展、总结经验。中央全面深化改革领导小组第二十五次会议审议通过了《关于海南省域“多规合一”改革试点情况的报告》。会议指出，中央授权海南开展省域“多规合一”改革试点一年来，海南结合实际，积极推进改革探索，梳理化解规划矛盾，统筹主体功能区、生态保护红线、城镇体系、土地利用、林地保护利用、海洋功能区规划，在推动形成全省统一空间规划体系上迈出了步子、探索了经验。深入推进这项改革，要着重解决好体制机制问题，处理好改革探索和依法推进的关系，一张蓝图干到底。2016 年 10 月 11 日，中央全面深化改革领导小组第二十八次会议审议通过了《省级空间规划试点方案》。开展省级空间规划试点，就是以主体功能区规划为基础，科学划定城镇、农业、生态空间及生态保护红线、永久基本农田、城镇开发边界，注重开发强度管控和主要控制线落地，统筹各类空间性规划，编制统一的省级空间规划，为实现“多规合一”、建立健全国土空间开发保护制度积累经验、提供示范。同时，加快完善主体功能区政策体系，实行差异化绩效考核，推动各地区依据主体功能区定位发展，严格实施环境功能规划，构建科学合理的城镇化推进格局、农业发展格局、生态安全格局，保障国家和区域生态安全，提高生态服务功能。2016 年 8 月 30 日，中央全面深化改革领导小组第二十七次会议审议通过了《重点生态功能区产业准入负面清单编制实施办法》。编制重点生态功能区产业准入负面清单，对严格管制各类开发活动、减少对自然生态系统的干扰、维护生态系统的稳定性和完整性的意义重大。要按照县市制定、省级统筹、国家衔接、对外公布的机制，严格编制实施程序、规范要求、技术审核要求，因地制宜制定限制和禁止发展的产业目录，形成更具针对性的负面清单。

三是出台环境保护督察试行方案和生态环境监测网络建设方案。2015 年 7 月 1 日，中央全面深化改革领导小组第十四次会议审议通过了《环境保护督察方案（试行）》《生态环境监测网络建设方案》。会议指出，建立环保督察工作机制是建设生态文明的重要抓手，对严格落实环境保护主体责任、完善领导干部目标责任考核制度、追究领导责任和监管责任，具有重要意义。要明确督察的重点对象、重点内容、进度安排、组织形式和实施办法。要把环境问题突出、重大环境事件频发、环境保护责任落实不力的地方作为先期督察对象。要把大气、水、土壤污染防治和推进生态文明建设作为重中之重，重点督察贯彻党中央决策部署、解决突出环境问题、落实环境保护主体责任的情况。要强化环境保护“党政同责”和“一岗双责”的要求，对问题突出的地方追究有关单位和个人责任。完善生态环境监测网络，关键是要通过全面设点、全国联网、自动预警、依法追责，形成政府主导、部门协同、社会参与、公众监督的新格局，为环境保护提供科学依据。要围绕影响生态环境监测网络建设的突出问题，强化监测质量监管，落实政府、企业、社会的责任和权利。要依靠科技创新和技术进步，提高生态环境监测立体化、自动化、智能化水平，推进全国生态环境监测数据联网共享，开展生态环境监测大数据分析，实现生态环境监测和监管有效联动。

四是实施国家公园体制。试点先行，形成经验后，再总结推广，是中国改革成功的重要经验。实施国家公园体制，也遵循了这一经验。2015 年 12 月 9 日，中央全面深化改革领导小组第十九次会议审议通过了《中国三江源国家公园体制试点方案》。在青海三江源地区选择典型和代表区域开展国家公园体制试点，实现三江源地区重要自然资源国家所有、全民共享、世代传承，促进自然资源的持久保育和永续利用，具有十分重要的意义。要坚持保护优先、自然修复为主，突出保护修复生态，创新生态保护管理体制机制，建立资金保障长效机制，有序扩大社会参与。要着力对自然保护区进行优化重组，增强联通性、协调性、完整性，坚持生态保护与民生改善相协调，将国家公园建成青藏高原生态保护修复示范区，三江源共建共享、人与自然和谐共生的先行区，青藏高原大自然保护展示和生态文化传承区。2016 年 12 月 5 日，中央全面深化改革领导小组第三十次会议审议通过了《大熊猫国家公园体制试点方案》《东北虎豹国家公园体制试点方案》。开展大熊猫和东北虎豹国家公园体制试点，有利于增强大熊猫、东北虎豹栖息地的联通性、协调性、完整性，推动整体保护、系统修复，实现种群稳定繁衍。要统筹生态保护和经济社会发展、国家公园建设和保护地体系完善，在统一规范管理、建立财政保障、明确产权归属、完善法律制度等方面取得实质性突破。

五是健全生态保护补偿机制。2016 年 3 月 22 日，习近平总书记主持召开中央全面深化改革领导小组第二十二次会议，审议通过了《关于健全生态保护补偿机制的意见》。健全生态保护补偿机制，目的是保护好绿水青山，让受益者付费、保护者得到合理补偿，促进保护者和受益者良性互动，调动全社会保护生态环境的积极性。要完善转移支付制度，探索建立多元化生态保护补偿机制，扩大补偿范围，合理提高补偿标准，逐步实现森林、草原、湿地、荒漠、海洋、水流、耕地等重点领域和禁止开发区域、重点生态功能区等重要区域生态保护补偿全覆盖，基本形成符合我国国情的生态保护补偿制度体系。2016 年 8 月 30 日，中央全面深化改革领导小组第二十七次会议审议通过了《关于在部分省份开展生态环境损害赔偿制度改革试点的报告》。会议同意在吉林、江苏、山东、湖南、重庆、贵州、云南 7 省市开展生态环境损害赔偿制度改革试点。

六是出台建设国家生态文明试验区的意见。设立统一规范的国家生态文明试验区，目的是开展生态文明体制改革综合试验，为完善生态文明制度体系探索路径、积累经验。2016 年 6 月 27 日，中央全面深化改革领导小组第二十五次会议审议通过了《关于设立统一规范的国家生态文明试验区的意见》《国家生态文明试验区（福建）实施方案》。会议指出，要落实党中央关于生态文明体制改革的总体部署要求，就推进国土空间开发保护制度、空间规划编制、生态产品市场化改革、建立多元化的生态保护补偿机制、健全环境治理体系、建立健全自然资源资产产权制度、开展绿色发展绩效评价考核等重大改革任务开展试验，重点解决社会关注度高、涉及人民群众切身利益的资源环境问题。福建等试验区要突出改革创新，聚焦重点难点问题，在体制机制创新上下功夫，为其他地区探索改革的路子。

七是实施环保监测监察执法垂直管理制度改革、探索按照流域进行管理的办法。实行环保监测监察执法垂直管理，能避免地方保护主义，尽最大可能督促环境保护工作认真开展。2016 年 7 月 22 日，中央全面深化改革领导小组第二十六次会议审议通过了《关于省以下环保机构监测监察执法垂直管理制度改革试点工作的指导意见》。开展省以下环保机构监测监察执法垂直管理制度改革试点，目的是建立健全条块结合、各司其职、权责明确、保障有力、权威高效的地方环保管理体制，确保环境监测监察执法的独立性、权威性、有效性。要强化地方党委和政府及其相关部门的环境保护责任，注意协调处理好环保部门统一监督管理和属地主体责任、相关部门分工负责的关系，规范和加强地方环保机构和队伍建设，建立健全高效协调的运行机制。2017 年 2 月 6 日，中央全面深化改革领导小组第三十二次会议审议通过了《按流域设置环境监管和行政执法机构试点方案》。会议提出，按流域设置环境监管和行政执法机构，要遵循生态系统整体性、系统性及其内在规律，将流域作为管理单元，统筹上下游左右岸，理顺权责，优化流域环境监管和行政执法职能配置，实现流域环境保护统一规划、统一标准、统一环评、统一监测、统一执法，提高环境保护整体成效。

八是实行河长制。保护江河湖泊，事关人民群众福祉，事关中华民族长远发展。2016 年 10 月 11 日召开的中央全面深化改革领导小组第二十八次会议，审议通过了《关于全面推行河长制的意见》。全面推行河长制，目的是贯彻新发展理念，以保护水资源、防治水污染、改善水环境、修复水生态为主要任务，构建责任明确、协调有序、监管严格、保护有力的河湖管理保护机制，为维护河湖健康生命、实现河湖功能永续利用提供制度保障。要加强对河长的绩效考核和责任追究，对造成生态环境损害的，严格按照有关规定追究责任。习近平总书记在 2017 年新年贺词中也明确宣示全国每条河要有“河长”了。同时，湖长制也在推行。江河湖泊有了责任人，就大不同了。河长制、湖长制的推行，大大加强了对祖国江河的治理保护，取得了显著成效。

九是推行湿地保护修复制度和出台海岸线保护与利用办法。2016 年 11 月 1 日，中央全面深化改革领导小组第二十九次会议审议通过了《湿地保护修复制度方案》《海岸线保护与利用管理办法》。会议提出，建立湿地保护修复制度，加强海岸线保护与利用，事关国家生态安全。要实行湿地面积总量管理，严格湿地用途监管，推进退化湿地修复，增强湿地生态功能，维护湿地生物多样性。要加强海岸线分类保护，严格保护自然岸线，整治修复受损岸线，加强节约利用，实现经济效益、社会效益与生态效益相统一。2016 年 12 月 5 日，中央全面深化改革领导小组第三十次会议审议通过了

《围填海管控办法》。会议提出，要按照保护优先、适度开发、陆海统筹、节约利用的原则，严格控制围填海活动对海洋生态环境的不利影响，实现围填海经济效益、社会效益、生态效益相统一。要严格控制总量，依法科学配置，集约节约利用，严格落实生态保护红线的管控要求。要强化监管，对各类违规违法行为要追究责任。

十是开展环保督察工作。2015 年 7 月 1 日，中央全面深化改革领导小组第十四次会议审议通过了《环境保护督察方案（试行）》《生态环境监测网络建设方案》。会议强调，现在，我国发展已经到了必须加快推进生态文明建设的阶段。生态文明建设是加快转变经济发展方式、实现绿色发展的必然要求。要立足我国基本国情和发展新的阶段性特征，以建设美丽中国为目标，以解决生态环境领域突出问题为导向，明确生态文明体制改革必须坚持的指导思想、基本理念、重要原则、总体目标，提出改革任务和举措，为生态文明建设提供体制机制保障。深化生态文明体制改革，关键是要发挥制度的引导、规制、激励、约束等功能，规范各类开发、利用、保护行为，让保护者受益、让损害者受罚。建立环保督察工作机制是建设生态文明的重要抓手，对严格落实环境保护主体责任、完善领导干部目标责任考核制度、追究领导责任和监管责任，具有重要意义。要明确督察的重点对象、重点内容、进度安排、组织形式和实施办法。要把环境问题突出、重大环境事件频发、环境保护责任落实不力的地方作为先期督察对象，要把大气、水、土壤污染防治和推进生态文明建设作为重中之重，重点督察贯彻党中央决策部署、解决突出环境问题、落实环境保护主体责任的情况。要强化环境保护“党政同责”和“一岗双责”的要求，对问题突出的地方追究有关单位和个人的责任。第一轮督察从 2015 年底启动到 2018 年，用 3 年时间完成了对全国 31 个省（自治区、直辖市）和新疆生产建设兵团的全覆盖，以及对 20 个省份整改情况的“回头看”。江苏南通地处长江入海口，是长江大保护的最后一道生态屏障，这里的五山及滨江地区曾经因为化工围江、码头林立、排污口随处可见等问题被形容为“滨江不见江，近水不亲水”。在 2016 年中央生态环保督察指出长江南通段的相关问题后，当地以督察整改为契机，实施生态保护修复，优化沿江岸线布局，推动产业转型升级，提升绿色发展水平。昔日长江大美江景重现。2017 年 2 月 15 日至 3 月 15 日，为督促京津冀及周边地区坚决贯彻落实党中央、国务院决策部署，推动地方党委、政府落实大气污染防治责任，抓好大气污染防治各项工作，环境保护部会同有关省（市）开展 2017 年第一季度空气质量专项督察。这次督察，由环保部部长陈吉宁带队，力度之大前所未有。

十一是建立健全党政领导干部生态文明建设责任制。生态环境保护能否落到实处，关键在领导干部。2015 年 7 月 1 日，中央全面深化改革领导小组第十四次会议审议通过了《关于开展领导干部自然资源资产离任审计的试点方案》《党政领导干部生态环境损害责任追究办法（试行）》。开展领导干部自然资源资产离任审计试点，主要目标是探索并逐步形成一套比较成熟、符合实际的审计规范，明确审计对象、审计内容、审计评价标准、审计责任界定、审计结果运用等，推动领导干部守法守纪、守规尽责，促进自然资源资产节约集约利用和生态环境安全。要紧紧围绕领导干部责任，积极探索离任审计与任中审计、与领导干部经济责任审计以及其他专业审计相结合的组织形式，发挥好审计监督作用。《党政领导干部生态环境损害责任追究办法（试行）》明确提出要“建立生态环境损害责任终身追究制”，要制定各级党政领导者的生态环保“责任清单”。制定“责任清单”，实现精准追责，有助于改变长期以来对领导干部的环保工作泛泛要求、笼统评议、法不责众的问责机制。追究干部生态环境损害责任，要坚持依法依规、客观公正、科学认定、权责一致、终身追究的原则，围绕落实严守资源消耗上限、环境质量底线、生态保护红线的要求，针对决策、执行、监管中的责任，明确各级领导干部责任追究情形。对造成生态环境损害负有责任的领导干部，不论是否已调离、提拔或者退休，都必须严肃追责。各级党委和政府要切实重视、加强领导，纪检监察机关、组织部门和政府有关监管部门要各尽其责、形成合力。为了加强环保，中央还制定实施《生态文明建设目标评价考核办法》。2016 年 8 月 30 日，中央全面深化改革领导小组第二十七次会议审议通过了《生态文明建设目标评价考核办法》。会议指出要强化省级党委和政府生态文明建设主体责任，重点评价各地区生态文明建设进展总体情况，考核国民经济和社会发展规划纲要中确定的资源环境约束性目标，以及生态文明建设重大目标任务完成情况。

党的十八大以来，经过艰苦努力，生态文明建设成效显著。全党全国贯彻绿色发展理念的自觉性和主动性显著增强，忽视生态环境保护的状况明显改变。生态文明制度体系加快形成，主体功能区制度逐步健全，国家公园体制试点积极推进。全面节约资源有效推进，能源资源消耗强度大幅下降。重大生态保护和修复工程进展顺利，森林覆盖率持续提高。生态环境治理明显加强，环境状况得到改善。[①]

第六节　改革强军迈出坚实步伐

兵者，乃国之大事。建设同我国国际地位相称、同国家安全和发展利益相适应的巩固国防和强大军队，是我国社会主义现代化建设的战略任务。党的十八大以来，习近平总书记坚持建军以来人民军队在血与火的奋斗历程中形成的优良传统，着眼实现中国梦、强军梦，立足国家安全和发展战略全局，紧紧围绕强军目标，致力能打仗、打胜仗，引领我国全面实施改革强军战略，推动国防和军队建设谱写了新篇章。

一、以改革精神推进国防和军队建设

党的十八大以来，习近平总书记对深化国防和军队改革高度重视，坚持把改革强军摆在党和国家工作全局的突出位置，放在实现全面建成小康社会奋斗目标、实现中华民族伟大复兴中国梦的战略高度来谋划和推进。

① 习近平：《决胜全面建成小康社会　夺取新时代中国特色社会主义伟大胜利——在中国共产党第十九次全国代表大会上的讲话》（2017 年 10 月 18 日），人民出版社 2017 年版，第 5—6 页。

2012年11月15日，党的十八届一中全会决定中央军委组成人员，习近平总书记主持召开新一届军委班子第一次常务会议，鲜明指出要始终以改革创新精神开拓前进，努力夺取军事竞争主动权。2015年11月24日至26日，在中央军委改革工作会议上，习近平总书记又一次吹响改革强军号角。他在讲话中强调，深化国防和军队改革是实现中国梦、强军梦的时代要求，是强军兴军的必由之路，也是决定军队未来的关键一招。要深入贯彻党在新形势下的强军目标，动员全军和各方面力量，坚定信心、凝聚意志，统一思想、统一行动，全面实施改革强军战略，坚定不移走中国特色强军之路。2016年7月26日，中共中央政治局就深化国防和军队改革进行第三十四次集体学习。习近平总书记在主持学习时指出，现在，国防和军队建设处在新的历史起点上，纵观全局，审时度势，应对国际形势深刻复杂变化，坚持和发展中国特色社会主义，实现“两个一百年”奋斗目标，贯彻落实党在新形势下的强军目标和新形势下军事战略方针，履行好军队使命任务，都要求我们以更大的智慧和勇气深化国防和军队改革。这些重要论述鲜明表现出新任中央军委主席习近平同志的改革强军决心。

二、牢牢把握强军目标

党的十八大以来，习近平总书记高度重视国防和军队建设，结合国内外新的重大走向，提出了新形势下的强军目标。2013年3月11日，习近平总书记在出席十二届全国人大一次会议解放军代表团全体会议时，第一次把“听党指挥、能打胜仗、作风优良”作为党在新形势下的强军目标提了出来。抓纲治军，纲举目张。强军目标就是一个重要的治军大“纲”。

“听党指挥是灵魂，决定军队建设的政治方向；能打胜仗是核心，反映军队的根本职能和军队建设的根本指向；作风优良是保证，关系军队的性质、宗旨、本色。”[①] 这一强军目标，回答了为什么要强军、强军目标是什

① 中共中央宣传部编《习近平新时代中国特色社会主义思想学习纲要（2023年版）》，学习出版社、人民出版社2023年版，第246页。

么、怎样走中国特色强军之路的重大课题，是党的军事指导理论的又一次重大创新。全军要准确把握这一强军目标，用以统领军队建设、改革和军事斗争准备，努力把国防和军队建设提高到一个新水平。

强军目标是在中国进入新的发展阶段、国防和军队建设进入新的发展起点的背景下提出来的。当今世界正处于百年未有之大变局，国际战略格局、全球治理体系、全球地缘政治棋局、综合国力竞争发生了重大变化。我国正处于由大向强发展的关键阶段，前所未有地接近世界舞台中心，发展前行中的阻力和压力也在增大。我国周边安全风险呈累积态势，特别是海上安全威胁日益突出，家门口生乱生战可能性增大。中华民族伟大复兴绝不是轻轻松松、顺顺当当就能实现的。没有一个巩固的国防，没有一支强大的军队，和平发展就没有保障。我国国防实力上了一个大台阶，但我军现代化水平与国家安全需求相比差距还很大，与世界先进军事强国相比差距还很大，必须以只争朝夕的精神抓起来、赶上去。

三、全面实施改革强军战略

2013 年 11 月，党的十八届三中全会对全面深化改革作出整体部署。习近平总书记提出，将国防和军队改革纳入国家全面深化改革的总体布局，上升为党的意志和国家行为。将国防和军队改革作为单独一部分写入中央全会决定。这明示国防和军队建设将有大动作。2014 年 8 月 29 日，中共中央政治局就世界军事发展新趋势和推进我军军事创新进行第十七次集体学习。中央政治局专门组织一次关于军事问题的集体学习，就是要引起全党对军事问题、国防和军队建设、军事斗争准备的重视，增强搞好国防和军队建设改革的责任感。2015 年 11 月 24 日，习近平总书记在中央军委改革工作会议上明确提出，要全面实施改革强军战略，坚定不移走中国特色强军之路。此后，军队改革大幕真正拉开，军改正式进入实施阶段。

从健全机构和顶层设计上为全面实施改革强军战略提供组织保障和制

度支持。2014 年 3 月 15 日，中央军委深化国防和军队改革领导小组成立，习近平总书记担任组长。习近平总书记主持召开了领导小组第一次全体会议，审议通过了改革重要举措分工方案和改革工作“路线图”。习近平总书记在讲话中要求领导小组要善于观大势、谋大事、管全局，搞好总体设计；加强对改革重大问题的研究，深化对改革规律性的认识；坚持科学议事决策，坚持走群众路线。这些指示为深化改革提供了有力的方法论指导。深化国防和军队改革的指挥部正式成立，改革工作进入实质性推进阶段。

随后，中央军委陆续成立改革领导小组办公室、专项小组、专家咨询组、筹备工作组。2014 年 3 月至 10 月，军委领导、各改革工作机构、军委改革办召开 800 余次座谈会、论证会，覆盖 690 余个军地单位。2014 年 4 月中下旬，军委改革领导小组分别听取大单位主要领导意见建议，习近平总书记专门抽出时间听取部分单位领导汇报。2014 年 5 月初，军委改革领导小组分别听取四总部领导意见建议，习近平总书记再度听取部分单位领导汇报。在军改方案的调研论证和建议拟制过程中，先后 4 轮逐一征求军委领导和老领导以及四总部领导和大单位主官意见。2015 年 1 月 27 日，习近平总书记主持召开军委改革领导小组第二次全体会议，对拟制改革方案作出部署。2015 年 7 月 14 日，习近平总书记主持召开军委改革领导小组第三次全体会议，审议并原则通过《深化国防和军队改革总体方案建议》。7 月 22 日、29 日，习近平总书记分别主持召开中央军委常务会议和中央政治局常委会会议，审议和审定《深化国防和军队改革总体方案》。10 月 16 日，习近平总书记主持中央军委常务会议，审议通过《领导指挥体制改革实施方案》。

2015 年 11 月 24 日至 26 日，中央军委改革工作会议在北京召开。在这次会议上，习近平总书记向全党全军发出深化国防和军队改革的动员令。习近平总书记在讲话中指出了深化国防和军队改革的指导思想是：“深入贯彻党的十八大和十八届三中、四中、五中全会精神，以马克思列宁主义、毛泽东思想、邓小平理论、‘三个代表’重要思想、科学发展观为指导，按照‘四个全面’战略布局要求，以党在新形势下的强军目标为引领，贯彻新形势下军事战略方针，全面实施改革强军战略，着力解决制约国防和军队建设的体制性障碍、结构性矛盾、政策性问题，推进军队组织形态现代化，进一步解放和发展战斗力，进一步解放和增强军队活力，建设同我国国际地位相称、同国家安全和发展利益相适应的巩固国防和强大军队，为实现‘两个一百年’奋斗目标、实现中华民族伟大复兴的中国梦提供坚强力量保证。”[①]这次会议明确了深化国防和军队改革的总体目标：2020年前要在领导管理体制、联合作战指挥体制改革上取得突破性进展，在优化规模结构、完善政策制度、推动军民融合发展等方面改革上取得重要成果，努力构建能够打赢信息化战争、有效履行使命任务的中国特色现代军事力量体系，完善中国特色社会主义军事制度。[②]根据《中央军委关于深化国防和军队改革的意见》，本轮军改按照总体目标要求，2015年，重点组织实施领导管理体制、联合作战指挥体制改革；2016年，组织实施军队规模结构和作战力量体系、院校、武警部队改革，基本完成阶段性改革任务；2017年至2020年，对相关领域改革作进一步调整、优化和完善，持续推进各领域改革。政策制度和军民融合深度发展改革，成熟一项推进一项。按照军改实施意见，改革强军战略逐步实施。

改革强军战略举措稳步推出。军委机构设置改革进展神速。军委机关由4个总部改为1厅、6部、3个委员会、5个直属机构共15个职能部门。2016年1月11日，习近平总书记接见调整组建后的军委机关各部门负责同志时指出，调整组建后的军委机关第一任领导班子成员，要以革命军人应有的忠诚、担当、勇气，做到讲政治、谋打赢、搞服务、作表率，以奋发有为的精神状态投身强国强军伟大实践，努力创造无愧于历史、无愧于时代、无愧于党和人民的业绩。这次军委机构改革动作很大，组建了新的军委纪委，向军委机关部门和战区分别派驻纪检组，推动纪委双重领导体制

① 习近平：《习近平著作选读》第一卷，人民出版社2023年版，第384页。

② 《改革强军 奋楫中流——习主席和中央军委运筹设计深化国防和军队改革纪实》，新华网2015年12月30日。

落到实处；组建了新的军委政法委，调整军事司法体制，按区域设置军事法院、军事检察院。2015 年 11 月，习近平总书记签署命令，解放军审计署由总后勤部划归中央军委建制，在中央军委领导下，主管全军审计工作，对中央军委负责并报告工作。调整军委审计署是为了加强审计工作，使权力没有寻租空间，审计工作涉及在具体的技术层面发现问题。如此，不但军委权威增强，而且体制机制比以前更加顺畅，有利于真正发挥军委的领导作用。

几年来，军队方面相继成立陆军领导机构、火箭军、战略支援部队；把七大军区调整划设为东部、南部、西部、北部、中部五大战区，组建战区联合作战指挥机构，健全军委联合作战指挥机构，着力构建军委—战区—部队的作战指挥体系和军委—军种—部队的领导管理体系；完成海军、空军、火箭军、武警部队机关整编工作；组建中央军委联勤保障部队。通过这些大力度的改革，人民解放军突破了长期实行的总部体制、大军区体制、大陆军体制，建立了军委管总、战区主战、军种主建的新格局。这些重大举措解决了一些多年来想解决但一直没有很好解决的问题，解决了许多过去认为不可能解决的问题，实现了军队组织架构的一次重塑，可以说是一次历史性变革。

兵贵精，不贵多。在全面实施改革强军战略过程中，党中央决定进行再次大裁军，开启新一轮精兵之路。针对我军军兵种比例、官兵比例、部队和机关比例、部队和院校比例不够合理，非战斗机构和人员偏多、作战部队不充实，老旧装备数量多、新型作战力量少等突出问题，《中央军委关于深化国防和军队改革的意见》指出："坚持走中国特色精兵之路，加快推进军队由数量规模型向质量效能型转变。裁减军队现役员额 30 万，军队规模由 230 万逐步减至 200 万。优化军种比例，减少非战斗机构和人员。压减军官岗位。优化武器装备规模结构，减少装备型号种类，淘汰老旧装备，发展新型装备。" 2015 年 9 月 3 日，习近平总书记在纪念中国人民抗日战争暨世界反法西斯战争胜利 70 周年大会上的讲话中正式宣布："中国将裁减军队员额 30 万。”通过裁减员额，继续调整改善军种比例，优化军种力量结构，改革部队编成，推动部队编成向充实、合成、多能、灵活方向发展。

军民融合发展战略实施取得突破。党的十八大以来，习近平总书记多次提出进一步做好军民融合深度发展的命题。他强调，军民融合是国家战略，关乎国家安全和发展全局，既是兴国之举，又是强军之策。2013 年 3 月，习近平总书记在出席十二届全国人大一次会议解放军代表团全体会议时强调，要统筹经济建设和国防建设，努力实现富国和强军的统一。进一步做好军民融合式发展这篇大文章，坚持需求牵引、国家主导，努力形成基础设施和重要领域军民深度融合的发展格局。在他的强力推动下，军民融合发展进展迅速。2015 年，党中央关于“十三五”规划的建议中第一次明确提出“实施军民融合发展战略，形成全要素、多领域、高效益的军民深度融合发展格局”。2016 年 3 月 25 日召开的中央政治局会议审议通过《关于经济建设和国防建设融合发展的意见》。这次会议指出，把军民融合发展上升为国家战略，是党中央从国家安全和战略全局出发作出的重大决策，是在全面建成小康社会进程中实现富国和强军相统一的必由之路。把军民融合发展上升为国家战略，是以习近平同志为核心的党中央在战争形态信息化、经济形态市场化、技术形态军民通用化历史条件下作出的重大决策，也是党的十八大继创新驱动发展战略之后中央部署的又一国家战略，意义重大影响深远。2017 年 1 月 22 日召开的中央政治局会议决定设立中央军民融合发展委员会，由习近平总书记任主任。健全组织机构，明确主要负责人，更有利于军民融合发展战略的实施。

四、为改革强军提供有力保证

天下大事，必作于细。党的十八大以来的改革强军举动是中国 60 多年来最大规模的军改，具有重大历史性意义。习近平总书记高度重视军队改革工作，进一步明确了新形势下军事战略方针，从政治建军、依法治军、军事创新、从严治军等多方面同时进行部署，为实施改革强军战略提供了有力保障。

继续坚持新形势下军事战略方针。20 世纪 80 年代，我们明确把积极防御作为军事战略方针。中国领导人也多次表示，中国奉行积极防御的军事战略方针，不会动辄以武力相威胁，也不会动不动到别人家门口炫耀武力。习近平总书记指出，军事战略方针是统揽军事力量建设和运用的总纲，全军各项工作和建设都必须贯彻和体现新形势下军事战略方针的要求。在新形势下我们要继续坚持积极防御军事战略方针，并根据战争形态演变和国家安全形势，将军事斗争准备基点放在打赢信息化局部战争上。我们要毫不动摇坚持积极防御战略思想，坚持实行积极防御军事战略方针，为改革强军提供战略上的支撑。

贯彻新形势下政治建军方略。政治建军是立军之本，为改革强军提供方向保证。2014 年 10 月 30 日，全军政治工作会议在福建省上杭县古田镇召开。习近平总书记在这次被誉为“新时期的古田会议”上的讲话中指出：“军队政治工作的时代主题是，紧紧围绕实现中华民族伟大复兴的中国梦，为实现党在新形势下的强军目标提供坚强政治保证。”[①] 在长期实践中，实行革命的政治工作，保证了我军始终是党的绝对领导下的革命军队，为我军战胜强大敌人和艰难险阻提供了不竭力量，使我军始终保持了人民军队的本色和作风。新形势下，政治工作只能加强不能削弱。加强军队政治工作，一是保证党对军队的绝对领导，这是我军的命根子，永远不能变。二是要坚持正风肃贪，把军队作风建设和反腐倡廉建设引向深入，努力实现军队作风根本好转，确保反腐败斗争取得压倒性胜利。三是努力把理想信念、党性原则、战斗标准、政治工作威信在全军牢固树立起来。四是着力培养有灵魂、有本事、有血性、有品德的新一代革命军人，锻造具有铁一般信仰、铁一般信念、铁一般纪律、铁一般担当的过硬队伍。五是积极推进政治工作创新，建设一支对党绝对忠诚、聚焦打仗有力、作风形象良好的政治机关和政治干部队伍，充分发挥政治工作对改革强军的生命线作用。

---

① 习近平：《习近平著作选读》第一卷，人民出版社 2023 年版，第 311 页。

六是政治建军领导带头。2016 年 1 月 5 日，习近平总书记到第十三集团军视察时明确表述了这一思想。他指出："要把部队各级党委班子和团以上领导干部搞坚强，坚持以身作则、以上率下，自觉强化政治意识、看齐意识、带头意识，自觉坚定政治信念、站稳政治立场、严守政治纪律和政治规矩，做政治上的明白人。"[①]

深入推进依法治军、从严治军。依法治军、从严治军是我们党建军治军的基本方略。军无法不立，法无严不威，定了规矩就要执行。一支现代化军队必然是军纪严明、严守纪法的军队。深入推进依法治军、从严治军是实现强军目标的必然要求，能为改革强军提供有力支撑。2015 年 11 月 24 日，习近平总书记在中央军委改革工作会议上指出："依法治军，关键是依法治权，必须加强权力运行制约和监督。"[②]我们决定组建军委纪律检查委员会，组建军委审计署，组建新的军委政法委员会。这样的改革设计，有利于形成决策权、执行权、监督权既相互制约又相互协调的权力运行体系。2016 年 1 月，习近平总书记强调，要深化对依法治军重大意义的认识，构建完善中国特色军事法治体系，为推进强军事业提供重要保障。各级要强化执行力，维护法规制度权威性，让铁规生威、铁纪发力。要抓好领导干部这个"关键少数"，各级特别是领导干部要带头尊法学法守法用法，做到心有所畏、言有所戒、行有所止，按规则正确用权、谨慎用权、干净用权。要抓住治权这个关键，把权力运行制约和监督体系搞严实。纪检、巡视、审计部门要利剑高悬，履行好监督职能。[③]坚持依法治军，就要强化法治信仰和法治思维，不断创新依法治军的理论，着力构建系统完备、严密高效的军事法规制度体系、军事法治实施体系、军事法治监督体系、军事法治保障体系，不断提高国防和军队建设法治化水平。坚持从严治军，就是要在发扬党的军队建设优良传统基础上，坚持以纪律建设为核心，严格按照条令条例管理部队，培养令行禁止、步调一致的严明纪律。

---

① 《在视察第十三集团军时的讲话》，《人民日报》2016 年 1 月 8 日。

② 习近平：《习近平著作选读》第一卷，人民出版社 2023 年版，第 388 页。

③ 习近平：《深入推进政治建军改革强军依法治军》，新华网 2016 年 1 月 7 日。

与时俱进大力推进军事创新。推进改革强军战略实施，要在加强对军事的学习、了解国际军事发展形势的基础上积极推进军事创新。深入学习研究军事问题，无论是对从中国特色社会主义事业总体布局的角度认识国防和军队建设改革的重要地位与作用，还是对从各个领域、各个方面做好关心支持国防和军队建设改革工作，都具有非常重要的意义。习近平总书记认为，研究军事问题，首先要科学判断世界发展大势，准确把握世界军事发展新趋势。当前，国际形势正处在新的转折点上，各种战略力量加快分化组合，国际体系进入了加速演变和深刻调整的时期。在这个前所未有的大变局中，军事领域的发展变化广泛而深刻，是世界大发展、大变革、大调整的重要内容之一。这场军事领域发展变化，以信息化为核心，以军事战略、军事技术、作战思想、作战力量、组织体制和军事管理创新为基本内容，以重塑军事体系为主要目标，正在推动新军事革命深入发展，其速度之快、范围之广、程度之深、影响之大，为第二次世界大战结束以来所罕见。世界军事领域发展变化，与世界政治、经济等领域发展变化相互呼应、相互影响。这场世界新军事革命是全方位、深层次的，覆盖了战争和军队建设全部领域，直接影响着国家的军事实力和综合国力，关乎战略主动权。这场新军事革命，不仅反映在军事科技突飞猛进上，也反映在军事理论不断创新上，还反映在军事制度深刻变革上。面对世界新军事革命的严峻挑战和难得机遇，只有与时俱进、大力推进军事创新，才能尽快缩小差距、实现新的跨越。习近平总书记认为，军事创新任务繁重，需要做的工作很多，在加强总体筹划的同时，应该重点把握以下原则要求。一是要坚持强军目标、积极引领。党在新形势下的强军目标是党中央从全局上对国防和军队建设作出的战略筹划和顶层设计，指明了军事创新的方向、任务、重点，明确了军事创新的实现路径和检验标准。二是要坚持解放思想、转变观念。军事创新同其他领域创新相比，要求更高、难度也更大。面对国家安全稳定遇到的严峻挑战，面对改革中的深层次矛盾和问题，更需要我们的思想观念有一个大的解放，勇于改变机械化战争的思维定式，树立信息化战争的思想观念；改变维护传统安全的思维定式，树立维护国家综合安全和战略利益拓展的思想观念；改变单一军种作战的思维定式，树立诸军兵种一体化联合作战的思想观念；改变固守部门利益的思维定式，树立全军一盘棋、全国一盘棋的思想观念。三是要坚持抓住重点、整体推进。军事创新是个系统工程，需要统筹谋划、协调推进，牵住“牛鼻子”，抓住主要矛盾和矛盾的主要方面，通过抓重点把整体带动起来。四是要坚持突出特色、自主创新。军事创新也要走中国特色自主创新之路，致力巩固和扩大我们的优势。[①]

推动人才强军。强军兴军，要在得人。随着军事斗争准备和现代化建设深入推进、武器装备和新型作战力量快速发展，人才匮乏问题越来越突出。习近平总书记对干部队伍建设、高素质新型军事人才培养考虑得比较多，强调得也比较多。他强调：“深化国防和军队改革，要有利于人才培养选拔，有利于人力资源高效开发使用，最大限度吸引和集聚优秀人才。”[②]在军改中，我们坚持党管干部、党管人才，完善人力资源分配，整合人力资源管理职能，加强了军事人力资源集中统一管理。我们深化军队院校改革，健全了三位一体的新型军事人才培养体系，特别是把联合作战指挥人才和参谋人才、新型作战力量人才培养作为重中之重，推动加快建设高素质新型军事人才队伍。我国决定建立统一的文职人员制度，把一些军民通用、非直接参与作战的现役人员改由文职人员担任，扩大文职人员编配范围，优化军队人员构成，节约军队人力资源成本，延揽社会优秀人才为军队建设服务。

从军地配合角度提出要求，以确保改革强军战略落地。2016 年 7 月 26 日，习近平总书记在主持中共中央政治局第三十四次集体学习时明确要求，深化国防和军队改革是全党全国共同的事业，中央和国家机关、地方各级党委和政府以及有关方面要强化国防意识，一如既往关心支持国防和军队建设，积极配合完成跨军地的改革任务，自觉把经济布局调整同国防布局完

① 《准确把握世界军事发展新趋势　与时俱进大力推进军事创新》，《人民日报》2014 年 8 月 31 日。
② 习近平：《习近平著作选读》第一卷，人民出版社 2023 年版，第 391 页。

善有机结合起来。深化国防和军队改革期间，军队转业安置干部比较多，中央和国家机关有关部门、各地方要全面落实党中央决策部署，把军转干部安置好、使用好，确保军转安置工作圆满完成。

这五年来，深化国防和军队改革进展顺利。习近平总书记在庆祝中国人民解放军建军 90 周年大会上指出："经过五年努力，人民军队实现了政治生态重塑、组织形态重塑、力量体系重塑、作风形象重塑，人民军队重整行装再出发，在中国特色强军之路上迈出了坚实步伐。"[①]党的十九大报告指出"国防和军队改革取得历史性突破"，"人民军队组织架构和力量体系实现革命性重塑"。[②]但也要看到改革强军后续任务艰巨繁重。我们必须再接再厉，迎难而上，扎实推进深化国防和军队改革。同时，继续坚定改革信心，在国防和军队改革向纵深推进的关键当口，要有定力、有担当、有韧劲，蹄疾步稳向前走。

第七节 党的建设制度改革成效卓著

全面深化改革能否成功，关键在党。党的建设制度改革既是全面深化改革的重要内容，也是全面深化改革取得成功的重要保证，直接关系着全面深化改革总目标的实现。党的十八大以来，以习近平同志为核心的党中央坚持全面从严管党治党，把党的建设制度改革作为全面深化改革的重要内容和重要保证，与经济体制、政治体制、文化体制、社会体制、生态文明体制改革同步部署、同步推进，党的建设制度改革扎实推进。

建立推进党的建设制度改革的机构。2014 年 1 月 22 日，习近平总书记主持召开中央全面深化改革领导小组第一次会议时，要求抓紧出台施工方

---

① 习近平：《习近平著作选读》第一卷，人民出版社 2023 年版，第 625 页。

② 习近平：《决胜全面建成小康社会 夺取新时代中国特色社会主义伟大胜利——在中国共产党第十九次全国代表大会上的讲话》（2017 年 10 月 18 日），人民出版社 2017 年版，第 6 页。

案，按照施工方案推进各项改革举措落地，明确提出了制定改革实施方案的任务。就是这次会议，明确了中央全面深化改革领导小组下设6个专项小组，党的建设制度改革专项小组是6个小组之一；明确了这个小组由中央组织部牵头。

绘制党的建设制度改革路线图、时间表。中央组织部通过实地调研、个别访谈、召开讨论会等方式，深入研究论证，广泛听取各地各部门和专家学者的意见，与承担改革任务的各单位反复沟通，于2014年制定出《深化党的建设制度改革实施方案》（以下简称《实施方案》）。《实施方案》明确深化党的组织制度改革、深化干部人事制度改革、深化党的基层组织建设制度改革、深化人才发展体制机制改革四个方面改革任务，并将四个方面任务分解为26项改革举措，明确了责任单位、改革成果形式和时间进度。2020年要完成改革的基本目标主要体现为上述四个方面制度和体制机制的“不断完善和创新”。

关于深化党的组织制度改革，《实施方案》提出了包括就进一步严格党内政治生活作出规定、制定地方党委决策程序规定等5项重点改革举措。关于深化干部人事制度改革，《实施方案》提出了13项重点改革举措，占到了总数的一半。主要包括：深化干部选拔任用和考核评价制度改革，制定实施改进政绩考核、加强年轻干部培养选拔等制度规定；完善从严管理干部队伍制度体系，加强干部管理监督；健全干部激励保障制度，调动广大干部的积极性创造性，推行公务员职务与职级并行、职级与待遇挂钩制度；等等。关于深化党的基层组织建设制度改革，《实施方案》提出了包括制定关于加强基层服务型党组织建设的意见、制定加强社会组织党的建设工作的意见、健全党员能进能出机制等4项重点改革举措。关于深化人才发展体制机制改革，《实施方案》提出了制定人才工作条例等4项重点改革举措。《实施方案》明确了今后几年党的建设制度改革的路线图、时间表、任务书，是推进党的建设制度改革的蓝图。

有了好蓝图，就要抓落实。党建改革领导小组严明责任、严格督查、严肃纪律，用责任推动落实，用督查传导压力，用纪律增强约束，改革各项任务得到有效落实。几年来，《关于加强和改进优秀年轻干部培养选拔工作的意见》《关于县以下机关建立公务员职务与职级并行制度的意见》等重点改革任务的文件已经相继出台。《党政领导干部选拔任用工作条例》全面实施，“唯票、唯分、唯 GDP、唯年龄”选人问题得到破解。《关于改进地方党政领导班子和领导干部政绩考核工作的通知》深入落实，较好促进了领导干部树立正确的政绩观。制定实施了《关于加强和改进优秀年轻干部培养选拔工作的意见》，着力培养选拔优秀年轻干部。2017 年 3 月，中央组织部在中央党校举办了年轻干部党性教育班，加大了对年轻干部的培养力度。落实《配偶已移居国（境）外的国家工作人员任职岗位管理办法》，集中治理“裸官”。全国共有 3200 余名副处级以上干部报告了配偶或者没有配偶但子女均已移居国（境）外的情况，对近千名在限入性岗位任职且配偶或子女不愿意放弃移居的领导干部，全部进行了岗位调整。开展领导干部个人有关事项报告抽查核实工作，惩戒瞒报漏报，有数十名厅局级、县处级考察对象因抽查核实发现问题被取消提拔资格。落实《关于进一步规范党政领导干部在企业兼职（任职）问题的意见》，集中清理党政领导干部在企业兼职的现象。仅 2014 年全国就清理党政领导干部在企业兼职 4 万多人次。落实党的群众路线教育实践活动有关规定，全国共清理清退“吃空饷”16.3 万人，查处 6484 名“走读干部”。按照《关于严格规范领导干部参加社会化培训有关事项的通知》，清理整顿领导干部参加社会化培训的现象，3094 名参加 EMBA 等“天价”培训的领导干部按要求退学，23 个高收费项目被整顿停办。落实加强基层基础有关制度规定，大力整顿软弱涣散基层党组织。全国共排查软弱涣散基层党组织 18.6 万个。加快推进人才体制机制改革，激发创新创造活力。中央组织部积极协调有关部门，开展外国人永久居留管理条例立法工作，完善国家重大人才工程相关制度，增加人才政策开放度。各地各部门以更大力度培养国内创新人才，引进海外高层次人才。据统计，2014 年“千人计划”申报人数比上年增长 24%，“万人计划”进展顺利。

党的十八大以来，党中央还强调：党要管党首先要从党内政治生活管起，从严治党首先要从党内政治生活严起；牢固树立“四个意识”，坚决维护中央权威；强化党内监督；落实全面从严治党主体责任；等等。在这些方面，党中央既建章立制建立健全制度，又强调身体力行、以上率下，党内政治生活质量明显提高，“四个意识”明显增强，维护中央权威更加自觉，党内监督更加有力，主体责任落实更加到位。

应该看到全面深化改革任务重、难度大、时间紧，尤其需要坚强的领导核心和领导集体。党的十八大以来，以习近平同志为核心的党中央高度重视全面从严治党，以党的建设制度改革为抓手，重点从严肃政治生活、坚定理想信念、维护中央权威、严明党的纪律、抓住关键少数、坚持抓作风建设、坚决反对腐败、加强党内监督、落实主体责任九个方面狠抓落实，“党的建设制度改革深入推进，党内法规体系不断完善”①，全面提高了党的领导水平和执政能力，为全面深化改革提供了坚强政治保证。

2017 年 8 月 29 日举行的中央全面深化改革领导小组第三十八次会议，对党的十八大以来 5 年的全面深化改革进展作了初步总结。会议指出，党的十八大以来的 5 年，是全面深化改革夯基垒台、积厚成势、攻坚克难、砥砺奋进的 5 年，也是改革集中推进、全面深入、成果显著、积累经验的 5 年。在党中央正确领导下，广大干部群众积极投身改革，汇聚起推进全面深化改革的磅礴伟力，迎风破浪、大刀阔斧、上下联动、蹄疾步稳，谱写了改革新篇章，改革成为中国共产党的鲜明旗帜和当代中国的时代特征。5 年来，面对艰巨复杂的改革任务，党中央举旗定向、谋篇布局，以前所未有的决心和力度推进全面深化改革，对全面深化改革作出一系列重大战略部署。我们坚持从体制机制层面入手，统筹谋划改革任务，改革涉及范围之广、出台方案之多、触及利益之深、推进力度之大前所未有。我们坚持一分部署、九分落实，抓铁有痕、踏石留印，各项改革相继落地、渐次开花。

---

① 习近平：《决胜全面建成小康社会　夺取新时代中国特色社会主义伟大胜利——在中国共产党第十九次全国代表大会上的讲话》（2017 年 10 月 18 日），人民出版社 2017 年版，第 7 页。

我们坚持凝聚各方智慧，创造和积累了改革的新鲜经验。实践证明，坚持和加强党对全面深化改革的集中统一领导，提升党中央对全面深化改革的领导力和权威性，有利于全党全国在改革上统一思想、坚定信心，有利于改革涉险滩、闯难关、啃硬骨头，有利于统筹协调、蹄疾步稳推进各项改革，为全面深化改革提供根本政治保证。改革只有进行时、没有完成时。会议强调，要坚持一张蓝图绘到底。党的十八届三中、四中、五中、六中全会提出的改革任务的进展总的符合预期。对已经出台的改革举措，要对落实情况进行总体评估，尚未落地或落实效果未达到预期的改革任务，党的十九大之后要继续做实。这次会议是党的十九大召开之前举行的第十八届中央全面深化改革领导小组的最后一次会议，带有总结性。5 年来，中央全面深化改革领导小组召开 38 次会议，审议通过 365 个重要改革文件，确定 357 个重点改革任务，出台 1500 多项改革举措，密度不可谓不大、措施不可谓不多。足见，党的十八大以来中国共产党推动全面深化改革工作取得了很好的效果。

第四章

推动对外开放
形成新格局

对外开放是当代中国的鲜明标识。习近平总书记在党的十八大后离京调研，第一站就来到广东，并向全党全国发出了“改革不停顿、开放不止步”[①]的号召。他多次强调，中国开放的大门不会关闭，只会越开越大。党的十八大以来，以习近平同志为核心的党中央坚定不移实施对外开放的基本国策、实行更加积极主动的开放战略，坚定不移提高开放型经济水平，坚持以开放促改革、促发展。中国对外开放范围、领域、层次不断拓展，“一带一路”建设全面推进，自由贸易区建设稳步推进，国际产能合作步伐加快，互利共赢的开放战略深入实施，从沿海开放到内陆沿边开放，从“引进来”为主到“引进来”与“走出去”并重，从制造领域开放到服务领域开放，形成了多层次、全方位、宽领域的开放大格局。

① 习近平：《论坚持全面深化改革》，中央文献出版社 2018 年版，第 1 页。

第一节 倡议和推动共建“一带一路”

习近平总书记立足全球发展提出的“一带一路”倡议，契合中国、共建国家和本地区发展需要，符合有关各方共同利益，顺应了地区和全球合作潮流。“一带一路”建设秉持共商共建共享原则，弘扬和平合作开放包容、互学互鉴、互利共赢的丝路精神，坚持共同发展的目标，奉行以人为本、造福于民的宗旨。“一带一路”建设是中国在新的历史条件下实行全方位对外开放的重大举措，是一项造福共建国家和人民的伟大事业，为世界提供了一项充满东方智慧和共同繁荣发展的方案。

“一带一路”倡议是习近平总书记在访问哈萨克斯坦和印度尼西亚期间提出的。2013 年 9 月，习近平总书记在哈萨克斯坦访问期间，在纳扎尔巴耶夫大学演讲时提出共同建设“丝绸之路经济带”的倡议，并提出可以从几个方面先做起来，以点带面，从线到片。这几个方面的内容包括：“第一，加强政策沟通。各国可以就经济发展战略和对策进行充分交流，本着求同存异原则，协商制定推进区域合作的规划和措施，在政策和法律上为区域经济融合‘开绿灯’。第二，加强道路联通。上海合作组织正在协商交通便利化协定。尽快签署并落实这一文件，将打通从太平洋到波罗的海的运输大通道。在此基础上，我们愿同各方积极探讨完善跨境交通基础设施，逐步形成连接东亚、西亚、南亚的交通运输网络，为各国经济发展和人员往来提供便利。第三，加强贸易畅通。丝绸之路经济带总人口近三十亿，市场规模和潜力独一无二。各国在贸易和投资领域合作潜力巨大。各方应该就贸易和投资便利化问题进行探讨并作出适当安排，消除贸易壁垒，降低贸易和投资成本，提高区域经济循环速度和质量，实现互利共赢。第四，加强货币流通。中国和俄罗斯等国在本币结算方面开展了良好合作，取得了可喜成果，也积累了丰富经验。这一好的做法有必要加以推广。如果各国在经常项下和资本项下实现本币兑换和结算，就可以大大降低流通成本，增强抵御金融风险能力，提高本地区经济国际竞争力。第五，加强民心相通。国之交在于民相亲。搞好上述领域合作，必须得到各国人民支持，必须加强人民友好往来，增进相互了解和传统友谊，为开展区域合作奠定坚实民意基础和社会基础。”[①]9月13日，习近平总书记在吉尔吉斯斯坦比什凯克举行的上海合作组织成员国元首理事会第十三次会议上的讲话中，再次强调“我们有责任把丝绸之路精神传承下去，发扬光大”[②]，并提出着力开展务实合作，从开辟交通和物流大通道、商谈投资和贸易便利化协定、加强金融领域合作、成立能源俱乐部、建立粮食安全合作机制等方面提出了合作建议。2013年10月，习近平总书记在访问印度尼西亚时提出共同建设“21世纪海上丝绸之路”。

2013年11月，党的十八届三中全会指出，推进丝绸之路经济带、海上丝绸之路建设，形成全方位开放新格局。12月，习近平总书记在中央经济工作会议上强调，推进丝绸之路经济带建设，抓紧制定战略规划，加强基础设施互联互通建设；建设21世纪海上丝绸之路，加强海上通道互联互通建设，拉紧相互利益纽带。2014年5月21日，习近平总书记在上海举行的亚洲相互协作与信任措施会议第四次峰会上的讲话中提出“中国将同各国一道，加快推进丝绸之路经济带和二十一世纪海上丝绸之路建设”[③]。6月5日，习近平总书记在中阿合作论坛第六届部长级会议开幕式上的讲话中不仅强调要弘扬丝绸之路精神，还指出“一带一路”是互利共赢之路，将带动各国经济更加紧密结合起来，推动各国基础设施建设和体制机制创新，创造新的经济和就业增长点，增强各国经济内生动力和抗风险能力。他还明确中国同阿拉伯国家因为丝绸之路相知相交，是共建“一带一路”的天然合作伙伴，指出中阿共建“一带一路”应该坚持共商、共建、共享原则，

---

① 习近平：《习近平谈“一带一路”》，中央文献出版社2018年版，第4—5页。
② 习近平：《习近平谈“一带一路”》，中央文献出版社2018年版，第8页。
③ 习近平：《习近平谈“一带一路”》，中央文献出版社2018年版，第29页。

既要登高望远，也要脚踏实地，应该依托并推进中阿友谊。[①]9月18日，习近平总书记在印度世界事务委员会的演讲中又指出："中国提出'一带一路'倡议，就是要以加强传统陆海丝绸之路沿线国家互联互通，实现经济共荣、贸易互补、民心相通。中国希望以'一带一路'为两翼，同南亚国家一道实现腾飞。"[②]

从2013年提出到2014年在亚洲多个场合论述，"一带一路"倡议逐渐引起全世界的关注。究竟如何推进"一带一路"建设呢？2014年11月4日，中央财经领导小组第八次会议专门研究丝绸之路经济带和21世纪海上丝绸之路规划。会议听取了国家发展改革委、财政部、中国人民银行关于"一带一路"规划等汇报，领导小组成员进行了热烈讨论。习近平总书记在讲话中指出："丝绸之路经济带和二十一世纪海上丝绸之路倡议顺应了时代要求和各国加快发展的愿望，提供了一个包容性巨大的发展平台，具有深厚历史渊源和人文基础，能够把快速发展的中国经济同沿线国家的利益结合起来。要集中力量办好这件大事，秉持亲诚惠容的周边外交理念，近睦远交，使沿线国家对我们更认同、更亲近、更支持。"[③]习近平总书记还强调，推进"一带一路"建设，要做好总体布局，尽早确定今后几年的时间表、路线图，要有早期收获计划和领域。要抓住关键的标志性工程，力争尽早开花结果。要帮助有关沿线国家开展本国和区域间交通、电力、通信等基础设施规划，共同推进前期预研，提出一批能够照顾双边、多边利益的项目清单。习近平总书记指出，"一带一路"建设是一项长期工程，要做好统筹协调工作，正确处理政府和市场的关系，发挥市场机制作用，鼓励国有企业、民营企业等各类企业参与，同时发挥好政府作用。要重视国别间和区域间经贸合作机制和平台建设工作，设计符合当地国情的投资和贸易模式，通过机制化安排推进工作。

---

① 习近平：《习近平谈"一带一路"》，中央文献出版社2018年版，第35—36页。

② 习近平：《习近平谈"一带一路"》，中央文献出版社2018年版，第41页。

③ 习近平：《习近平谈"一带一路"》，中央文献出版社2018年版，第43页。

国家间的互联互通是推进“一带一路”建设的重要途径。2014年11月8日，习近平总书记在北京举行的“加强互联互通伙伴关系”东道主伙伴对话会上指出，“一带一路”和互联互通是相融相近、相辅相成的。如果将“一带一路”比喻为亚洲腾飞的两只翅膀，那么互联互通就是两只翅膀的血脉。他强调，以亚洲国家为重点方向，率先实现亚洲互联互通；以经济走廊为依托，建立亚洲互联互通的基本框架；以交通基础设施为突破，实现亚洲互联互通的早期收获；以建设融资平台为抓手，打破亚洲互联互通的瓶颈；以人文交流为纽带，夯实亚洲互联互通的社会根基。[①]2015年4月，习近平总书记在访问巴基斯坦期间指出：“我们希望同‘一带一路’沿线国家加强合作，实现道路联通、贸易畅通、资金融通、政策沟通、民心相通，共同打造开放合作平台，为地区可持续发展提供新动力。”[②]这就进一步丰富并拓展了“一带一路”的互利共赢内涵。

针对国际社会对“一带一路”倡议的疑惑和非议，习近平总书记在2015年3月28日举行的博鳌亚洲论坛2015年年会开幕式上的演讲中，给予了回应。他指出，“一带一路”建设秉持的是共商、共建、共享原则，不是封闭的，而是开放包容的；不是中国一家的独奏，而是沿线国家的合唱。“一带一路”建设不是要替代现有地区合作机制和倡议，而是在已有基础上，推动沿线国家实现发展战略相互对接、优势互补。目前，已经有60多个沿线国家和国际组织对参与“一带一路”建设表达了积极态度。“一带一路”建设、亚洲基础设施投资银行都是开放的，我们欢迎沿线国家和亚洲国家积极参与，也张开双臂欢迎五大洲朋友共襄盛举。习近平总书记还指出：“‘一带一路’建设不是空洞的口号，而是看得见、摸得着的实际举措，将给地区国家带来实实在在的利益。”[③]2015年9月，习近平总书记在美国华盛顿当地政府和美国友好团体联合欢迎宴会上演讲时也指出：“我们推动共建‘一带一路’、设立丝路基金、倡议成立亚洲基础设施投资银行等，目的

---

① 习近平：《习近平谈“一带一路”》，中央文献出版社2018年版，第50—52页。
② 习近平：《习近平谈“一带一路”》，中央文献出版社2018年版，第73页。
③ 习近平：《习近平谈“一带一路”》，中央文献出版社2018年版，第68页。

是支持各国共同发展，而不是要谋求政治势力范围。‘一带一路’是开放包容的，我们欢迎包括美国在内的世界各国和国际组织参与到合作中来。”①同年10月21日，习近平总书记出席在伦敦金融城举行的中英工商峰会并致辞，其间他再次强调了“一带一路”的开放、多元、共赢。他指出：“‘一带一路’是开放的，是穿越非洲、环连亚欧的广阔‘朋友圈’，所有感兴趣的国家都可以添加进入‘朋友圈’。‘一带一路’是多元的，涵盖各个合作领域，合作形式也可以是多种多样。‘一带一路’是共赢的，各国共同参与，遵循共商共建共享原则，实现共同发展繁荣。这条路不是某一方的私家小路，而是大家携手前进的阳光大道。”②

“一带一路”倡议及其核心理念提出后，得到国际社会越来越多的认可，并被载入联合国等有关文件中。2016年9月，《二十国集团领导人杭州峰会公报》明确提出当年启动“全球基础设施互联互通联盟倡议”。2016年11月，联合国193个会员国协商一致通过决议，欢迎“一带一路”等经济合作倡议，呼吁国际社会为“一带一路”建设提供安全保障环境。2017年3月，联合国安理会一致通过了第2344号决议，呼吁国际社会通过“一带一路”建设加强区域经济合作。③2017年9月19日，推进“一带一路”建设工作领导小组办公室主任、国家发展改革委主任徐绍史在纽约联合国总部与联合国开发计划署署长海伦·克拉克签署了《中华人民共和国政府与联合国开发计划署关于共同推进丝绸之路经济带和21世纪海上丝绸之路建设的谅解备忘录》。

2014年11月8日，习近平总书记出席在北京举行的“加强互联互通伙伴关系”东道主伙伴对话会并宣布“中国将出资四百亿美元成立丝路基金”④，为“一带一路”沿线国家基础设施、能源开发、产业合作和金融合作等与互联互通有关的项目提供投融资支持。他强调丝路基金是开放的，可

---

① 习近平：《习近平谈“一带一路”》，中央文献出版社2018年版，第75页。
② 习近平：《习近平谈“一带一路”》，中央文献出版社2018年版，第80页。
③ 当代中国研究所：《新时代这十年（2012—2022）》，人民出版社2023年版，第143页。
④ 习近平：《习近平谈“一带一路”》，中央文献出版社2018年版，第51—52页。

以根据地区、行业或者项目类型设立子基金，欢迎亚洲域内外的投资者积极参与。丝路基金是由中国外汇储备、中国投资有限责任公司、中国进出口银行、国家开发银行共同出资，依照《中华人民共和国公司法》，按照市场化、国际化、专业化原则设立的中长期开发投资基金，重点是在“一带一路”发展进程中寻找投资机会并提供相应的投融资服务。首期资本金100亿美元中，中国外汇储备通过其投资平台出资65亿美元，中投公司、中国进出口银行、国开行亦分别出资15亿、15亿和5亿美元。12月29日，丝路基金有限责任公司在北京注册成立，并正式开始运行。2015年4月，丝路基金签下首单，投资中巴经济走廊优先实施项目之一卡洛特水电站。该水电站位于巴基斯坦吉拉姆河，规划装机容量720兆瓦，年发电32.13亿千瓦时，总投资额约16.5亿美元。电站计划于2015年底开工建设，2020年投入运营。选择中巴经济走廊能源项目作为丝路基金的第一个支持项目，不仅充分体现了中国与巴基斯坦共同发展、共同繁荣的理念，也反映出“一带一路”对中巴经济走廊建设的推动作用。2015年12月14日，丝路基金宣称，已与哈萨克斯坦出口投资署签署框架协议，并出资20亿美元，建立中国—哈萨克斯坦产能合作专项基金，这是丝路基金成立以来设立的首个专项基金。2017年5月14日，习近平总书记在首届“一带一路”国际合作高峰论坛开幕式上宣布，中国将加大对“一带一路”建设的资金支持，向丝路基金新增资金1000亿元人民币。

为推动“一带一路”健康前行，中国在2014年通过了《丝绸之路经济带和21世纪海上丝绸之路建设战略规划》，2015年对外发布了《推动共建丝绸之路经济带和21世纪海上丝绸之路的愿景与行动》，有关地方和部门也制定了配套规划。同时，中国在制定“十三五”规划时予以专章部署，中央政治局集体学习也予以研讨明确方向。“十三五”规划强调以“一带一路”建设为统领，丰富对外开放内涵，提高对外开放水平，协同推进战略互信、投资经贸合作、人文交流，努力形成深度融合的互利合作格局，开创对外开放新局面。“十三五”规划专列第五十一章对“一带一路”作出部署。该规划指出，秉持亲诚惠容，坚持共商共建共享原则，开展与有关国家和地区多领域互利共赢的务实合作，打造陆海内外联动、东西双向开放的全面开放新格局。一是健全“一带一路”合作机制。围绕政策沟通、设施联通、贸易畅通、资金融通、民心相通，健全“一带一路”双边和多边合作机制。推动与沿线国家发展规划、技术标准体系对接，推进沿线国家间的运输便利化安排，开展沿线大通关合作。建立以企业为主体、以项目为基础、各类基金引导、企业和机构参与的多元化融资模式。加强同国际组织和金融组织机构合作，积极推进亚洲基础设施投资银行、金砖国家新开发银行建设，发挥丝路基金作用，吸引国际资金共建开放多元共赢的金融合作平台。充分发挥广大海外侨胞和归侨侨眷的桥梁纽带作用。二是畅通“一带一路”经济走廊。推动中蒙俄、中国—中亚—西亚、中国—中南半岛、新亚欧大陆桥、中巴、孟中印缅等国际经济合作走廊建设，推进与周边国家基础设施互联互通，共同构建连接亚洲各次区域以及亚欧非之间的基础设施网络。加强能源资源和产业链合作，提高就地加工转化率。支持中欧等国际集装箱运输和邮政班列发展。建设上合组织国际物流园和中哈物流合作基地。积极推进“21 世纪海上丝绸之路”战略支点建设，参与沿线重要港口建设与经营，推动共建临港产业集聚区，畅通海上贸易通道。推进公铁水及航空多式联运，构建国际物流大通道，加强重要通道、口岸基础设施建设。建设新疆丝绸之路经济带核心区、福建“21 世纪海上丝绸之路”核心区。打造具有国际航运影响力的海上丝绸之路指数。三是共创开放包容的人文交流新局面。办好“一带一路”国际合作高峰论坛，发挥丝绸之路（敦煌）国际文化博览会等作用。广泛开展教育、科技、文化、体育、旅游、环保、卫生及中医药等领域合作。构建官民并举、多方参与的人文交流机制，互办文化年、艺术节、电影节、博览会等活动，鼓励丰富多样的民间文化交流，发挥妈祖文化等民间文化的积极作用。联合开发特色旅游产品，提高旅游便利化。加强卫生防疫领域交流合作，提高合作处理突发公共卫生事件能力。推动建立智库联盟。这一规划，对于推进“一带一路”建设起到了巨大引领推动作用。

为总结历史经验、在新形势下推进“一带一路”建设提供借鉴，党的十八届中央政治局第三十一次集体学习专门就此展开学习。习近平总书记主持学习时发表了讲话。他指出，中央政治局这次学习安排这个题目，主要是想通过了解丝绸之路和海上丝绸之路的历史文化，总结历史经验，为新形势下推进“一带一路”建设提供借鉴。“一带一路”倡议提出来后，一石激起千层浪，外界反响很大，各方都在响应。各方之所以反映强烈，主要是因为这个倡议顺应了时代要求和各国加快发展的愿望，具有深厚历史渊源和人文基础。从我们自己的情况来看，这个倡议符合我国经济发展内生性要求，也有助于带动我国边疆民族地区发展。他指出，“一带一路”倡议，唤起了沿线国家的历史记忆。古代丝绸之路是一条贸易之路，更是一条友谊之路。在中华民族同其他民族的友好交往中，逐步形成了以和平合作、开放包容、互学互鉴、互利共赢为特征的丝绸之路精神。在新的历史条件下，我们提出“一带一路”倡议，就是要继承和发扬丝绸之路精神，把我国发展同沿线国家发展结合起来，把中国梦同沿线各国人民的梦想结合起来，赋予古代丝绸之路以全新的时代内涵。他强调，推进“一带一路”建设，要处理好我国利益和沿线国家利益的关系，政府、市场、社会的关系，经贸合作和人文交流的关系，对外开放和维护国家安全的关系，务实推进和舆论引导的关系，国家总体目标和地方具体目标的关系。他指出，我国是“一带一路”的倡导者和推动者，但建设“一带一路”不是我们一家的事。“一带一路”建设不应仅仅着眼于我国自身发展，而是要以我国发展为契机，让更多国家搭上我国发展快车，帮助他们实现发展目标。我们要在发展自身利益的同时，更多考虑和照顾其他国家利益。要坚持正确义利观，以义为先、义利并举，不急功近利，不搞短期行为。要统筹我国同沿线国家的共同利益和具有差异性的利益关切，寻找更多利益交汇点，调动沿线国家积极性。我国企业“走出去”既要重视投资利益，更要赢得好名声、好口碑，遵守驻在国法律，承担更多社会责任。他强调，推进“一带一路”建设，既要发挥政府把握方向、统筹协调作用，又要发挥市场作用。政府要在宣传推介、加强协调、建立机制等方面发挥主导性作用，同时要注意构建以市场为基础、企业为主体的区域经济合作机制，广泛调动各类企业参与，引导更多社会力量投入“一带一路”建设，努力形成政府、市场、社会有机结合的合作模式，形成政府主导、企业参与、民间促进的立体格局。他指出，人文交流合作也是“一带一路”建设的重要内容。真正要建成“一带一路”，必须在沿线国家民众中形成一个相互欣赏、相互理解、相互尊重的人文格局。民心相通是“一带一路”建设的重要内容，也是“一带一路”建设的人文基础。要坚持经济合作和人文交流共同推进，注重在人文领域精耕细作，尊重各国人民文化历史、风俗习惯，加强同沿线国家人民的友好往来，为“一带一路”建设打下广泛社会基础。要加强同沿线国家在安全领域的合作，努力打造利益共同体、责任共同体、命运共同体，共同营造良好环境。要重视和做好舆论引导工作，通过各种方式，讲好“一带一路”故事，传播好“一带一路”声音，为“一带一路”建设营造良好舆论环境。他强调，“一带一路”建设既要确立国家总体目标，也要发挥地方积极性。地方的规划和目标要符合国家总体目标，服从大局和全局。要把主要精力放在提高对外开放水平、增强参与国际竞争能力、倒逼转变经济发展方式和调整经济结构上来。要立足本地实际，找准位置，发挥优势，取得扎扎实实的成果，努力拓展改革发展新空间。[①]习近平总书记的讲话，既点出了“一带一路”广受欢迎、反响热烈的原因，又指明了“一带一路”建设下一步应该注意和努力做到的方面，为“一带一路”健康发展提供了根本遵循。

在“一带一路”提出三周年时，习近平总书记对建设成效作了小结。他指出：“三年来，沿线各国聚焦政策沟通、设施联通、贸易畅通、资金融通、民心相通，不断深化合作，已经在多个方面取得积极成果。中国同二十个国家签署了产能合作协议，同‘一带一路’沿线十七个国家共同建设了四十六个境外合作区，中国企业累计投资超过一百四十亿美元，为当地创造六万个就业岗位。亚洲基础设施投资银行正式运营，五十七个国家积极参与其中；丝路基金、中国—欧亚经济合作基金等顺利组建。中

① 习近平：《习近平谈“一带一路”》，中央文献出版社 2018 年版，第 103—106 页。

国每年资助一万名沿线国家新生来华学习或研修。二〇一五年，中国同‘一带一路’参与国双边贸易额突破一万亿美元，占中国外贸总额的百分之二十五，中国企业对‘一带一路’沿线四十九个国家的直接投资额近一百五十亿美元、同比增长百分之十八；‘一带一路’参与国对华投资额超过八十二亿美元、同比增长百分之二十五。‘一带一路’建设已经初步完成规划和布局，正在向落地生根、深耕细作、持久发展的阶段迈进。”①

2016年6月22日，习近平总书记在乌兹别克斯坦最高会议立法院演讲时对“一带一路”进行了专门论述。他指出，沿线国家市场规模和资源禀赋优势明显，互补性强，潜力巨大，前景广阔。“知者善谋，不如当时。”中方愿同包括乌兹别克斯坦在内的各方一道把握历史机遇，应对各种风险挑战，推动“一带一路”建设向更高水平、更广空间迈进。第一，构建“一带一路”互利合作网络。中国愿同“一带一路”沿线国家一道，顺应时代潮流，弘扬丝绸之路精神，增进互信，巩固友好，深化合作，加大相互支持，在自愿、平等、互利原则基础上，携手构建务实进取、包容互鉴、开放创新、共谋发展的“一带一路”互利合作网络，共同致力重振全球经济。第二，共创“一带一路”新型合作模式。中国愿秉持共商、共建、共享原则，以“一带一路”沿线各国发展规划对接为基础，以贸易和投资自由化、便利化为纽带，以互联互通、产能合作、人文交流为支柱，以金融互利合作为重要保障，积极开展双边和区域合作，努力开创“一带一路”新型合作模式。中国将不断加大投入，为建设“一带一路”提供全方位支持，使合作成果惠及各方。第三，打造“一带一路”多元合作平台。中国愿同伙伴国家携手努力，推动各国政府、企业、社会机构、民间团体开展形式多样的互利合作，增强企业自主参与意愿，吸收社会资本参与合作项目，共同打造“一带一路”沿线国家多主体、全方位、跨领域的互利合作新平台。第四，推进“一带一路”重点领域项目。中国愿同伙伴国家一道，大力推进六大国际经济合作走廊建设，开办更多产业集聚区和经贸合作区，抓好

① 习近平：《习近平谈“一带一路”》，中央文献出版社2018年版，第110页。

重点领域合作。中国将同伙伴国家一道，继续完善基础设施网络，共同确定一批能够提升区域整体合作水平的互联互通项目，研究开展大通关合作；全面推进国际产能合作，继续向各国提供优质和环境友好的产能和先进技术装备，帮助有关伙伴国家优化产业布局、提高工业化水平；加强金融创新和合作，扩大同伙伴国家本币结算规模和范围，促进沿线国家离岸人民币业务发展，创新金融产品；加强人文领域合作，深入开展教育、科技、文化、体育、旅游、卫生、考古等领域合作，建立大数据交流平台，共同打造“一带一路”智库合作网络。①

2016 年 8 月 17 日，“一带一路”建设工作座谈会在北京召开。座谈会上，国家发展改革委主任徐绍史、外交部部长王毅、福建省委书记尤权、新疆维吾尔自治区党委书记张春贤、广东省委书记胡春华、陕西省委书记娄勤俭、中国交通建设集团有限公司董事长刘起涛、华立集团董事局主席汪力成、中国科学院“一带一路”研究中心主任刘卫东先后发言。他们结合实际，从不同角度就推进“一带一路”建设工作介绍了情况，谈了意见和建议。习近平总书记在讲话中指出，目前，已经有 100 多个国家和国际组织参与其中，中国同 30 多个沿线国家签署了共建“一带一路”合作协议、同 20 多个国家开展国际产能合作，联合国等国际组织也态度积极，以亚投行、丝路基金为代表的金融合作不断深入，一批有影响力的标志性项目逐步落地。“一带一路”建设从无到有、由点及面，进度和成果超出预期。习近平总书记指出，以“一带一路”建设为契机，开展跨国互联互通，提高贸易和投资合作水平，推动国际产能和装备制造合作，本质上是通过提高有效供给来催生新的需求，实现世界经济再平衡。特别是在当前世界经济持续低迷的情况下，如果能够使顺周期下形成的巨大产能和建设能力“走出去”，支持沿线国家推进工业化、现代化和提高基础设施水平的迫切需要，有利于稳定当前世界经济形势。习近平总书记就推进“一带一路”建设提出 8 项要求。一是要切实推进思想统一，坚持各国共商、共建、共享，遵循

① 习近平：《习近平谈“一带一路”》，中央文献出版社 2018 年版，第 110—112 页。

平等、追求互利，牢牢把握重点方向，聚焦重点地区、重点国家、重点项目，抓住发展这个最大公约数，不仅造福中国人民，更造福沿线各国人民。中国欢迎各方搭乘中国发展的快车、便车，欢迎世界各国和国际组织参与到合作中来。二是要切实推进规划落实，周密组织，精准发力，进一步研究出台推进“一带一路”建设的具体政策措施，创新运用方式，完善配套服务，重点支持基础设施互联互通、能源资源开发利用、经贸产业合作区建设、产业核心技术研发支撑等战略性优先项目。三是要切实推进统筹协调，坚持陆海统筹，坚持内外统筹，加强政企统筹，鼓励国内企业到沿线国家投资经营，也欢迎沿线国家企业到我国投资兴业，加强“一带一路”建设同京津冀协同发展、长江经济带发展等国家战略的对接，同西部开发、东北振兴、中部崛起、东部率先发展、沿边开发开放的结合，带动形成全方位开放、东中西部联动发展的局面。四是要切实推进关键项目落地，以基础设施互联互通、产能合作、经贸产业合作区为抓手，实施好一批示范性项目，多搞一点早期收获，让有关国家不断有实实在在的获得感。五是要切实推进金融创新，创新国际化的融资模式，深化金融领域合作，打造多层次金融平台，建立服务“一带一路”建设长期、稳定、可持续、风险可控的金融保障体系。六是要切实推进民心相通，弘扬丝路精神，推进文明交流互鉴，重视人文合作。七是要切实推进舆论宣传，积极宣传“一带一路”建设的实实在在成果，加强“一带一路”建设学术研究、理论支撑、话语体系建设。八是要切实推进安全保障，完善安全风险评估、监测预警、应急处置，建立健全工作机制，细化工作方案，确保有关部署和举措落实到每个部门、每个项目执行单位和企业。[①] 这八个方面的要求，有很强的针对性，为“一带一路”建设进一步发展提供了有力指导。2016 年 9 月 3 日，在杭州举行的二十国集团工商峰会开幕式上，习近平总书记发表讲话说：“我提出‘一带一路’倡议，旨在同沿线各国分享中国发展机遇，实现共同繁荣。丝绸之路经济带一系列重点项目和经济走廊建设已经取得重要进展，21 世纪海上丝绸之路建设正在同步推进。”习近平总书记还特别指出：“中

① 习近平：《习近平谈“一带一路”》，中央文献出版社 2018 年版，第 116—117 页。

国倡导的新机制新倡议，不是为了另起炉灶，更不是为了针对谁，而是对现有国际机制的有益补充和完善，目标是实现合作共赢、共同发展。中国对外开放，不是要一家唱独角戏，而是要欢迎各方共同参与；不是要谋求势力范围，而是要支持各国共同发展；不是要营造自己的后花园，而是要建设各国共享的百花园。”[①]

2017 年 5 月 14 日至 15 日，首届“一带一路”国际合作高峰论坛在北京举行。来自 30 个国家的元首和政府首脑，140 多个国家、80 多个国际组织的 1600 多名代表与会。高峰论坛发布圆桌峰会联合公报，达成 270 多项成果，形成了各国共建“一带一路”的国际共识。习近平总书记出席论坛开幕式并主持领导人圆桌峰会，发表多篇重要讲话，深刻阐释丝路精神，系统总结建设成果，规划“一带一路”国际合作发展方向，为推动“一带一路”建设行稳致远擘画蓝图，引发与会各方和国际社会的热烈反响。关于丝路精神，习近平总书记指出：“古丝绸之路绵亘万里，延续千年，积淀了以和平合作、开放包容、互学互鉴、互利共赢为核心的丝路精神。这是人类文明的宝贵遗产。”[②] 关于“一带一路”建设成果，习近平总书记指出：“‘一带一路’建设逐渐从理念转化为行动，从愿景转变为现实，建设成果丰硕。”[③] 具体来说，有以下几个方面：一是政策沟通不断深化。“一带一路”建设不是另起炉灶、推倒重来，而是实现战略对接、优势互补。中国同有关国家协调政策，包括俄罗斯提出的“欧亚经济联盟”、东盟提出的“互联互通总体规划”、哈萨克斯坦提出的“光明之路”、土耳其提出的“中间走廊”、蒙古国提出的“发展之路”、越南提出的“两廊一圈”、英国提出的“英格兰北方经济中心”、波兰提出的“琥珀之路”等。中国同老挝、柬埔寨、缅甸、匈牙利等国的规划对接工作也全面展开。中国同 40 多个国家和国际组织签署了合作协议，同 30 多个国家开展机制化产能合作。本次论坛期间，中国还签署了一批对接合作协议和行动计划，同 60 多个国家和国

① 习近平：《习近平谈“一带一路”》，中央文献出版社 2018 年版，第 124 页。
② 习近平：《习近平谈“一带一路”》，中央文献出版社 2018 年版，第 177 页。
③ 习近平：《习近平谈“一带一路”》，中央文献出版社 2018 年版，第 179 页。

际组织共同发出推进“一带一路”贸易畅通合作倡议。各方通过政策对接，实现了“一加一大于二”的效果。二是设施联通不断加强。“道路通，百业兴。”中国和相关国家一道加速推进雅万高铁、中老铁路、亚吉铁路、匈塞铁路等项目，建设瓜达尔港、比雷埃夫斯港等港口，规划实施一大批互联互通项目。以中巴、中蒙俄、新亚欧大陆桥等经济走廊为引领，以陆海空通道和信息高速路为骨架，以铁路、港口、管网等重大工程为依托，一个复合型的基础设施网络正在形成。三是贸易畅通不断提升。中国同“一带一路”参与国大力推动贸易和投资便利化，不断改善营商环境。仅哈萨克斯坦等中亚国家农产品到达中国市场的通关时间就缩短了 90%。2014 年至 2016 年，中国同“一带一路”沿线国家贸易总额超过 3 万亿美元。中国对“一带一路”沿线国家投资累计超过 500 亿美元。中国企业已经在 20 多个国家建设 56 个经贸合作区，为有关国家创造近 11 亿美元税收和 18 万个就业岗位。四是资金融通不断扩大。融资瓶颈是实现互联互通的突出挑战。中国同“一带一路”建设参与国和组织开展了多种形式的金融合作。亚洲基础设施投资银行已经为“一带一路”建设参与国的 9 个项目提供 17 亿美元贷款，“丝路基金”投资达 40 亿美元，中国同中东欧“16+1”金融控股公司正式成立。这些新型金融机制同世界银行等传统多边金融机构各有侧重、互为补充，形成层次清晰、初具规模的“一带一路”金融合作网络。五是民心相通不断促进。“国之交在于民相亲，民相亲在于心相通。”“一带一路”建设参与国弘扬丝绸之路精神，开展智力丝绸之路、健康丝绸之路等建设，在科学、教育、文化、卫生、民间交往等各领域广泛开展合作，为“一带一路”建设夯实民意基础，筑牢社会根基。中国政府每年向相关国家提供 1 万个政府奖学金名额，地方政府也设立了丝绸之路专项奖学金，鼓励国际文教交流。各类丝绸之路文化年、旅游年、艺术节、影视桥、研讨会、智库对话等人文合作项目百花纷呈，人们往来频繁，在交流中拉近了心与心的距离。[①] 这是习近平总书记第二次系统总结“一带一路”建设的进展，重点总结了 4 年来的建设成果。这些丰硕成果表明，“一带一路”倡议顺应时

① 习近平：《习近平谈“一带一路”》，中央文献出版社 2018 年版，第 179—181 页。

代潮流，适应发展规律，符合各国人民利益，具有广阔前景。

“一带一路”建设，是一项宏大系统工程，涉及面广、跨越时间长、建设任务重，需要加强组织和领导，统筹做好对内、对外各方面工作。为此，中国政府成立了推进“一带一路”建设工作领导小组，指导和协调推进“一带一路”建设。推进“一带一路”建设工作领导小组办公室设在国家发展改革委，具体承担领导小组日常工作。2015 年 2 月 1 日召开了第一次推进“一带一路”建设工作会议。中共中央政治局常委、国务院副总理张高丽主持会议并讲话。会议认真学习贯彻习近平总书记关于“一带一路”建设的重要讲话和指示精神，学习中央领导的指示批示要求，安排部署 2015 年及今后一段时期推进“一带一路”建设的重大事项和重点工作，确保“一带一路”建设工作开好局、起好步。至党的十九大召开，“一带一路”建设工作会议召开了 5 次，每次内容基本都是学习党中央有关精神，研究部署下个阶段的工作。其中，2017 年 6 月 16 日召开的会议，认真学习贯彻习近平总书记在首届“一带一路”国际合作高峰论坛上的重要讲话精神，总结推进“一带一路”建设工作情况，讨论有关文件，部署下一步重点工作。中央政治局常委张高丽指出，习近平总书记在高峰论坛期间发表的重要讲话，就推进“一带一路”建设作了全面、系统、深刻的阐释，为深入推进“一带一路”建设指明了方向。各地区各部门要认真学习贯彻习近平总书记重要讲话精神，深刻领会“一带一路”建设的丰富内涵，继承和弘扬丝路精神，推进“一带一路”建设取得新的更大进展。他强调，要抓住机遇、正确把握，以建设和平、繁荣、开放、创新、文明之路为前进方向，扎实做好推进“一带一路”建设各项工作。要加强同沿线国家的发展战略对接，全面提高我国境外安全保障能力，营造共建共享的安全格局，打造和平丝绸之路。要聚焦发展这个根本，继续把互联互通和产业合作作为“一带一路”建设合作的重点领域，打造繁荣丝绸之路。要坚定不移维护多边贸易体制，深化投资合作，促进贸易和投资便利化，打造开放丝绸之路。要坚持创新驱动发展，加强互联网、大数据、云计算、数字经济、人工智能、纳米技术等领域合作，积极开展环境保护、生态修复、循环经济等领域合作，打造创新丝绸之路。要加强多层次、宽领域的人文交流合作，搭建更多合作平台，开辟更多合作渠道，打造文明丝绸之路。他表示，要全力以赴抓好高峰论坛成果的落实，着眼于重点方向、重点国家、重点项目，聚焦“五通”，力争早日收获更多新成果。要认真总结此次论坛成功举办的宝贵经验，建立完善机制，使论坛成为共商合作大计、共建合作平台、共享合作成果的重要载体。要强化对企业“走出去”的指导监管，严格规范企业“走出去”投资经营行为，加强重大投资安全风险防范。要创新国际化的投融资模式，打造多层次金融平台，努力构建服务“一带一路”建设的稳定、可持续、风险可控的金融支持体系。要加强智库建设和重大问题前瞻性研究，为“一带一路”建设提供有价值的咨询服务和决策支持。要强化舆论宣传工作，夯实“一带一路”建设的社会民意基础。推进“一带一路”建设工作领导小组成员和有关部门负责同志参加了会议。这种务实高效的工作会议，有力推动了“一带一路”建设。

第二节　构建面向全球的自由贸易区网络

自由贸易区是指签订自由贸易协定的成员国相互彻底取消商品贸易中的关税和数量限制，使商品在各成员国之间可以自由流动的一片区域。实施自由贸易区战略，可以大大降低成员国之间的物流成本，有利于贸易更加通畅。世界上很多国家都非常重视降低贸易成本，对自由贸易区建设都很重视。加快实施自由贸易区战略，是我国新一轮对外开放的重要内容。党的十七大把自由贸易区建设上升为国家战略，党的十八大着眼于全面建成小康社会的艰巨任务，提出要深化改革、继续开放，提出加快实施自由贸易区战略。

2014 年 12 月 5 日，十八届中央政治局就加快自由贸易区建设进行第十九次集体学习。习近平总书记在主持学习时围绕加快自由贸易区建设发表了讲话。党的十八届三中全会提出要以周边为基础加快实施自由贸易区战略，形成面向全球的高标准自由贸易区网络。这次中央政治局集体学习安排这个内容，目的是分析我们加快实施自由贸易区战略面临的国内外环境，探讨我国加快实施这个战略的思路。习近平总书记指出，要准确把握经济全球化新趋势和我国对外开放新要求。改革开放是我国经济社会发展的动力。不断扩大对外开放、提高对外开放水平，以开放促改革、促发展，是我国发展不断取得新成就的重要法宝。开放带来进步，封闭导致落后，这已为世界和我国发展实践所证明。党的十八大以来，我们乘势而上，加快构建开放型经济新体制，更高水平的开放格局正在形成。习近平总书记指出，多边贸易体制和区域贸易安排一直是驱动经济全球化向前发展的两个轮子。现在，全球贸易体系正经历自 1994 年乌拉圭回合谈判以来最大的一轮重构。我国是经济全球化的积极参与者和坚定支持者，也是重要建设者和主要受益者。我国经济发展进入新常态，妥善应对我国经济社会发展中面临的困难和挑战，更加需要扩大对外开放。“机者如神，难遇易失。”我们必须审时度势，努力在经济全球化中抢占先机、赢得主动。

加快实施自由贸易区战略，是适应经济全球化新趋势的客观要求，是全面深化改革、构建开放型经济新体制的必然选择，也是我国积极运筹对外关系、实现对外战略目标的重要手段。习近平总书记指出，我们要加快实施自由贸易区战略，发挥自由贸易区对贸易投资的促进作用，更好帮助我国企业开拓国际市场，为我国经济发展注入新动力、增添新活力、拓展新空间。加快实施自由贸易区战略，是我国积极参与国际经贸规则制定、争取全球经济治理制度性权力的重要平台，我们不能当旁观者、跟随者，而是要做参与者、引领者，善于通过自由贸易区建设增强我国国际竞争力，在国际规则制定中发出更多中国声音、注入更多中国元素，维护和拓展我国发展利益。同时，加快实施自由贸易区战略是一项复杂的系统工程。要加强顶层设计、谋划大棋局，既要谋子，更要谋势，逐步构筑起立足周边、辐射“一带一路”、面向全球的自由贸易区网络，积极同“一带一路”沿线国家和地区商建自由贸易区，使我国与沿线国家合作更加紧密、往来更加便利、利益更加融合。要努力扩大数量，更要讲质量，大胆探索、与时俱进，积极扩大服务业开放，加快新议题谈判。要坚持底线思维、注重防风险，做好风险评估，努力排除风险因素，加强先行先试、科学求证，加快建立健全综合监管体系，提高监管能力，筑牢安全网。要继续练好内功、办好自己的事，加快市场化改革，营造法治化营商环境，加快经济结构调整，推动产业优化升级，支持企业做大做强，提高国际竞争力和抗风险能力。

还要建立公平开放透明的市场规则，提高我国服务业国际竞争力。要坚持“引进来”和“走出去”相结合，完善对外投资体制和政策，激发企业对外投资潜力，勇于并善于在全球范围内配置资源、开拓市场。要加快从贸易大国走向贸易强国，巩固外贸传统优势，培育竞争新优势，拓展外贸发展空间，积极扩大进口。要树立战略思维和全球视野，站在国内国际两个大局相互联系的高度，审视我国和世界的发展，把我国对外开放事业不断推向前进。[①]

2015 年 10 月召开的党的十八届五中全会，审议了“十三五”规划有关重要文件，不仅对全面建成小康社会的新任务进行了部署，还贯彻新发展理念，就开放发展作出部署。全会公报对开放发展予以说明：“坚持开放发展，必须顺应我国经济深度融入世界经济的趋势，奉行互利共赢的开放战略，发展更高层次的开放型经济，积极参与全球经济治理和公共产品供给，提高我国在全球经济治理中的制度性话语权，构建广泛的利益共同体。开创对外开放新局面，必须丰富对外开放内涵，提高对外开放水平，协同推进战略互信、经贸合作、人文交流，努力形成深度融合的互利合作格局。完善对外开放战略布局，推进双向开放，支持沿海地区全面参与全球经济合作和竞争，培育有全球影响力的先进制造基地和经济区，提高边境经济合作区、跨境经济合作区发展水平。形成对外开放新体制，完善法治化、国际化、便利化的营商环境，健全服务贸易促进体系，全面实行准入前国民待遇加负面清单管理制度，有序扩大服务业对外开放。推进‘一带一路’

① 习近平：《习近平谈“一带一路”》，中央文献出版社 2018 年版，第 59—61 页。

建设，推进同有关国家和地区多领域互利共赢的务实合作，推进国际产能和装备制造合作，打造陆海内外联动、东西双向开放的全面开放新格局。深化内地和港澳、大陆和台湾地区合作发展，提升港澳在国家经济发展和对外开放中的地位和功能，支持港澳发展经济、改善民生、推进民主、促进和谐，以互利共赢方式深化两岸经济合作，让更多台湾普通民众、青少年和中小企业受益。积极参与全球经济治理，促进国际经济秩序朝着平等公正、合作共赢的方向发展，加快实施自由贸易区战略。积极承担国际责任和义务，积极参与应对全球气候变化谈判，主动参与二〇三〇年可持续发展议程。”随后通过的“十三五”规划对加快自由贸易区建设作出了更为详尽的部署。

2015年12月，国务院发出《关于加快实施自由贸易区战略的若干意见》（以下简称《意见》），提出了我国加快实施自由贸易区战略的总体要求，提出要进一步优化自由贸易区建设布局和加快建设高水平自由贸易区，并就健全保障体系、完善支持机制以及加强组织实施作出具体部署。《意见》指出，加快实施自由贸易区战略是我国新一轮对外开放的重要内容，要坚持使市场在资源配置中起决定性作用和更好发挥政府作用，坚持统筹考虑和综合运用国际国内两个市场、两种资源，坚持与推进共建“一带一路”和国家对外战略紧密衔接，坚持把握开放主动和维护国家安全，逐步构筑起立足周边、辐射“一带一路”、面向全球的高标准自由贸易区网络。《意见》强调，加快实施自由贸易区战略，要坚持扩大开放、深化改革，全面参与、重点突破，互利共赢、共同发展，科学评估、防控风险的基本原则。《意见》提出，加快建设高水平自贸试验区，要提高货物贸易开放水平，扩大服务业对外开放，放宽投资准入，推进规则谈判，提升贸易便利化水平，推进规制合作，推动自然人移动便利化，加强经济技术合作。

《意见》要求，通过深化自由贸易试验区试点，完善外商投资法律法规，完善事中事后监管的基础性制度，做好贸易救济工作，研究建立贸易调整援助机制等措施，健全加快实施自由贸易区战略的保障体系。通过完善自由贸易区谈判第三方评估制度，加强对已生效自由贸易协定的实施工作，加强对自由贸易区建设的人才支持等措施，完善实施自由贸易区战略的支持机制。

党的十八大后，我国积极实施自由贸易区提升战略，构建面向全球的高标准自由贸易网络。2013 年 4 月 15 日，中国与冰岛签订自由贸易协定。该协定是我国与欧洲国家签署的第一个自由贸易协定，涵盖货物贸易、服务贸易、投资等诸多领域。根据自贸协定规定，冰岛自协定生效之日起，对从中国进口的所有工业品和水产品实施零关税，这些产品占中国向冰岛出口总额的 99.77%；与此同时，中国对从冰岛进口的 7830 个税号产品实施零关税，这些产品占中方自冰岛进口总额的 81.56%，其中包括冰岛盛产的水产品。中冰自贸试验区建成后，双方最终实现零关税的产品，按税目数衡量均接近 96%，按贸易量衡量均接近 100%。此外，双方还就服务贸易作出了高于 WTO 的承诺，并对投资、自然人移动、卫生与植物卫生措施、技术性贸易壁垒、原产地规则、海关程序、竞争政策、知识产权等问题作出了具体规定。显然，这样的协定更有利于双方发挥自身优势，更有利于贸易往来。同年 7 月 6 日，中国与瑞士签订自由贸易协定。

2015 年 6 月 1 日，中国与韩国签订自由贸易协定。据统计，自 1992 年建交以来，中韩双边贸易额以年均 21% 的增速迅猛发展，2014 年已逼近 3000 亿美元。韩国在华设立企业近 6 万家，对华投资累计近 600 亿美元。此时，中国已是韩国最大的贸易伙伴国和最大的海外投资对象国，韩国也成为中国第三大贸易伙伴国和第五大海外投资来源地。由于两国发展阶段及资源、市场、技术、管理等禀赋的差异，中韩处在全球价值链的不同位置，存在较强的经济互补性，双边合作深化空间巨大。中国和韩国作为亚洲的两大重要经济体，两国间的贸易自由化、投资便利化将助推东亚地区的经济一体化进程。可以说，中韩自贸协定对中日韩自贸协定谈判和《区域全面经济伙伴关系协定》、亚太自由贸易区等的建立都产生了影响。中韩自贸协定的签署也是中国自贸战略的重要一步，将有力推动亚太区域的繁荣和发展。2015 年的 6 月 17 日，中国与澳大利亚签订自由贸易协定。

2017 年 5 月 13 日，中国与格鲁吉亚签订自由贸易协定。在党的十九大召开前，中国已经签署并实施了 15 个国家间的自由贸易协定。

在推动国内自由贸易试验区建设方面，2013 年 3 月底，国务院总理李克强在上海调研期间考察了位于浦东的外高桥保税区，并表示鼓励支持上海积极探索，在现有综合保税区基础上，研究如何试点先行在 28.78 平方公里内建立一个自由贸易园区试验区。8 月 17 日，国务院正式批准设立中国（上海）自由贸易试验区。9月 18 日，国务院下达了《关于印发中国（上海）自由贸易试验区总体方案的通知》。9 月 29 日，中国（上海）自由贸易试验区在外高桥正式挂牌成立。这一天，负面清单列出 190 条管理措施，有 36 家中外企业入驻。中国（上海）自由贸易试验区范围涵盖五大片区：保税区片区、陆家嘴片区、金桥片区、张江片区、世博片区，管委会驻浦东新区基隆路 9 号。2013 年 12 月，中央人民银行出台关于金融支持自贸试验区建设的 30 条细则，最为惹眼的两大金融创新业务——集团内跨境双向人民币资金池业务和设立实现分账核算管理业务，相继在 2013 年 12 月和 2014 年 6 月落地，极大满足了自贸试验区内企业的现金管理和跨境投融资需求。

习近平总书记多次把自由贸易试验区比作“试验田”，叮嘱“要播下良种，精心耕作，精心管护，期待有好收成，并且把培育良种的经验推广开来”。2014 年 3 月，习近平总书记在参加上海代表团审议时提出要求，要种苗圃而不是做盆景。5 月，习近平总书记来到外高桥保税区考察，强调要“大胆闯、大胆试、自主改”。考察期间，他仔细询问已经出台的创新举措，特别关注这些举措是否可复制、可推广。来到外高桥综合服务大厅，习近平总书记关注了一项改革，即企业设立从 29 个工作日压缩到 4 个工作日。他一边察看企业证照，一边说：“方便了，效率提高了。”① 在习近平总书记考察过的外高桥综合服务大厅，当年长长的服务柜台已变成开放式

① 《一见 · 这十年，总书记这样引领自贸试验区建设》，人民网 2022 年 4 月 14 日。

工位，企业办事交流“零距离”。敢闯敢试，让深水区改革的方向豁然开朗。商事登记改革不断推进，准入门槛越来越低，注册效率越来越高。美国微软公司与中国企业百视通共同成立的合资公司——上海百家合信息技术发展有限公司是自贸试验区的首家入驻企业。2014 年 5 月 23 日，微软游戏游艺设备（上海）有限公司正式在自贸试验区成立。由于自贸试验区率先将外商投资管理由审批制改为备案制，这两家公司分别用了短短 7 天和 15 天的时间就备案和设立完毕。

2015 年 4 月 22 日，在第十二届全国人民代表大会常务委员会第十四次会议上，国务院副总理汪洋作了《国务院关于自由贸易试验区工作进展情况的报告》（以下简称《报告》），介绍了自由贸易试验区工作进展情况。该《报告》总结了上海自贸试验区的成就，也指出了存在的问题。成就主要有四个方面：一是以负面清单管理为核心的外商投资管理制度基本建立。2013 年制定实施了我国第一份外商投资负面清单，改变了“逐案审批 + 产业指导目录”的传统管理方式。2014 年制定了第二版负面清单，限制类条目从 190 条减少到 139 条。负面清单以外领域的外商投资项目核准和企业合同章程审批改为备案制，90% 以上的外资企业都通过备案设立。区内企业境外投资也改为备案为主的管理。工商、税务、质检等部门协同推动商事登记制度改革，企业登记和准入由“多头受理”改为“一个窗口”集中受理，注册企业时间从原来的 29 个工作日减少为 4 个工作日。截至 2015 年 2 月底，自贸试验区累计新设企业 1.62 万家，超过过去 20 年累计设立的企业总数。

二是以贸易便利化为重点的贸易监管制度有效运行。海关、检验检疫、海事等口岸执法部门创新“一线放开、二线安全高效管住”的监管制度，推出“先入区、后报关”等 60 余项创新举措。实施关检合作“一次申报、一次查验、一次放行”试点；启动国际贸易“单一窗口”试点，建立贸易、运输、加工、仓储等业务的综合管理服务平台。这些创新举措使自贸试验区进口货物平均通关时间比区外缩短 41.3%，出口货物平均通关时间比区外缩短 36.8%。

三是以资本项目可兑换和金融服务业开放为目标的金融制度创新有序推进。为配合上海国际金融中心建设，“一行三会”在自贸试验区内推出51项创新举措，主要在资本项目可兑换、人民币跨境使用、小额外币存款利率市场化、外汇管理改革四个方面先行先试。截至2015年2月底，已有17家银行接入自由贸易账户信息监测管理系统，开立10980个自由贸易账户，账户收支总额204.8亿元人民币。同时，通过建立监管协调、跨境资金流动监测、“反洗钱、反恐怖融资、反逃税”等监管机制，完善金融监管和防范风险机制，有效管控了金融风险。

四是以政府职能转变为核心的事中事后监管制度初步形成。加强对市场主体“宽进”后的过程监督和后续管理，打造“放得开、管得住”的监管格局。着力加强社会信用体系、信息共享和综合执法、企业年报公示和经营异常名录、社会力量参与市场监督、安全审查、反垄断审查等基础性监管制度建设。这为全面推进政府职能转变积累了经验，也为进一步扩大开放打下了基础。

《报告》指出，2014年9月，商务部和上海市会同有关部门，对自贸试验区一年来的运行情况进行了评估，广泛听取第三方机构、市场主体、社会公众的意见。各方对自贸试验区建设取得的成绩给予高度评价，同时也指出了存在的问题和不足。一是自贸试验区范围小制约试验效果。严格来说，上海自贸试验区只有28.78平方公里，而且局限于海关特殊监管区域内，工业企业很少，也没有居民，部分开放措施没有对象，试点效果打了折扣。二是改革举措推进的协同性不够。许多改革举措涉及多个部门，尽管各部门改革积极性都很高，但不同部门改革的重点、次序、节奏不一致，容易出现改革措施不统一、不配套、不协调的问题。三是对外开放的力度有待加强。中国（上海）自贸试验区2013年、2014年两版负面清单公布后，有关方面评价清单偏长，开放度不够，离十八届三中全会的要求还有一定差距。四是事中事后监管体系仍需探索。目前只是建立了监管的基本框架，各项法规、政策、技术手段、执法队伍都还不能完全跟上，操作性有待增强。受自贸试验区地域小、产业单一等因素影响，现有监管体系尚未经受真正考验。

关于试点期间取得的经验推广方面，《报告》也进行了介绍。《报告》指出，上海自贸试验区的试点经验复制推广工作分两个步骤：第一步是在上海自贸试验区运行一周年之前，有关部门对看得准、效果好的试点事项，陆续在全国或部分地区复制推广，共有 27 项。其中，涉及投资管理体制改革共 13 项，包括注册资本认缴制、境外投资项目备案管理制度、企业年报公示制度、经营异常名录制度等；涉及贸易便利化改革共 10 项，包括“先进区、后报关”、保税展示交易、集中汇总纳税等；涉及金融改革开放举措共 4 项，包括取消境外融资租赁债权审批、取消对外担保行政审批等。

第二步是在上海自贸试验区运行一周年后，上海市和国务院有关部门进行了全面的总结评估，在此基础上党中央、国务院统一作出复制推广的部署。在全国范围内复制推广的改革事项有 28 项，涉及五个方面：一是投资管理领域，包括税务登记号码网上自动赋码、组织机构代码实时赋码、企业设立实行“单一窗口”等 9 项；二是贸易便利化领域，包括检验检疫通关无纸化、第三方检验结果采信等 5 项；三是金融领域，包括个人其他经常项下人民币结算业务、外商投资企业外汇资本金意愿结汇等 4 项；四是服务业领域，包括允许设立股份制外资投资性公司、允许内外资企业从事游戏游艺设备生产和销售等 5 项；五是事中事后监管方面，包括社会信用体系、信息共享和综合执法制度、社会力量参与市场监督制度等 5 项。在全国其他海关特殊监管区域复制推广的改革事项共 6 项，包括期货保税交割海关监管制度、融资租赁海关监管制度、进口货物预检验等。

随着我国自由贸易试验区政策的日趋成熟、完善，自贸试验区范围也不断扩大。2014 年 12 月 12 日召开的国务院常务会议指出，党中央、国务院已决定在更大范围推开（上海）自由贸易试验区建设经验，推动实施新一轮高水平对外开放。具体要求包括：一是深化上海自贸试验区改革开放，进一步压缩负面清单，在服务业和先进制造业等领域再推出一批扩大开放举措，并将部分开放措施辐射到浦东新区。二是除涉及法律修订等事项外，在全国推广包括投资、贸易、金融、服务业开放和事中事后监管等方面的28项改革试点经验，在全国其他海关特殊监管区域推广6项海关监管和检验检疫制度创新措施。三是依托现有新区、园区，在广东、天津、福建特定区域再设三个自由贸易园区，以上海自贸试验区试点内容为主体，结合地方特点，充实新的试点内容。2015年4月8日，国务院正式印发广东、天津、福建自贸试验区总体方案和进一步深化上海自贸试验区改革开放方案，明确了指导思想、战略定位、总体目标、实施范围、主要任务和措施。4月20日，国务院新闻办公室举行自由贸易试验区有关情况新闻发布会。商务部负责人在介绍相关情况时表示，为了进一步深化上海自贸试验区改革开放的试点，同时为了与上海自贸试验区形成对比试验、互补试验，通过试验的多样性验证制度创新，以及措施复制推广的可行性，来建设更多改革开放的试验田，党中央、国务院决定要进一步扩展上海自贸试验区的范围，并且在广东、天津、福建再新设3个自贸试验区。根据党中央、国务院的部署，商务部、4省市人民政府会同有关部门已经制定了4个自贸试验区的方案。其中，中国（福建）自由贸易试验区实施范围118.04平方公里，包含福州片区、厦门片区和平潭片区3个片区。2015年4月21日，中国（福建）自由贸易试验区挂牌仪式在福州举行，这标志着福建自贸试验区正式启动建设。其中福州片区的战略定位是，围绕立足两岸、服务全国、面向世界的战略要求，重点建设先进制造业基地、21世纪海上丝绸之路建设重要平台以及两岸服务贸易合作和金融创新合作示范区。

为推动自贸试验区健康发展，国务院还建立了由30个中央部门组成的自贸试验区工作部际联席会议制度，协调解决自贸试验区建设中跨部门、跨地区的重大问题。一方面抓好纵向协调。引导4个自贸试验区协同发展，鼓励制度创新，不搞政策攀比，形成各具特色的改革开放高地。广东自贸试验区突出促进内地与港澳经济深度合作；天津自贸试验区突出推动京津冀协同发展；福建自贸试验区突出深化两岸经济合作；上海自贸试验区要进一步深挖改革潜力，拓宽改革领域，争当投资贸易便利、货币兑换自由、监管高效便捷、法治环境规范等方面的“领头羊”。另一方面抓好横向协调。针对各部门有些改革不同步、相关政策不一致、推进工作不协同等问题加强督促检查，避免出现工作措施落不了地的情况。认真研究试验过程中遇到的新情况、新问题，及时调整试点内容和政策措施。

2017 年 3 月，国务院决定在辽宁、浙江、河南、湖北、重庆、四川、陕西新设 7 个自由贸易试验区，并分别印发各个自贸试验区的总体方案。建立这 7 个自由贸易试验区，是党中央、国务院作出的重大决策，是新形势下全面深化改革和扩大开放的一项战略举措，对加快政府职能转变、积极探索管理模式创新、促进贸易投资便利化、深化金融开放创新，为全面深化改革和扩大开放探索新途径、积累新经验，具有重要意义。印发的总体方案中提出，自贸试验区要当好改革开放排头兵、创新发展先行者，以制度创新为核心，以可复制、可推广为基本要求，在构建开放型经济新体制、内陆开放型经济发展新模式和建设法治化、国际化、便利化营商环境等方面，率先挖掘改革潜力，破解改革难题。要着力深化行政管理体制改革，提高行政管理效能，提升事中事后监管能力和水平，进一步推进简政放权、放管结合、优化服务改革。要推动西部开发、东北振兴、中部崛起和长江经济带发展等国家战略的贯彻实施。总体方案强调，要坚决贯彻党中央、国务院部署，坚持稳中求进工作总基调，进一步解放思想、改革创新、大胆实践、积极探索、统筹谋划、加强协调，支持自贸试验区先行先试。要提高对办好自贸试验区工作的认识，加强组织领导，明确责任主体，精心组织好总体方案实施工作，抓好改革措施的落实，有效防控各类风险。国务院自由贸易试验区工作部际联席会议办公室、7 省市人民政府、有关部门要创新思路、寻找规律、解决问题、积累经验；要充分发挥积极性，因地制宜、突出特色，做好对比试验和互补试验；要及时总结评估试点任务实施效果，加强试点经验系统集成，持续形成可复制、可推广的改革经验，充分发挥示范带动、服务全国的积极作用。至此，全国已经有 11 个自贸试验区。这些自贸试验区发挥各自优势，在改革开放大潮中奋力搏击，推动着中国事业不断向前发展。

第三节 对外开放的大门越开越大

党的十八大以来，我国全方位对外开放格局基本形成，开放型经济新体制逐步健全，对外贸易、对外投资等稳居世界前列。

一是促进服务贸易开放。中国服务业对外开放不断深化。从2014年起，我国服务贸易进出口总额位居世界第二。服务贸易结构也由传统的旅游、运输和建筑转向信息服务、金融、文化等新兴领域。二是促进贸易投资自由化、便利化。贸易便利化改革深入发展，推广国际贸易“单一窗口”，加快推进通关一体化改革，扩大市场准入。三是促进沿海、内陆和沿边地区平衡发展。在巩固东部地区开放先导地位的同时，提高中西部和东北地区开放水平，陆海内外联动、东西双向互济的开放格局正在形成。四是营造市场化、法治化、国际化一流营商环境。主动对接国际高标准经贸规则，实施更多扩大开放的举措。同时，加大反垄断监管力度，实施公平竞争审查制度，采取积极举措防止资本无序扩张，推动形成统一开放、竞争有序的市场体系。五是促进政府管理方式的转变。积极进行政府机构改革和职能转变，“放管服”改革成效明显。稳步扩大规则、规制、管理、标准等制度型开放，更高水平的开放型经济新体制正在形成。①

外贸发展成绩斐然，贸易规模呈现快速增长。2013年，中国的货物进出口总额首次超过美国，成为世界第一货物贸易大国。中国实际利用外资和对外直接投资均取得了长足发展。2015年，对外直接投资规模首次超过同期吸收外资规模，我国引进外资和对外投资发展更趋协调。

人民币国际化是中国对外开放的重要内容。2016年10月1日，人民币正式加入国际货币基金组织特别提款权（SDR）货币篮子，成为由美元、欧元、英镑、日元等发达经济体货币组成的储备货币“精英俱乐部”的一员。这是人民币国际化的一个重要里程碑，标志着人民币国际化进入了一个历

① 洪俊杰：《坚定不移推进高水平对外开放》，《经济日报》2022年11月22日。

史性全新发展阶段。SDR 是国际货币基金组织创设的一种补充性储备资产，与黄金、外汇等其他储备资产一起构成国际储备。SDR 可用于弥补成员国官方储备不足，也可用于政府间结算，或向其他成员国换取外汇，弥补国际收支逆差，偿还向国际货币基金组织借的贷款和利息。人民币加入 SDR 后，国际货币基金组织的 188 个成员国可以持有人民币资产以满足国际收支融资需求，即人民币计价的对外资产正式成为国际储备。SDR 货币篮子在过去 30 多年中首次正式扩容，既反映了国际货币体系改革的客观需要，也体现了中国在世界经济舞台中的实际地位。[①] 二十国集团杭州峰会核准的《二十国集团迈向更稳定、更有韧性的国际金融架构的议程》明确提出，一个稳定、有韧性的国际金融架构对于促进强劲、可持续、平衡增长以及金融稳定至关重要，欢迎人民币被纳入 SDR 货币篮子。人民币加入国际货币"精英俱乐部"，有利于中国在全球金融体系中扮演与其经济实力相称的重要角色。

① 《人民币"入篮"为国际货币体系添活力》，《人民日报》2016 年 10 月 5 日。

第五章

党的十九大与全面深化改革向纵深推进

在全面建成小康社会决胜阶段、中国特色社会主义进入新时代的关键时期召开的党的十九大明确提出并系统论述了习近平新时代中国特色社会主义思想，对全面深化改革开放作出部署。党的十九大后，新一轮党和国家机构改革顺利推进，中国特色社会主义制度不断完善，全面深化改革不断向纵深推进。

第一节　党的十九大与全面深化改革

2017 年 10 月 18 日至 24 日，党的十九大在北京召开。这次大会的主题是：不忘初心，牢记使命，高举中国特色社会主义伟大旗帜，决胜全面建成小康社会，夺取新时代中国特色社会主义伟大胜利，为实现中华民族伟大复兴的中国梦不懈奋斗。这次党代会是在全面建成小康社会决胜阶段、中国特色社会主义发展关键时期召开的一次十分重要的大会。承担着谋划决胜全面建成小康社会、深入推进社会主义现代化建设的重大任务，事关党和国家事业继往开来，事关中国特色社会主义前途命运，事关最广大人民根本利益。10 月 18 日，习近平总书记代表第十八届中央委员会向大会作了题为《决胜全面建成小康社会　夺取新时代中国特色社会主义伟大胜利》的报告。10 月 24 日，党的十九大在选举产生新一届中央委员会和中央纪律检查委员会，通过关于十八届中央委员会报告的决议、关于十八届中央纪律检查委员会工作报告的决议、关于《中国共产党章程（修正案）》的决议后，在人民大会堂胜利闭幕。

大会批准习近平同志代表十八届中央委员会所作的报告。大会高举中国特色社会主义伟大旗帜，以马克思列宁主义、毛泽东思想、邓小平理论、“三个代表”重要思想、科学发展观、习近平新时代中国特色社会主义思想为指导，分析了国际国内形势发展变化，回顾和总结了过去五年的工作和历史性变革，作出了中国特色社会主义进入新时代、我国社会主要矛盾已经转化为人民日益增长的美好生活需要和不平衡不充分的发展之间的矛盾等重大政治论断，深刻阐述了新时代中国共产党的历史使命，确立了习近平新时代中国特色社会主义思想的历史地位，提出了新时代坚持和发展中国特色社会主义的基本方略，确定了决胜全面建成小康社会、开启全面建设社会主义现代化国家新征程的目标，对新时代推进中国特色社会主义伟大事业和党的建设新的伟大工程作出了全面部署。大会通过的十八届中央委员会的报告，描绘了决胜全面建成小康社会、夺取新时代中国特色社会主义伟大胜利的宏伟蓝图，进一步指明了党和国家事业的前进方向，是全党全国各族人民智慧的结晶，是我们党团结带领全国各族人民在新时代坚持和发展中国特色社会主义的政治宣言和行动纲领，是马克思主义的纲领性文献。

高度评价十八届中央委员会的工作。大会报告指出，党的十八大以来的 5 年，是党和国家发展进程中极不平凡的 5 年，改革开放和社会主义现代化建设取得了历史性成就。5 年来，以习近平同志为核心的党中央以巨大的政治勇气和强烈的责任担当，提出一系列新理念新思想新战略，出台一系列重大方针政策，推出一系列重大举措，推进一系列重大工作，解决了许多长期想解决而没有解决的难题，办成了许多过去想办而没有办成的大事，推动党和国家事业发生历史性变革。5 年来的成就是全方位的、开创性的，5 年来的变革是深层次的、根本性的。

明确了新的历史方位。大会报告强调，经过长期努力，中国特色社会主义进入了新时代，这是我国发展新的历史方位。中国特色社会主义进入新时代，我国社会主要矛盾已经转化为人民日益增长的美好生活需要和不平衡不充分的发展之间的矛盾。我国社会主要矛盾的变化是关系全局的历史性变化，对党和国家工作提出了许多新要求。我们要在继续推动发展的基础上，着力解决好发展不平衡不充分问题，大力提升发展质量和效益，更好满足人民在经济、政治、文化、社会、生态等方面日益增长的需要，更好推动人的全面发展、社会全面进步。

总结了新时代党的创新理论。围绕回答新时代坚持和发展什么样的中国特色社会主义、怎样坚持和发展中国特色社会主义这个重大时代课题，我们党以全新的视野深化对共产党执政规律、社会主义建设规律、人类社会发展规律的认识，进行艰辛理论探索，取得重大理论创新成果，创立了习近平新时代中国特色社会主义思想。这一思想的核心要义是“八个明确”，即明确坚持和发展中国特色社会主义，总任务是实现社会主义现代化和中华民族伟大复兴，在全面建成小康社会的基础上，分两步走在本世纪中叶建成富强民主文明和谐美丽的社会主义现代化强国；明确新时代我国社会主要矛盾是人民日益增长的美好生活需要和不平衡不充分的发展之间的矛盾，必须坚持以人民为中心的发展思想，不断促进人的全面发展、全体人民共同富裕；明确中国特色社会主义事业总体布局是“五位一体”、战略布局是“四个全面”，强调坚定道路自信、理论自信、制度自信、文化自信；明确全面深化改革总目标是完善和发展中国特色社会主义制度、推进国家治理体系和治理能力现代化；明确全面推进依法治国总目标是建设中国特色社会主义法治体系、建设社会主义法治国家；明确党在新时代的强军目标是建设一支听党指挥、能打胜仗、作风优良的人民军队，把人民军队建设成为世界一流军队；明确中国特色大国外交要推动构建新型国际关系，推动构建人类命运共同体；明确中国特色社会主义最本质的特征是中国共产党领导，中国特色社会主义制度的最大优势是中国共产党领导，党是最高政治领导力量，提出新时代党的建设总要求，突出政治建设在党的建设中的重要地位。习近平新时代中国特色社会主义思想，是对马克思列宁主义、毛泽东思想、邓小平理论、“三个代表”重要思想、科学发展观的继承和发展，是马克思主义中国化最新成果，是党和人民实践经验和集体智慧的结晶，是中国特色社会主义理论体系的重要组成部分，是全党全国人民为实现中华民族伟大复兴而奋斗的行动指南，必须长期坚持并不断发展。提出了基本方略，即坚持党对一切工作的领导，坚持以人民为中心，坚持全面深化改革，坚持新发展理念，坚持人民当家作主，坚持全面依法治国，坚持社会主义核心价值体系，坚持在发展中保障和改善民生，坚持人与自然和谐共生，坚持总体国家安全观，坚持党对人民军队的绝对领导，坚持“一国两制”和推进祖国统一，坚持推动构建人类命运共同体，坚持全面从严治党。这十四条构成了新时代坚持和发展中国特色社会主义的基本方略。全党同志必须全面贯彻党的基本理论、基本路线、基本方略，更好引领党和人民事业发展。

对决胜小康作出部署。大会指出，从现在到2020年，是全面建成小康社会决胜期。要按照党的十六大、十七大、十八大提出的全面建成小康社会各项要求，突出抓重点、补短板、强弱项，特别是要坚决打好防范化解重大风险、精准脱贫、污染防治的攻坚战，使全面建成小康社会得到人民认可、经得起历史检验。

作出两个阶段的安排。大会认为，从党的十九大到二十大，是"两个一百年"奋斗目标的历史交汇期。我们既要全面建成小康社会、实现第一个百年奋斗目标，又要乘势而上开启全面建设社会主义现代化国家新征程，向第二个百年奋斗目标进军。综合分析国际国内形势和我国发展条件，从2020年到本世纪中叶可以分两个阶段来安排。第一个阶段，从2020年到2035年，在全面建成小康社会的基础上，再奋斗15年，基本实现社会主义现代化。第二个阶段，从2035年到本世纪中叶，在基本实现现代化的基础上，再奋斗15年，把我国建成富强民主文明和谐美丽的社会主义现代化强国。

就我国社会主义经济建设、政治建设、文化建设、社会建设、生态文明建设作出部署。大会强调，要贯彻新发展理念、建设现代化经济体系；要健全人民当家作主制度体系、发展社会主义民主政治；要坚定文化自信、推动社会主义文化繁荣兴盛；要提高保障和改善民生水平、加强和创新社会治理；要加快生态文明体制改革、建设美丽中国。

对国防军队建设、祖国统一大业和外交工作作出安排。大会强调，必须坚持走中国特色强军之路，全面贯彻习近平强军思想，把人民军队建设成为世界一流军队。大会强调，保持香港、澳门长期繁荣稳定，必须全面准确贯彻"一国两制"、"港人治港"、"澳人治澳"、高度自治的方针。必须继续坚持"和平统一、一国两制"方针，扩大两岸经济文化交流合作，推动两岸同胞共同弘扬中华文化，推动两岸关系和平发展，推进祖国和平统一进程。大会强调中国将坚持和平发展道路，高举和平、发展、合作、共赢的旗帜，推动建设相互尊重、公平正义、合作共赢的新型国际关系，推动构建人类命运共同体。

对党的领导和党的建设作出部署。打铁必须自身硬。大会强调，党要团结带领人民进行伟大斗争、推进伟大事业、实现伟大梦想，必须毫不动摇坚持和完善党的领导，毫不动摇把党建设得更加坚强有力。第一次提出新时代党的建设总要求是：坚持和加强党的全面领导，坚持党要管党、全面从严治党，以加强党的长期执政能力建设、先进性和纯洁性建设为主线，以党的政治建设为统领，以坚定理想信念宗旨为根基，以调动全党积极性、主动性、创造性为着力点，全面推进党的政治建设、思想建设、组织建设、作风建设、纪律建设，把制度建设贯穿其中，深入推进反腐败斗争，不断提高党的建设质量，把党建设成为始终走在时代前列、人民衷心拥护、勇于自我革命、经得起各种风浪考验、朝气蓬勃的马克思主义执政党。要把党的政治建设摆在首位。全党必须增强政治意识、大局意识、核心意识、看齐意识，坚持党中央权威和集中统一领导，坚定执行党的政治路线，严格遵守政治纪律和政治规矩，在政治立场、政治方向、政治原则、政治道路上同党中央保持高度一致。

大会不仅全面总结改革开放成就，把坚持全面深化改革作为党的基本方略之一，还从经济社会发展方方面面作出部署，为全面深化改革向纵深推进明确了路径和方向。大会总结过去 5 年工作时单列一条全面深化改革的成就，作出“全面深化改革取得重大突破”的高度评价。大会报告指出，5 年来，“蹄疾步稳推进全面深化改革，坚决破除各方面体制机制弊端。改革全面发力、多点突破、纵深推进，着力增强改革系统性、整体性、协同性，压茬拓展改革广度和深度，推出一千五百多项改革举措，重要领域和关键环节改革取得突破性进展，主要领域改革主体框架基本确立。中国特色社会主义制度更加完善，国家治理体系和治理能力现代化水平明显提高，全社会发展活力和创新活力明显增强”[①]。这段话虽然不长，但却高度概括了党的十八大以来全面深化改革取得的巨大进展。

大会报告提出新时代坚持和发展中国特色社会主义的基本方略，把“坚持全面深化改革”纳入“十四个坚持”，列在坚持党对一切工作的领导、坚持以人民为中心这两条之后，使其成为第三条基本方略，足见全面深化改革在习近平新时代中国特色社会主义思想中的重要地位。这条基本方略的主要内容是：“只有社会主义才能救中国，只有改革开放才能发展中国、发展社会主义、发展马克思主义。必须坚持和完善中国特色社会主义制度，不断推进国家治理体系和治理能力现代化，坚决破除一切不合时宜的思想观念和体制机制弊端，突破利益固化的藩篱，吸收人类文明有益成果，构建系统完备、科学规范、运行有效的制度体系，充分发挥我国社会主义制度优越性。”[②]这段话强调了改革开放的极端重要性，明确了制度建设是全面深化改革的主轴，指出了把全面深化改革向纵深推进的目标，为党的十九大后的全面深化改革指明了方向。

大会还部署了经济社会各个领域的改革举措。在经济建设方面，强调要深化供给侧结构性改革、加快完善社会主义市场经济体制。关于深化供给侧结构性改革，报告指出，建设现代化经济体系，必须把发展经济的着力点放在实体经济上，把提高供给体系质量作为主攻方向，显著增强我国经济质量优势。加快建设制造强国，加快发展先进制造业，推动互联网、大数据、人工智能和实体经济深度融合，在中高端消费、创新引领、绿色低碳、共享经济、现代供应链、人力资本服务等领域培育新增长点、形成新动能。支持传统产业优化升级，加快发展现代服务业，瞄准国际标准提高水平。促进我国产业迈向全球价值链中高端，培育若干世界级先进制造业集群。加强水利、铁路、公路、水运、航空、管道、电网、信息、物流

---

① 习近平：《决胜全面建成小康社会　夺取新时代中国特色社会主义伟大胜利——在中国共产党第十九次全国代表大会上的报告》（2017 年 10 月 18 日），人民出版社 2017 年版，第 3—4 页。

② 习近平：《决胜全面建成小康社会　夺取新时代中国特色社会主义伟大胜利——在中国共产党第十九次全国代表大会上的报告》（2017 年 10 月 18 日），人民出版社 2017 年版，第 21 页。

等基础设施网络建设。坚持去产能、去库存、去杠杆、降成本、补短板，优化存量资源配置，扩大优质增量供给，实现供需动态平衡。激发和保护企业家精神，鼓励更多社会主体投身创新创业。建设知识型、技能型、创新型劳动者大军，弘扬劳模精神和工匠精神，营造劳动光荣的社会风尚和精益求精的敬业风气。关于完善社会主义市场经济体制，报告指出，经济体制改革必须以完善产权制度和要素市场化配置为重点，实现产权有效激励、要素自由流动、价格反应灵活、竞争公平有序、企业优胜劣汰。要完善各类国有资产管理体制，改革国有资本授权经营体制，加快国有经济布局优化、结构调整、战略性重组，促进国有资产保值增值，推动国有资本做强做优做大，有效防止国有资产流失。深化国有企业改革，发展混合所有制经济，培育具有全球竞争力的世界一流企业。全面实施市场准入负面清单制度，清理废除妨碍统一市场和公平竞争的各种规定和做法，支持民营企业发展，激发各类市场主体活力。深化商事制度改革，打破行政性垄断，防止市场垄断，加快要素价格市场化改革，放宽服务业准入限制，完善市场监管体制。创新和完善宏观调控，发挥国家发展规划的战略导向作用，健全财政、货币、产业、区域等经济政策协调机制。完善促进消费的体制机制，增强消费对经济发展的基础性作用。深化投融资体制改革，发挥投资对优化供给结构的关键性作用。加快建立现代财政制度，建立权责清晰、财力协调、区域均衡的中央和地方财政关系。建立全面规范透明、标准科学、约束有力的预算制度，全面实施绩效管理。深化税收制度改革，健全地方税体系。深化金融体制改革，增强金融服务实体经济能力，提高直接融资比重，促进多层次资本市场健康发展。健全货币政策和宏观审慎政策双支柱调控框架，深化利率和汇率市场化改革。健全金融监管体系，守住不发生系统性金融风险的底线。

在政治建设领域，强调要深化机构和行政体制改革。报告指出，统筹考虑各类机构设置，科学配置党政部门及内设机构权力、明确职责。统筹使用各类编制资源，形成科学合理的管理体制，完善国家机构组织法。转变政府职能，深化简政放权，创新监管方式，增强政府公信力和执行力，建设人民满意的服务型政府。赋予省级及以下政府更多自主权。在省市县对职能相近的党政机关探索合并设立或合署办公。深化事业单位改革，强化公益属性，推进政事分开、事企分开、管办分离。

在文化建设领域，强调要深化文化体制改革，完善文化管理体制，加快构建把社会效益放在首位、社会效益和经济效益相统一的体制机制；指出要健全现代文化产业体系和市场体系，创新生产经营机制，完善文化经济政策，培育新型文化业态。

在社会建设领域，强调要完善职业教育和培训体系，深化产教融合、校企合作；强调要破除妨碍劳动力、人才社会性流动的体制机制弊端，完善政府、工会、企业共同参与的协商协调机制，完善按要素分配的体制机制；强调完善城镇职工基本养老保险和城乡居民基本养老保险制度，完善统一的城乡居民基本医疗保险制度和大病保险制度，完善失业、工伤保险制度，完善最低生活保障制度，完善社会救助、社会福利、慈善事业、优抚安置等制度，加快建立多主体供给、多渠道保障、租购并举的住房制度；强调深化医药卫生体制改革，全面建立中国特色基本医疗卫生制度、医疗保障制度和优质高效的医疗卫生服务体系，健全现代医院管理制度；强调加强社会治理制度建设，完善党委领导、政府负责、社会协同、公众参与、法治保障的社会治理体制，提高社会治理社会化、法治化、智能化、专业化水平。

在生态文明建设方面，强调加快生态文明体制改革，改革生态环境监管体制，建设美丽中国。在国防和军队建设方面，强调继续深化国防和军队改革，深化军官职业化制度、文职人员制度等重大政策制度改革，推进军事管理革命，完善和发展中国特色社会主义军事制度；强调深化国防科技工业改革，完善国防动员体系，深化武警部队改革，建设现代化武装警察部队。

大会报告在党的建设领域等方面也作出了改革的部署和安排。这次大会充满了改革开放的精神，是一个具有浓重改革开放意识的大会。

党的十九大以后，我们修改宪法、积极推进党和国家机构改革、就坚持和完善中国特色社会主义制度等作出部署安排，同时经济社会各领域的改革也得以继续推进。

第二节　推进党和国家机构改革

党的十八大以来，党中央提出了“五位一体”总体布局和“四个全面”战略布局，并根据新形势新任务的要求不断全面深化改革。我们出台的很多改革方案，如党的领导体制改革、纪律检查制度改革、政治体制改革、法律制度改革、司法体制改革、社会治理体制改革、生态文明体制改革等，都涉及党和国家机构改革。特别是我们对党中央机构作了调整。比如，设立中央全面深化改革领导小组、中央国家安全委员会、中央网络安全和信息化领导小组、中央军民融合发展委员会，健全巡视工作机构，实行派驻纪检机构全覆盖，撤销中央外宣办，等等。[①]一方面，通过全面深化改革，我们已经在加强党的领导、推进依法治国、理顺政府和市场关系、健全国家治理体系、提高治理能力等方面及若干重要领域和关键环节取得重大突破。另一方面，我们也要看到，党和国家机构职能中存在的一些深层次体制难题还没有解决；一些问题反映比较强烈、看得也比较清楚，但由于方方面面原因难以下决断；还有一些问题，由于以往主要是调整政府机构，受改革范围限制还没有涉及。随着全面深化改革不断推进，又出现一些新情况新问题，各方面对机构改革提出了不少意见和建议，对深化党和国家机构改革呼声很高。

基于此，2015 年习近平总书记就要求中央全面深化改革领导小组对深

① 习近平：《习近平著作选读》第二卷，人民出版社 2023 年版，第 29—130 页。

化党和国家机构改革进行调研。2017 年 7 月，习近平总书记就深化党和国家机构改革作出指示，强调随着全面深化改革不断推进，深化党和国家机构改革工作需要提上议事日程；这次机构改革，党政军群等方面要统筹考虑，可由中央全面深化改革领导小组牵头进行研究；首先应该进行深入调查，坚持问题导向，把各地区各部门各方面对机构改革的意见摸清楚，把机构设置存在的问题弄清楚，在此基础上科学拟定方案。

2017 年 10 月召开的党的十九大对深化机构改革作出重要部署，要求统筹考虑各类机构设置，科学配置党政部门及内设机构权力、明确职责。党的十九大闭幕后，基于在全面深化改革进程中抓住有利时机、解决党和国家机构设置和职能配置中存在的突出矛盾和问题的决心，中央政治局常委会、中央政治局决定，党的十九届三中全会专题研究深化党和国家机构改革问题，并决定成立文件起草组，习近平总书记担任组长。

为起草好改革文件，2017 年下半年以来，中央改革办、中央编办开展了调研论证，组成 10 个调研组，分赴 31 个省区市、71 个中央和国家机关部门，当面听取了 139 位省部级主要负责同志的意见和建议；共向 657 个市县的 1197 位党委和政府主要负责同志个人发放了调研问卷，31 个省区市的改革办、编办都提交了深化地方机构改革调研报告。归纳调研成果，各方面认为，现行机构设置同国家治理体系和治理能力现代化的要求相比还有许多不适应的地方，“五位一体”总体布局、“四个全面”战略布局在机构设置上还没有充分体现。主要是：党的机构设置不够健全有力，党政机构职责重叠，仍存在叠床架屋问题，政府机构职责分散交叉，政府职能转变还不彻底，中央地方机构上下一般粗问题突出，群团改革、事业单位改革还未完全到位，等等。各地区各部门对全面加强党的领导、全面依法治国，优化自然资源资产管理、生态环境保护、市场监管、文化市场监管等方面体制的呼声很高。

各地区各部门认为，这次应该下更大决心，突出加强党的领导、理顺党政关系，统筹谋划机构设置，争取更明显的成效。主要是：加强党的统筹协调机构，对职能相近或密切相关的党政机构、事业单位进行适当整合，调整优化中央和国家机关有关部门职能，撤销职能弱化、职责有重复或阶段性任务已完成的机构，新设立部分机构，坚持全国统筹、上下联动推动机构改革，等等。

2017 年 12 月 11 日，文件起草组召开第一次全体会议，文件起草工作正式启动。文件起草组深入开展专题研究论证，总结以往改革经验，吸收调研成果，反复讨论修改。中央政治局常委会、中央政治局召开会议审议全会决定稿和方案稿。根据中央政治局会议决定，2018 年 2 月 1 日中共中央办公厅发出《关于对〈中共中央关于深化党和国家机构改革的决定〉稿征求意见的通知》，决定稿下发党内一定范围征求意见，包括征求党内老同志意见。习近平总书记主持召开座谈会，当面听取各民主党派中央、全国工商联负责人和无党派人士代表的意见和建议。各有关单位共反馈书面报告 117 份，党外人士提交发言稿 10 份。

各地区各部门各方面一致表示，坚决拥护党中央关于深化党和国家机构改革的重大决策，完全赞同决定稿确定的指导思想、目标原则、总体部署。大家的意见主要包括：一是在中国特色社会主义进入“两个一百年”奋斗目标历史交汇期、改革开放 40 周年的关键时间节点，党中央从党和国家事业发展全局的战略高度，作出深化党和国家机构改革这一重大政治决策，顺应新时代发展要求，符合党心民心，非常必要，十分及时。二是这次深化党和国家机构改革紧扣加强党的长期执政能力建设，以加强党的全面领导为统领，以国家治理体系和治理能力现代化为导向，以推进党和国家机构职能优化协同高效为着力点，全面贯彻了党的十九大提出的重大战略目标、战略部署、战略任务，使机构设置和职能配置进一步适应统筹推进“五位一体”总体布局和协调推进“四个全面”战略布局的需要，必将对新时代坚持和发展中国特色社会主义产生重大的现实意义和深远的历史意义。三是这次深化党和国家机构改革坚持问题导向，聚焦一批长期想解决而没有解决的重大问题，既推动中央层面的改革，又促进地方和基层的改革，体现了加强党的长期执政能力建设和提高国家治理水平的有机统一、机构改革和制度完善的有机统一、原则性规定和战略性谋划的有机统一。四是要增强“四个意识”，坚定“四个自信”，坚持稳中求进，不折不扣抓好贯彻落实。在征求意见过程中，各方面提出了许多好的意见和建议。经统计，各方面共提出修改意见 641 条，扣除重复意见后为 550 条，其中原则性意见 143 条，具体修改意见 407 条；具体修改意见中，实质性修改意见 396 条，文字性修改意见 11 条。党中央责成文件起草组认真梳理和研究这些意见和建议，对决定稿作出修改。文件起草组经过认真研究，共对决定稿作出 171 处修改，覆盖 192 条意见。中央政治局常委会会议、中央政治局会议先后审议了修改后的决定稿。方案稿也在听取有关方面意见和建议后作了调整完善。这两个文件稿，是在党中央领导下发扬民主、集思广益的结果，凝聚了各方面智慧。[①]

2018 年 2 月 24 日，中共中央政治局召开会议，决定 2018 年 2 月 26 日至 28 日在北京召开党的十九届三中全会。主要议程是，讨论《深化党和国家机构改革的方案》稿，讨论向第十三届全国人民代表大会第一次会议推荐的国家机构领导人员建议人选和向政协第十三届全国委员会第一次会议推荐的全国政协领导人员建议人选。

2018 年 2 月 26 日至 28 日，党的十九届三中全会在北京顺利举行。全会由中央政治局主持。会上习近平总书记作了重要讲话。会议通过了拟向十三届全国人大一次会议推荐的国家机构领导人员人选建议名单和拟向全国政协十三届一次会议推荐的全国政协领导人员人选建议名单；审议通过了《中共中央关于深化党和国家机构改革的决定》和《深化党和国家机构改革方案》，同意把《深化党和国家机构改革方案》的部分内容按照法定程序提交十三届全国人大一次会议审议。全会审议的决定稿和方案稿，相互支撑、有机统一。决定稿是指导性文件，着重阐述深化机构改革的重大意

① 中共中央党史和文献研究院编《十九大以来重要文献选编》上，中央文献出版社 2019 年版，第 236—239 页。

义、指导思想、原则思路、目标任务。方案稿是规划图和施工图，提出深化党和国家机构改革的具体方案。

《中共中央关于深化党和国家机构改革的决定》共分三大板块，导语和第一部分、第二部分构成第一板块，属于总论，主要阐述深化党和国家机构改革的重大意义、指导思想、目标原则。第三至七部分构成第二板块，属于分论，主要从完善党的全面领导的制度、优化政府机构设置和职能配置、统筹党政军群机构改革、合理设置地方机构、推进机构编制法定化等五个方面，部署深化党和国家机构改革的主要任务和重大举措。第八部分构成第三板块，讲组织领导，主要阐述加强对深化党和国家机构改革的领导，对贯彻落实提出原则要求。

决定稿对此次深化党和国家机构改革的重大意义作出了权威阐发，指出深化党和国家机构改革，是推进国家治理体系和治理能力现代化的一场深刻变革，是新时代坚持和发展中国特色社会主义的必然要求，是加强党的长期执政能力建设的必然要求，是社会主义制度自我完善和发展的必然要求，是实现"两个一百年"奋斗目标、建设社会主义现代化国家、实现中华民族伟大复兴的必然要求。[①]决定稿明确此次机构改革的目标是"构建系统完备、科学规范、运行高效的党和国家机构职能体系，形成总揽全局、协调各方的党的领导体系，职责明确、依法行政的政府治理体系，中国特色、世界一流的武装力量体系，联系广泛、服务群众的群团工作体系，推动人大、政府、政协、监察机关、审判机关、检察机关、人民团体、企事业单位、社会组织等在党的统一领导下协调行动、增强合力，全面提高国家治理能力和治理水平"[②]。

《深化党和国家机构改革方案》对深化党和国家机构改革作出了整体

① 中共中央党史和文献研究院编《十九大以来重要文献选编》上，中央文献出版社2019年版，第256页。

② 中共中央党史和文献研究院编《十九大以来重要文献选编》上，中央文献出版社2019年版，第257页。

部署。第一，在完善党中央机构职能方面，主要推进以下改革。一是组建国家监察委员会。深化国家监察体制改革，目的是加强党对反腐败工作的统一领导，实现对所有行使公权力的公职人员监察全覆盖。国家监察委员会就是中国特色的国家反腐败机构。国家监察委员会同中央纪委合署办公，履行纪检、监察两项职责，实行一套工作机构、两个机关名称。不再保留监察部、国家预防腐败局。这项改革是事关全局的重大政治体制改革，具有鲜明的中国特色，展现了我们党自我革命的勇气和担当，意义重大而深远。

二是加强和优化党中央决策议事协调机构。党的十八大以来，党中央在全面深化改革、国家安全、军民融合发展等涉及党和国家工作全局的重要领域成立决策议事协调机构，对加强党对相关工作的领导和统筹协调，起到至关重要的作用。方案稿提出，组建中央全面依法治国委员会，其办公室设在司法部；组建中央审计委员会，其办公室设在审计署；组建中央教育工作领导小组，其秘书组设在教育部；将中央全面深化改革领导小组、中央网络安全和信息化领导小组、中央财经领导小组、中央外事工作领导小组改为委员会，调整优化中央机构编制委员会领导体制。按主要战线、主要领域适当归并党中央决策议事协调机构，统一各委员会名称，目的就是加强党中央对重大工作的集中统一领导，确保党始终总揽全局、协调各方，确保党的领导更加坚强有力。

同时，不再设立中央维护海洋权益工作领导小组、不再设立中央社会治安综合治理委员会及其办公室、不再设立中央维护稳定工作领导小组及其办公室，有关职责交由相关职能部门承担。将中央防范和处理邪教问题领导小组及其办公室职责划归中央政法委员会、公安部。习近平总书记在作有关说明时明确指出，“撤销有关议事协调机构，是为了理顺职责、整合力量，不是某方面工作不重要了，可以撒手不管了。有关部门要把工作承接好，把职责任务履行好”[①]。

三是优化整合党中央直属的机关党建、教育培训、党史研究等机构设置。长期以来，一些党的机构之间、党政机构之间、事业单位之间职责重叠、交叉分散的问题比较突出，一定程度上影响了工作效率。为加强中央和国家机关党的建设，合并中央直属机关工作委员会和中央国家机关工作委员会，组建中央和国家机关工作委员会，作为党中央派出机构，统一领导中央和国家机关各部门党的工作；合并中央党校和国家行政学院，组建新的中央党校（国家行政学院），实行一个机构两块牌子，作为党中央直属事业单位；合并中央党史研究室、中央文献研究室和中央编译局，组建中央党史和文献研究院，作为党中央直属事业单位，对外保留中央编译局牌子。这样，不仅干部教育培训资源得以优化整合，可以发挥“1+1 ＞ 2”的作用，同时也能提高党史和文献领域的工作效率。

四是加强党中央职能部门的统一归口协调管理职能。方案稿坚持一类事项原则上由一个部门统筹，突出核心职能、整合相近职能、充实协调职能，调整党政机关设置和职能配置。为更好落实党管干部、管机构编制原则，加强党对公务员队伍和机构编制的集中统一领导，更好统筹干部、机构编制资源，由中央组织部统一管理公务员工作，统一管理中央编办。为加强党对重要宣传阵地的管理，牢牢掌握意识形态工作领导权，由中央宣传部统一管理新闻出版工作，统一管理电影工作，归口管理新组建的国家广播电视总局、中央广播电视总台。为加强党的集中统一领导，减少党政部门职责交叉，将国家宗教事务局、国务院侨务办公室并入中央统战部，统一管理宗教工作、侨务工作，同时由中央统战部统一领导国家民族事务委员会。这有利于把缺位的职责补齐，让交叉的职责清晰起来，提高工作效能。

第二，在完善国务院机构职能方面，主要推进以下改革。一是组建自

① 中共中央党史和文献研究院编《十九大以来重要文献选编》上，中央文献出版社 2019 年版，第 244 页。

然资源部。为落实绿水青山就是金山银山的理念，解决自然资源所有者不到位、空间性规划重叠、部门职责交叉重复等问题，实现山水林田湖草各类自然资源的整体保护、系统修复和综合治理，加强自然资源管理，将国土资源部的职责，国家发展和改革委员会的组织编制主体功能区规划职责，住房和城乡建设部的城乡规划管理职责，水利部的水资源调查和确权登记管理职责，农业部的草原资源调查和确权登记管理职责，国家林业局的森林、湿地等资源调查和确权登记管理职责，国家海洋局的职责，国家测绘地理信息局的职责整合，组建自然资源部，统一行使全民所有自然资源资产所有者职责，统一行使所有国土空间用途管制和生态保护修复职责。

二是组建生态环境部。为推动建设美丽中国、加强生态环境保护，将环境保护部职责同其他相关部门生态环境保护职责进行整合，组建生态环境部，统一行使生态和城乡各类污染排放监管和行政执法职责。国家应对气候变化及节能减排工作领导小组有关应对气候变化和减排方面的具体工作由生态环境部承担。

三是组建农业农村部。党的十九大明确提出要坚持农业农村优先发展，始终把解决好“三农”问题作为全党工作重中之重。为加强党对“三农”工作的集中统一领导，扎实实施乡村振兴战略，整合中央农村工作领导小组办公室、农业部、国家发展和改革委员会、财政部、国土资源部、水利部等相关涉农职责，组建农业农村部。中央农村工作领导小组办公室改设在农业农村部，承担中央农村工作领导小组日常工作。

四是组建文化和旅游部。发展中国特色社会主义文化，坚守中华文化立场，立足当代中国现实，结合当今时代条件，发展面向现代化、面向世界、面向未来的，民族的科学的大众的社会主义文化，是我们党的一项重要任务。为更好加强社会主义先进文化建设，弘扬中华优秀传统文化，将文化部、国家旅游局的职责整合，组建文化和旅游部。

五是组建国家卫生健康委员会。为更好为人民群众提供全方位全周期健康服务，将国家卫生和计划生育委员会、国务院深化医药卫生体制改革领导小组办公室、全国老龄工作委员会办公室等的职责整合，组建国家卫生健康委员会。不再设立国务院深化医药卫生体制改革领导小组办公室。

六是组建退役军人事务部。为让军人成为全社会尊崇的职业，维护军人军属合法权益，将民政部、人力资源和社会保障部以及中央军委政治工作部和后勤保障部有关职责整合，组建退役军人事务部。

七是组建应急管理部。我国是灾害多发频发的国家，必须把防范化解重特大安全风险，加强应急管理和能力建设，切实保障人民群众生命财产安全摆到重要位置。为提升防灾减灾救灾能力，将国家安全生产监督管理总局的职责和国办、公安部、民政部、国土资源部、水利部、农业部、林业局、中国地震局涉及应急管理的职责，以及国家防汛抗旱总指挥部、国家减灾委员会、国务院抗震救灾指挥部、国家森林防火指挥部的职责整合，组建应急管理部。主要负责国家应急管理及体系建设，组织开展防灾减灾救灾工作，承担国家应对特别重大灾害指挥部工作；负责安全生产综合监督管理和工矿商贸行业安全生产监督管理等。这样做，既考虑了我国实际情况，也借鉴了国外管理经验，有利于整合优化应急力量和资源，建成一支综合性常备应急骨干力量，推动形成统一指挥、专常兼备、反应灵敏、上下联动、平战结合的中国特色应急管理体制。公安消防部队、武警森林部队转制后，同安全生产等应急救援队伍一并作为综合性常备应急骨干力量，由应急管理部管理。发生一般性灾害时，由各级政府负责，应急管理部统一响应支援。发生特别重大灾害时，应急管理部作为指挥部，协助中央组织应急处置工作。

八是重新组建科学技术部。为加快建设创新型国家、优化配置科技资源、推动科技创新人才队伍建设，整合划入国家外国专家局的职责，国家自然科学基金委员会由科学技术部管理。

九是重新组建司法部。为更好贯彻落实全面依法治国基本方略、加强党对法治政府建设的领导，统筹行政立法、行政执法、法律事务管理和普法宣传，推动政府工作纳入法治轨道，将司法部和国务院法制办的职责整合，重新组建司法部。不再保留国务院法制办。

十是优化审计署职责。为整合审计监督力量、增强监管效能，将国家发展和改革委员会的重大项目稽查、财政部的中央预算执行情况和其他财政收支情况的监督检查、国务院国有资产监督管理委员会的国有企业领导干部经济责任审计和国有重点大型企业监事会的职责划入审计署，相应对派出审计监督力量进行整合优化，形成统一高效的审计监督体系。不再设立国有重点大型企业监事会。

十一是组建国家市场监督管理总局、重新组建国家知识产权局。党的十八大以来，不少地方在改革市场监管体系、实行统一的市场监管和综合执法方面进行了创新探索，效果是好的。为加强和改善市场监管，将国家工商行政管理总局、国家质量监督检验检疫总局、国家食品药品监督管理总局市场管理的相关职责，国家发展和改革委员会的价格监督检查与反垄断执法职责，商务部的经营者集中反垄断执法以及国务院反垄断委员会办公室等职责整合，组建国家市场监督管理总局，作为国务院直属机构，负责市场综合监督管理，承担反垄断统一执法，组织实施质量强国战略，负责工业产品质量安全、食品安全、特种设备安全监管，统一管理计量标准、检验检测、认证认可工作等。考虑到药品监管的特殊性，单独设置国家药品监督管理局，由国家市场监督管理总局管理。为强化知识产权创造、保护、运用，将国家知识产权局的职责、国家工商行政管理总局商标管理的职责、国家质量监督检验检疫总局原产地地理标志管理的职责整合，重新组建国家知识产权局，由国家市场监督管理总局管理。

十二是组建国家广播电视总局、中央广播电视总台。在国家新闻出版广电总局广播电视管理职责基础上，组建国家广播电视总局，作为国务院直属机构。整合中央电视台（中国国际电视台）、中央人民广播电台、中国国际广播电台，组建中央广播电视总台，作为国务院直属事业单位。这项改革的目的是要增强广播电视媒体整体实力和竞争力，推动广播电视媒体、新兴媒体融合发展，加快国际传播能力建设，讲好中国故事，传播中国声音。

十三是组建中国银行保险监督管理委员会。近年来，我国金融业发展明显加快，形成了多样化的金融机构体系、复杂的产品结构体系、信息化的交易体系、更加开放的金融市场，给现行的分业监管体制带来重大挑战。为优化监管资源配置，更好统筹系统重要性金融机构监管，逐步建立符合现代金融特点、统筹协调监管、有力有效的现代金融监管框架，守住不发生系统性金融风险的底线，将中国银行业监督管理委员会和中国保险监督管理委员会的职责整合，组建中国银行保险监督管理委员会，作为国务院直属事业单位。不再保留中国银行业监督管理委员会、中国保险监督管理委员会。

十四是组建国家国际发展合作署。对外援助是大国外交的重要手段，我国将继续发挥负责任大国作用，加大对发展中国家特别是最不发达国家的援助力度，促进缩小南北发展差距。为加强对外援助的战略谋划和统筹协调，更好服务于国家外交总体布局和"一带一路"等，将商务部、外交部等对外援助有关职责整合，组建国家国际发展合作署。援外工作具有高度战略性、政治性、政策敏感性，必须坚持党中央集中统一领导，对外援助的具体执行工作仍由外交部、商务部等部门按现行分工承担。

十五是组建国家医疗保障局，调整理顺社保基金理事会隶属关系。实行医疗、医保、医药联动，是深化医药卫生体制改革的重要目标。为完善统一的城乡居民基本医疗保险制度和大病保险制度，更好保障病有所医，将人力资源和社会保障部的城镇职工和城镇居民基本医疗保险、生育保险职责，国家卫生和计划生育委员会的新型农村合作医疗职责，国家发展和改革委员会的药品和医疗服务价格管理职责，民政部的医疗救助职责整合，组建国家医疗保障局，作为国务院直属机构。全国社会保障基金是国家社会保障储备基金，将社保基金理事会由国务院直属事业单位调整为财政部管理，作为基金投资运营机构，不再明确行政级别。

十六是组建国家粮食和物资储备局。为加强国家储备的统筹规划、提升国家储备防范和应对突发事件的能力，将国家粮食局的职责，国家发展和改革委员会的组织实施国家战略物资收储、轮换和管理，管理国家粮食、棉花和食糖储备等职责，以及民政部、商务部、国家能源局等部门的组织实施战略和应急储备物资收储、轮换和日常管理职责整合，组建国家粮食和物资储备局，由国家发展和改革委员会管理。

十七是组建国家移民管理局。随着我国综合国力不断提升，来华工作生活的外国人不断增加，对做好移民管理服务提出新要求。为加强对移民及出入境管理的统筹协调，整合公安部出入境管理、边防检查职责，加强有关移民政策的统筹协调，组建国家移民管理局，加挂中华人民共和国出入境管理局牌子，由公安部管理。

十八是组建国家林业和草原局。国家林业和草原局监督管理森林、草原、湿地、荒漠和陆生野生动植物资源开发利用和保护，组织生态保护和修复，开展造林绿化工作，管理国家公园等各类自然保护地等。

十九是改革国税地税征管体制。将省级和省级以下国税地税机构合并，承担所辖区域内各项税收、非税收入征管职责。国税地税合并后，实行以国家税务总局为主与省区市人民政府双重领导管理体制。

二十是推进综合执法。按照减少层次、整合队伍、提高效率的原则，推动按领域或职责任务相近领域整合执法队伍，实行综合设置。这次改革整合组建市场监管综合执法、生态环保综合执法、文化市场综合执法、交通运输综合执法、农业综合执法队伍等 5 支队伍。

为理顺职责关系，加强对重大水利工程建设和运行的统一管理，将国务院三峡工程建设委员会及其办公室、国务院南水北调工程建设委员会及其办公室相关职责并入水利部，不再保留国务院三峡工程建设委员会及其办公室、国务院南水北调工程建设委员会及其办公室。

第三，在全国人大、全国政协专门委员会设置方面，主要进行以下改革。人民代表大会制度是坚持党的领导、人民当家作主、依法治国有机统一的根本政治制度安排。要适应新时代社会主要矛盾变化，健全完善全国人大专门委员会设置。组建全国人大社会建设委员会，将全国人大内务司法委员会更名为全国人大监察和司法委员会，将全国人大法律委员会更名为全国人大宪法和法律委员会。

人民政协是具有中国特色的制度安排，是社会主义协商民主的重要渠道和专门协商机构。为适应党和国家战略部署需要，增强人民政协界别的代表性，组建全国政协农业和农村委员会，将全国政协文史和学习委员会更名为全国政协文化文史和学习委员会，全国政协教科文卫体委员会更名为全国政协教科卫体委员会。

第四，在跨军地改革方面，为全面落实党对人民解放军和其他武装力量的绝对领导，按照军是军、警是警、民是民原则，安排公安边防部队、公安消防部队、公安警卫部队退出现役，公安边防部队、警卫部队转为警察；公安消防部队划归应急管理部，实行专门管理和政策保障。安排海警队伍转隶武警部队。安排武警森林、黄金部队退出现役，转为专业队伍，分别由应急管理部和自然资源部管理。安排武警水电部队退出现役，转为国有企业，由国务院国资委管理。撤收武警部队海关执勤兵力。对需要政府承接和配合的任务，要在国务院机构改革中做好统筹协调和有效衔接，结合这些武警部队的不同功能定位和专业特点，采取不同的改革方式，确定各自的管理体制和管理模式。

总的看，这次深化机构改革是一场系统性、整体性、重构性的变革，力度规模之大、涉及范围之广、触及利益之深前所未有，既有当下“改”的举措，又有长久“立”的设计，是一个比较全面、比较彻底、比较可行的改革顶层设计。深化党和国家机构改革全面启动，也标志着全面深化改革进入了一个新阶段，改革将进一步触及深层次利益格局的调整和制度体系的变革，改革的复杂性、敏感性、艰巨性更加突出，要加强和改善党对全面深化改革的统筹领导，紧密结合深化机构改革推动改革工作。

深化党和国家机构改革是要动奶酪的、是要触动利益的，也是动真刀真枪的，需要拿出自我革新的勇气和胸怀。习近平总书记在党的十九届三中全会第二次全体会议上对贯彻全会精神提出了明确要求。一是正确理解和把握坚持党中央权威和集中统一领导这个根本点。二是正确理解和把握深化党和国家机构改革的目标。三是正确理解和把握坚持社会主义市场经济改革方向要求，使市场在资源配置中起决定性作用、更好发挥政府作用。四是正确理解和把握以人民为中心的发展思想，切实解决人民最关心最直接最现实的利益问题。五是正确理解和把握充分发挥中央和地方两个积极性。①为确保机构改革在党中央的直接领导下有序推进，中央成立了深化党和国家机构改革协调小组，负责指导协调督促中央一级新机构的组建工作、审批部门“三定”规定和省级机构改革方案、统筹协调和研究解决改革实施工作中的重大问题。在协调小组领导下，对应成立了9个专项协调小组，分别牵头统筹归口领域改革工作，协调处理有关问题，及时向协调小组报告进展情况和重大问题。具体改革任务，则分配到相关部门，以部门为主体统筹进行，推进落实具体工作。中央层面建立起了一套条理清晰、逻辑严密的机构改革领导体制和工作机制，有统有分、统分结合、承上启下，保证了改革思想一致、认识一致、步调一致。在此基础上，绘就了一张确保改革落地的时间表、路线图，吹响了深化党和国家机构改革的集结号。《深化党和国家机构改革方案》明确，中央和国家机关机构改革要在2018年年底前落实到位；省级党政机构改革方案要在2018年9月底前报党中央审批，2018年年底前机构调整基本到位；省以下党政机构改革由省级党委统一领导，在2018年年底前报党中央备案；地方党政机构改革全部任务在2019年3月底前基本完成。《中共中央关于深化党和国家机构改革的决

① 中共中央党史和文献研究院编《十九大以来重要文献选编》上，中央文献出版社2019年版，第275—283页。

定》明确：实施机构改革方案需要制定或修改法律的，要及时启动相关程序；依法依规完善党和国家机构职能，依法履行职责，依法管理机构和编制，确保改革在法治轨道上运行。

深化党和国家机构改革在有条不紊中顺利进行。2018 年 4 月 10 日，自然资源部正式挂牌。随后，自然资源部发布第一号公告，通报关于 2017 年国家土地督察工作的情况。作为一个整合了 8 个部门和单位相关职能的新部委，自然资源部的组建是党中央为落实绿水青山就是金山银山的理念，解决自然资源所有者不到位、空间性规划重叠、部门职责交叉重复等问题作出的重大决策部署，旨在通过科学设置机构和配置人员，为生态整体保护、系统修复和综合治理提供重要体制保障。应急管理部整合了 13 个部门和单位相关职能，被称为此次调整中的“超级大部”。2018 年 3 月 22 日，应急管理部在北京召开机关干部大会，搭建了领导班子，全面启动组建工作。尽管人员没有完全到位、办公地点尚待确定，但事关人民群众生命财产安全的工作一刻也不能松懈。在 4 月 16 日正式挂牌前，应急管理部就进入了“应急”状态，建立起了由部领导轮流在岗带班的 24 小时值班值守工作机制，一旦遇到突发重特大安全事故或自然灾害，能第一时间作出响应。短短一年多时间，十九届三中全会部署的改革任务总体完成。这一轮改革后，党中央机构共计减少 6 个，其中，正部级机构减少 4 个、副部级机构减少 2 个。国务院机构共计减少 15 个，其中，正部级机构减少 8 个，副部级机构减少 7 个。党政合计，共计减少 21 个部级机构，其中，正部级 12 个，副部级 9 个。全国人大和全国政协各增加 1 个专门委员会。

这一轮机构改革，中央层面涉及 180 多万人，地方涉及人员更多。改革中，我们突出政治引领，层层开展多轮谈心谈话，教育引导党员干部统一思想认识，坚定改革信心，投身改革大局。我们精心做好大量政策性、原则性、事务性、具体性工作，密集协调解决重大问题、协调解决跨部门重点问题，周密做好干部调配，统筹消化安排超配干部，精心做好离退休干部归属交接，给干部职工吃下定心丸，广大党员干部衷心拥护改革、积极支持改革。

党和国家机构改革取得重大成效和宝贵经验。2019 年 7 月 5 日，习近平总书记在深化党和国家机构改革总结会议上的讲话中指出，改革取得一系列重要理论成果、制度成果、实践成果。加强党的全面领导得到有效落实，维护党的集中统一领导的机构职能体系更加健全；党和国家机构履职更加顺畅高效，各类机构设置和职能配置更加适应统筹推进“五位一体”总体布局和协调推进“四个全面”战略布局需要；省市县主要机构设置和职能配置同中央保持基本对应，构建起从中央到地方运行顺畅、充满活力的工作体系；跨军地改革顺利推进；同步推进相关各类机构改革，改革整体效应进一步增强。在深化党和国家机构改革中，我们探索和积累了宝贵经验，就是坚持党对机构改革的全面领导，坚持不立不破、先立后破，坚持推动机构职能优化协同高效，坚持中央和地方一盘棋，坚持改革和法治相统一相协调，坚持把思想政治工作贯穿改革全过程。① 实践证明，党中央关于深化党和国家机构改革的战略决策是完全正确的，改革的组织实施是坚强有力的，充分体现出全党高度的思想自觉、政治自觉、行动自觉，充分反映出党的十八大以来全面从严治党产生的良好政治效应，充分彰显党的集中统一领导和我国社会主义制度的政治优势。

第三节　坚持和完善中国特色社会主义制度

坚持和完善中国特色社会主义制度、推进国家治理体系和治理能力现代化，是关系党和国家事业兴旺发达、国家长治久安、人民幸福安康的重大问题。2019 年 2 月 28 日、3 月 29 日，中央政治局常委会、中央政治局先后召开会议，决定党的十九届四中全会专题研究坚持和完善中国特色社会

① 中共中央党史和文献研究院编《十九大以来重要文献选编》中，中央文献出版社 2021 年版，第 125—135 页。

主义制度、推进国家治理体系和治理能力现代化问题。这是从政治上、全局上、战略上全面考量，立足当前、着眼长远作出的重大决策。

召开这次全会研究这个问题，主要基于以下三点考虑：一是实现“两个一百年”奋斗目标的重大任务。建设社会主义现代化国家、实现中华民族伟大复兴，是我们党孜孜以求的宏伟目标。自成立以来，我们党就团结带领人民为此进行了不懈奋斗。随着改革开放逐步深化，我们党对制度建设的认识越来越深入。1980 年，邓小平同志在总结“文化大革命”的教训时就指出：“领导制度、组织制度问题更带有根本性、全局性、稳定性和长期性。”“制度好可以使坏人无法任意横行，制度不好可以使好人无法充分做好事，甚至会走向反面。”1992 年，邓小平同志在南方谈话中说：“恐怕再有三十年的时间，我们才会在各方面形成一整套更加成熟、更加定型的制度。”党的十四大报告提出：“在九十年代，我们要初步建立起新的经济体制，实现达到小康水平的第二步发展目标。再经过二十年的努力，到建党一百周年的时候，我们将在各方面形成一整套更加成熟更加定型的制度。”党的十五大、十六大、十七大都对制度建设提出明确要求。

党的十八大以来，我们党把制度建设摆到更加突出的位置，强调“全面建成小康社会，必须以更大的政治勇气和智慧，不失时机深化重要领域改革，坚决破除一切妨碍科学发展的思想观念和体制机制弊端，构建系统完备、科学规范、运行有效的制度体系，使各方面制度更加成熟更加定型”。党的十八届三中全会首次提出“推进国家治理体系和治理能力现代化”这个重大命题，并把“完善和发展中国特色社会主义制度、推进国家治理体系和治理能力现代化”确定为全面深化改革的总目标。党的十八届五中全会进一步强调，“十三五”时期要实现“各方面制度更加成熟更加定型，国家治理体系和治理能力现代化取得重大进展，各领域基础性制度体系基本形成”。

党的十九大作出到本世纪中叶把我国建成富强民主文明和谐美丽的社会主义现代化强国的战略安排，其中制度建设和治理能力建设的目标是：

到 2035 年，“各方面制度更加完善，国家治理体系和治理能力现代化基本实现”；到本世纪中叶，“实现国家治理体系和治理能力现代化”。党的十九届二中、三中全会分别就修改宪法和深化党和国家机构改革作出部署，在制度建设和治理能力建设上迈出了新的重大步伐。党的十九届三中全会指出：“我们党要更好领导人民进行伟大斗争、建设伟大工程、推进伟大事业、实现伟大梦想，必须加快推进国家治理体系和治理能力现代化，努力形成更加成熟更加定型的中国特色社会主义制度。这是摆在我们党面前的一项重大任务。”现在，我们党有必要对坚持和完善中国特色社会主义制度、推进国家治理体系和治理能力现代化进行系统总结，提出与时俱进完善和发展的前进方向和工作要求。

二是把新时代改革开放推向前进的根本要求。在改革开放 40 多年历程中，党的十一届三中全会是划时代的，开启了改革开放和社会主义现代化建设历史新时期；党的十八届三中全会也是划时代的，开启了全面深化改革、系统整体设计推进改革的新时代，开创了我国改革开放的新局面。党的十八届三中全会推出 336 项重大改革举措。经过 5 年多的努力，重要领域和关键环节改革成效显著，主要领域基础性制度体系基本形成，为推进国家治理体系和治理能力现代化打下了坚实基础。同时，也要看到，这些改革举措有的尚未完成，有的甚至需要相当长的时间去落实，我们已经啃下了不少硬骨头但还有许多硬骨头要啃，我们攻克了不少难关但还有许多难关要攻克，我们决不能停下脚步，决不能有松口气、歇歇脚的想法。习近平总书记在庆祝改革开放 40 周年大会上强调，要“坚持方向不变、道路不偏、力度不减，推动新时代改革开放走得更稳、走得更远”。这就要求从全面建设社会主义现代化国家的战略需要出发，对全面深化改革工作进一步作出部署。

相比过去，新时代改革开放具有许多新的内涵和特点，其中很重要的一点就是制度建设分量更重，改革更多面对的是深层次体制机制问题，对改革顶层设计的要求更高，对改革的系统性、整体性、协同性要求更强，相应地建章立制、构建体系的任务更重。新时代谋划全面深化改革，必须以坚持和完善中国特色社会主义制度、推进国家治理体系和治理能力现代化为主轴，深刻把握我国发展要求和时代潮流，把制度建设和治理能力建设摆到更加突出的位置，继续深化各领域各方面体制机制改革，推动各方面制度更加成熟更加定型，推进国家治理体系和治理能力现代化。

三是应对风险挑战、赢得主动的有力保证。“天下之势不盛则衰，天下之治不进则退。”当今世界正经历百年未有之大变局，国际形势复杂多变，改革发展稳定、内政外交国防、治党治国治军各方面任务之繁重前所未有，我们面临的风险挑战之严峻前所未有。这些风险挑战，有的来自国内，有的来自国际，有的来自经济社会领域，有的来自自然界。我们要打赢防范化解重大风险攻坚战，必须坚持和完善中国特色社会主义制度、推进国家治理体系和治理能力现代化，运用制度威力应对风险挑战的冲击。①

为起草好文件，党中央决定成立文件起草组，在中央政治局常委会领导下进行文件起草工作。习近平总书记担任组长。2019 年 4 月 3 日，文件起草组召开第一次全体会议，文件起草工作正式启动。4 月 7 日，党中央发出通知，就全会议题征求各地区各部门意见和建议。各方面共反馈意见 109 份，大家就坚持和完善中国特色社会主义制度，推进国家治理体系和治理能力现代化的重大成就和历史经验，必须坚持的重大原则和根本制度，基本制度、重要制度，面临的主要问题和重大任务，需要采取的重要举措，等等，提出了不少有价值的意见和建议。

各方面认为，在庆祝中华人民共和国成立 70 周年之际，党的十九届四中全会重点研究坚持和完善中国特色社会主义制度、推进国家治理体系和治理能力现代化问题并作出决定，体现了党中央高瞻远瞩的战略眼光和强烈的历史担当，对决胜全面建成小康社会、全面建设社会主义现代化国家，对巩固党的执政地位、确保党和国家长治久安，具有重大而深远的意义。

---

① 中共中央党史和文献研究院编《十九大以来重要文献选编》中，中央文献出版社 2021 年版，第 261—264 页。

文件起草组成立后，认真研读相关重要文献，系统总结我国革命、建设、改革进程中的制度演变、制度创新，特别是深入总结党的十八大以来党中央领导全党全国人民坚持和完善中国特色社会主义制度，推进国家治理体系和治理能力现代化取得的重大理论成果、实践成果、制度成果，整理消化各方面反馈的意见和建议，开展专题研究，反复讨论修改决定稿。

根据中央政治局会议决定，9 月初，决定征求意见稿下发党内一定范围征求意见，包括征求部分党内老同志意见。各方面认真组织学习讨论，各地区各部门共反馈意见 118 份。9 月 25 日，习近平总书记主持召开党外人士座谈会，当面听取了各民主党派中央、全国工商联负责人和无党派人士意见，与会同志提交了 10 份发言材料。文件起草组对收到的所有意见和建议进行了认真整理。经汇总，各方面共提出修改意见 1948 条，扣除重复意见后为 1755 条，其中原则性意见 380 条，具体修改意见 1375 条。

从征求意见反馈情况看，各方面对决定稿给予充分肯定。大家一致认为，决定稿准确把握我国国家制度和国家治理体系的演进方向和规律，突出坚持和完善党的领导制度，抓住了国家治理的关键和根本；突出守正创新、开拓进取，彰显了中国特色社会主义制度自信；突出系统集成、协同高效，体现了强烈的问题导向和鲜明的实践特色。决定稿回答了“坚持和巩固什么、完善和发展什么”这个重大政治问题，既阐明了必须牢牢坚持的重大制度和原则，又部署了推进制度建设的重大任务和举措，坚持根本制度、基本制度、重要制度相衔接，统筹顶层设计和分层对接，统筹制度改革和制度运行，体现了总结历史和面向未来的统一、保持定力和改革创新的统一、问题导向和目标导向的统一，必将对推动各方面制度更加成熟更加定型、把我国制度优势更好转化为国家治理效能产生重大而深远的影响。

在征求意见过程中，各方面提出了许多好的意见和建议，主要有以下几个方面。一是建议在概括出的我国国家制度和国家治理体系的显著优势中，增写全面深化改革、全面依法治国的内容。二是建议对完善科技制度加以突出强调，以充分发挥科技创新引领作用。三是建议更加重视保障粮食安全、乡村振兴、农业农村优先发展等重要制度安排。四是建议更加重视运用人工智能、互联网、大数据等现代信息技术手段提升治理能力和治理现代化水平。五是建议围绕坚持党管干部原则，就完善干部管理制度、激励干部担当作为和狠抓落实、培养干部斗争精神和斗争本领提出要求。六是建议加强我国国家制度和国家治理体系的理论研究和宣传教育。七是建议把贯彻落实这次全会精神同推动党的十八大以来党中央部署的各项改革任务紧密结合起来，形成一体推动、一体落实的整体部署和工作机制。

党中央责成文件起草组认真研究和吸纳各方面意见和建议。文件起草组逐条分析各方面所提意见和建议，力求做到能吸收的尽量吸收。经反复研究推敲，对决定稿作出增写、改写、文字精简 283 处，覆盖各方面意见和建议 436 条。

决定稿起草期间，中央政治局常委会召开 3 次会议，中央政治局召开 2 次会议进行审议，形成了提交党的十九届四中全会审议的决定稿。决定稿由 15 部分构成，分为三大板块。第一板块为第一部分，是总论，主要阐述中国特色社会主义制度和国家治理体系发展的历史性成就、显著优势，提出新时代坚持和完善中国特色社会主义制度、推进国家治理体系和治理能力现代化的重大意义和总体要求。第二板块为分论，聚焦坚持和完善支撑中国特色社会主义制度的根本制度、基本制度、重要制度，安排了 13 个部分，明确了各项制度必须坚持和巩固的根本点、完善和发展的方向，并作出工作部署。第三板块为第十五部分和结束语，主要就加强党对坚持和完善中国特色社会主义制度、推进国家治理体系和治理能力现代化的领导提出要求。

2019 年 10 月 31 日，党的十九届四中全会通过了《中共中央关于坚持和完善中国特色社会主义制度、推进国家治理体系和治理能力现代化若干重大问题的决定》（以下简称《决定》）。

《决定》概括了我国国家制度和国家治理体系的显著优势，并从 13 个方面进行了梳理。《决定》指出这些显著优势主要是：第一，坚持党的集中统一领导，坚持党的科学理论，保持政治稳定，确保国家始终沿着社会主义方向前进的显著优势；第二，坚持人民当家作主，发展人民民主，密切联系群众，紧紧依靠人民推动国家发展的显著优势；第三，坚持全面依法治国，建设社会主义法治国家，切实保障社会公平正义和人民权利的显著优势；第四，坚持全国一盘棋，调动各方面积极性，集中力量办大事的显著优势；第五，坚持各民族一律平等，铸牢中华民族共同体意识，实现共同团结奋斗、共同繁荣发展的显著优势；第六，坚持公有制为主体、多种所有制经济共同发展和按劳分配为主体、多种分配方式并存，把社会主义制度和市场经济有机结合起来，不断解放和发展社会生产力的显著优势；第七，坚持共同的理想信念、价值理念、道德观念，弘扬中华优秀传统文化、革命文化、社会主义先进文化，促进全体人民在思想上精神上紧紧团结在一起的显著优势；第八，坚持以人民为中心的发展思想，不断保障和改善民生、增进人民福祉，走共同富裕道路的显著优势；第九，坚持改革创新、与时俱进，善于自我完善、自我发展，使社会始终充满生机活力的显著优势；第十，坚持德才兼备、选贤任能，聚天下英才而用之，培养造就更多更优秀人才的显著优势；第十一，坚持党指挥枪，确保人民军队绝对忠诚于党和人民，有力保障国家主权、安全、发展利益的显著优势；第十二，坚持“一国两制”，保持香港、澳门长期繁荣稳定，促进祖国和平统一的显著优势；第十三，坚持独立自主和对外开放相统一，积极参与全球治理，为构建人类命运共同体不断作出贡献的显著优势。[①] 这些显著优势，是我们坚定中国特色社会主义道路自信、理论自信、制度自信、文化自信的基本依据。

正是因为我们拥有强大的制度优势，我们党才领导人民创造了世所罕见的经济快速发展奇迹和社会长期稳定奇迹，中华民族才迎来了从站起来、富起来到强起来的伟大飞跃。实践证明，中国特色社会主义制度和国家治理体系是以马克思主义为指导、植根中国大地、具有深厚中华文化根基、

① 中共中央党史和文献研究院编《十九大以来重要文献选编》中，中央文献出版社 2021 年版，第 270—271 页。

深得人民拥护的制度和治理体系，是具有强大生命力和巨大优越性的制度和治理体系，是能够持续推动拥有 14 亿多人口大国进步和发展、确保拥有 5000 多年文明史的中华民族实现“两个一百年”奋斗目标进而实现伟大复兴的制度和治理体系。

《决定》明确了制度完善的总体要求和步骤。其中总体要求是，必须坚持以马克思列宁主义、毛泽东思想、邓小平理论、“三个代表”重要思想、科学发展观、习近平新时代中国特色社会主义思想为指导，增强“四个意识”、坚定“四个自信”、做到“两个维护”，坚持党的领导、人民当家作主、依法治国有机统一，坚持解放思想、实事求是，坚持改革创新，突出坚持和完善支撑中国特色社会主义制度的根本制度、基本制度、重要制度，着力固根基、扬优势、补短板、强弱项，构建系统完备、科学规范、运行有效的制度体系，加强系统治理、依法治理、综合治理、源头治理，把我国制度优势更好转化为国家治理效能，为实现“两个一百年”奋斗目标、实现中华民族伟大复兴的中国梦提供有力保证。全会提出，坚持和完善中国特色社会主义制度、推进国家治理体系和治理能力现代化的总体目标是，到我们党成立 100 年时，在各方面制度更加成熟更加定型上取得明显成效；到 2035 年，各方面制度更加完善，基本实现国家治理体系和治理能力现代化；到新中国成立 100 年时，全面实现国家治理体系和治理能力现代化，使中国特色社会主义制度更加巩固、优越性充分展现。这是对党的十九大确定的两个阶段战略的丰富和发展，也是对十八届三中全会全面深化改革总目标内容的丰富和发展。

《决定》从 13 个方面就如何坚持和完善中国特色社会主义制度作出了周密部署。第一，坚持和完善党的领导制度体系，提高党科学执政、民主执政、依法执政水平。第二，坚持和完善人民当家作主制度体系，发展社会主义民主政治。第三，坚持和完善中国特色社会主义法治体系，提高党依法治国、依法执政能力。第四，坚持和完善中国特色社会主义行政体制，构建职责明确、依法行政的政府治理体系。第五，坚持和完善社会主义基本经济制度，推动经济高质量发展。第六，坚持和完善繁荣发展社会主义先进文化的制度，巩固全体人民团结奋斗的共同思想基础。第七，坚持和完善统筹城乡的民生保障制度，满足人民日益增长的美好生活需要。第八，坚持和完善共建共治共享的社会治理制度，保持社会稳定、维护国家安全。第九，坚持和完善生态文明制度体系，促进人与自然和谐共生。第十，坚持和完善党对人民军队的绝对领导制度，确保人民军队忠实履行新时代使命任务。第十一，坚持和完善"一国两制"制度体系，推进祖国和平统一。第十二，坚持和完善独立自主的和平外交政策，推动构建人类命运共同体。第十三，坚持和完善党和国家监督体系，强化对权力运行的制约和监督。

这次全会通过的《决定》，在我们党已经明确的根本制度、基本制度、重要制度的基础上作出一些新概括，富有新意。比如，把社会主义基本经济制度确定为"公有制为主体、多种所有制经济共同发展，按劳分配为主体、多种分配方式并存，社会主义市场经济体制等社会主义基本经济制度"，明确提出"坚持马克思主义在意识形态领域指导地位的根本制度"，对中国特色社会主义法治体系、中国特色社会主义行政体制、繁荣发展社会主义先进文化的制度、统筹城乡的民生保障制度、共建共治共享的社会治理制度、生态文明制度体系、党对人民军队的绝对领导制度、"一国两制"制度体系、党和国家监督体系等也进一步作出阐述。[①] 习近平总书记指出："这次全会通过的决定，全面回答了在我国国家制度和国家治理体系上应该坚持和巩固什么、完善和发展什么这个重大政治问题，是一篇马克思主义的纲领性文献，也是一篇马克思主义的政治宣言书。"[②]

坚持和完善中国特色社会主义制度、推进国家治理体系和治理能力现代化，是全党的一项重大战略任务。必须在党中央统一领导下进行，科学谋划、精心组织，远近结合、整体推进，确保全会确定的各项目标任务全面落实到位。《决定》指出，各级党委和政府以及各级领导干部要切实强化

---

① 习近平：《习近平著作选读》第二卷，人民出版社 2023 年版，第 284—285 页。

② 习近平：《习近平著作选读》第二卷，人民出版社 2023 年版，第 276 页。

制度意识，带头维护制度权威，做制度执行的表率，带动全党全社会自觉尊崇制度、严格执行制度、坚决维护制度。加强制度理论研究和宣传教育，引导全党全社会充分认识中国特色社会主义制度的本质特征和优越性，坚定制度自信。推动广大干部严格按照制度履行职责、行使权力、开展工作，提高推进“五位一体”总体布局和“四个全面”战略布局等各项工作能力和水平。全会召开后，全党上下坚定中国特色社会主义制度自信，按照习近平总书记的要求，积极抓好“坚持和巩固、完善和发展、遵守和执行”三件事，聚精会神抓落实。

中央深改委负责统筹抓好全会部署的各项改革任务的落实，在全会结束后，立即行动起来，制定出《中央有关部门贯彻落实党的十九届四中全会〈决定〉重要举措分工方案》。2019 年 11 月 26 日下午，习近平总书记主持召开中央全面深化改革委员会第十一次会议并发表重要讲话。他强调，党的十九届四中全会和党的十八届三中全会历史逻辑一脉相承、理论逻辑相互支撑、实践逻辑环环相扣，目标指向一以贯之，重大部署接续递进。党的十九届四中全会不仅系统集成了党的十八届三中全会以来全面深化改革的理论成果、制度成果、实践成果，而且对新时代全面深化改革勾勒出更加清晰的顶层设计。要以坚持和完善中国特色社会主义制度、推进国家治理体系和治理能力现代化为主轴，增强以改革推进国家制度和国家治理体系建设的自觉性，突出制度建设这条主线，继续全面深化改革，既要排查梳理已经部署各项改革任务的完成情况，又要把四中全会部署的重要举措及时纳入工作日程，抓紧就党中央明确的国家治理急需的制度、满足人民对美好生活新期待必备的制度进行研究和部署，实现改革举措的有机衔接、融会贯通，确保取得扎扎实实的成效。会议审议通过了《关于构建更加完善的要素市场化配置体制机制的意见》《关于完善农业支持保护制度的意见》《关于深化我国医疗保障制度改革的意见》《关于全面加强新时代大中小学劳动教育的意见》《关于构建现代环境治理体系的指导意见》《关于深化新时代教育督导体制机制改革的意见》《关于加强农业科技社会化服务体系建设的若干意见》《中央有关部门贯彻落实党的十九届四中全会〈决定〉重要举措分工方案》《党的十八届三中全会以来全面深化改革评估报告》。会议强调，党的十九届四中全会《决定》为全面深化改革系统集成、协同高效提供了根本遵循。我们现在要做的是，推动各项改革向制度更加成熟更加定型靠拢，让各项改革相得益彰、发生化学反应。要注重同中国特色社会主义根本制度、基本制度、重要制度对标对表，厘清工作思路和工作抓手，结合四中全会部署的各项改革任务，一体推动、一体落实。改革已建立制度框架的，要对照四中全会精神继续巩固完善，建立长效机制；正在探索的要狠抓攻坚克难，实现突破，做好总结提炼、形成制度安排；有待谋划推出的，要大胆改革创新，及时研究制定方案。要在精准谋划、精准实施上下足功夫，改革解决什么问题、什么时候推出、对制度建设有什么作用都要做到心中有数。要把握不同改革的特点性质，坚持出台方案、健全机制、推进落实一起抓。落实改革方案要因地制宜、有的放矢，不搞上下“一般粗”，不搞“一刀切”。要聚焦制度是否有效运转开展督察，看改革是否实现目标集成、政策集成、效果集成。要抓紧编制四中全会重要举措实施规划，明确时间表、路线图、成果形式。[①] 十九届中央深改委通过召开会议、审定各领域改革方案、加强对全会精神贯彻落实情况的监督检查等形式，不断推动党的十九届四中全会重要举措落地落实。

一分部署，九分落实。党的十九届四中全会召开后，全国各地各部门都积极贯彻落实会议精神。比如，山东省领导分别带领检查组，到部分市检查学习宣传贯彻党的十九届四中全会精神情况。检查组通过查阅资料、听取汇报、座谈了解、实地查看等方式，重点检查了落实有关方案、通知情况，结合工作实际贯彻落实全会精神的实际举措行动，推动基层治理的工作打算等。山东省领导强调，学习宣传贯彻党的十九届四中全会精神是当前和今后一个时期的重要政治任务，提出要充分认识全会的历史地位和重大意义，深刻把握全会的精神实质和丰富内涵，不断推动学习宣传贯彻全会精神往深里走、往心里走、往实里走；要通过学习培训、集体研讨、

① 《落实党的十九届四中全会重要举措　继续全面深化改革实现有机衔接融会贯通》，《人民日报》2019 年 11 月 27 日。

理论中心组等方式抓好党员干部的学习，同时组织好宣传宣讲，推动全会精神进企业、进农村、进学校、进社区；要坚持知行合一，切实抓好全会各项部署的落实，结合实际深化细化具体措施，强化监督检查，推动全会精神落地生根；要狠抓各项制度和治理体系的执行落实，带动全社会自觉尊崇制度、严格执行制度、坚决维护制度，努力为推进国家治理体系和治理能力现代化贡献力量；要扎实推进党建引领社会治理等工作，推动社会治理和服务重心向基层下移，提供更多精准化、精细化服务，不断提升群众的获得感幸福感安全感。① 比如，湖北，这个长江干线流经里程最长的省份，不折不扣落实党的十九届四中全会强调的“实行最严格的生态环境保护制度”“全面建立资源高效利用制度”“健全生态保护和修复制度”“严明生态环境保护责任制度”。近年来，湖北省对沿江化工企业分类实施关改搬转，中华民族母亲河焕发勃勃生机。一些化工企业抓住契机转型升级，发展精细化工，布局微电子新材料产业，实现“华丽变身”。湖北将持续深化自然资源资产负债表编制试点和领导干部自然资源资产离任审计试点改革，倒逼领导干部严格落实生态环境保护责任。②

第四节　完成十八届三中全会确定的改革任务

党的十九大后，以习近平同志为核心的党中央弘扬改革创新精神，推动思想再解放、改革再深入、工作再抓实，全面深化改革新的举措一茬接着一茬，新的声势一浪高过一浪，一幅风生水起、蹄疾步稳的改革画卷跃然呈现。在党的十九届一中全会上，习近平总书记强调，新时代坚持和发展中国特色社会主义，根本动力仍然是全面深化改革。要适应新时代中国特色社会主义事业发展进程，牢牢把握全面深化改革总目标，统筹推进各

① 《省领导检查学习贯彻党的十九届四中全会精神情况》，《大众日报》2020 年 1 月 17 日。

② 《建设现代化经济体系　推动经济高质量发展——各地聚焦坚持和完善社会主义基本经济制度落实党的十九届四中全会精神》，新华社北京 2019 年 11 月 12 日电。

领域各方面改革。

2017年11月20日，习近平总书记主持召开十九届中央全面深化改革领导小组第一次会议并发表重要讲话。会议审议通过了《关于贯彻落实党的十九大精神坚定不移将改革推向深入的工作意见》《中央全面深化改革领导小组工作总结》《中央全面深化改革领导小组工作规则（修订稿）》《中央全面深化改革领导小组专项小组工作规则（修订稿）》《中央全面深化改革领导小组办公室工作细则（修订稿）》等多个文件。会议审议了《关于加大督察力度狠抓改革落实情况的报告》。

会议提出，党的十八大以来，在以习近平同志为核心的党中央坚强领导下，我们以敢于啃硬骨头、敢于涉险滩的担当和勇气，坚决破除各方面体制机制弊端，形成了一大批改革理论成果、制度成果、实践成果，主要领域改革主体框架基本确立。这是继续深化改革的坚实基础和有利条件。站在更高起点谋划和推进改革，必须深入学习贯彻党的十九大精神和习近平新时代中国特色社会主义思想，坚定改革方向，继续统筹推进各领域各方面改革。在会上习近平总书记指出，最为关键的是，无论改什么、改到哪一步，坚持党对改革的集中统一领导不能变，完善和发展中国特色社会主义制度、推进国家治理体系和治理能力现代化的总目标不能变，坚持以人民为中心的改革价值取向不能变。这次会议强调，党的十九大围绕党和国家事业发展新要求，对全面深化改革提出了新任务，部署了一大批力度更大、要求更高、举措更实的改革任务。同时，还要继续推动党的十八大以来部署的改革任务落实，改革的担子越挑越重。我们必须准备付出更为艰巨、更为艰苦的努力。要抓紧梳理党的十九大提出的改革任务和举措，按照党中央确定的全面深化改革的总目标，着力增强改革的系统性、整体性、协同性，保持工作力度和连续性，有计划有秩序推进落实。这次会议指出，各地区各部门要增强政治意识、大局意识、核心意识、看齐意识，强化落实责任，结合自身实际，把党中央提出的战略部署转化为本地区本部门的工作任务。党的十八大以来已经推出改革方案的要狠抓落实，还没有完成的改革任务要紧抓快干，已经落实方案的还要巩固改革成果。要坚持一把手抓改革，重视搞好调查研究，善于研究和解决新矛盾新问题，在抓落实上投入更大精力。明年改革工作要抓紧谋划起来，用更高的标准抓好各项工作，以实际行动迎接改革开放40周年。

2018年1月23日，习近平总书记主持召开中央全面深化改革领导小组第二次会议并发表重要讲话。他强调，2018年是贯彻党的十九大精神的开局之年，也是改革开放40周年，做好改革工作意义重大。要弘扬改革创新精神，推动思想再解放改革再深入工作再抓实，凝聚起全面深化改革的强大力量，在新起点上实现新突破。会议审议通过了《中央有关部门贯彻实施党的十九大〈报告〉重要改革举措分工方案》《中央全面深化改革领导小组2018年工作要点》《中央全面深化改革领导小组2017年工作总结报告》；审议通过了《关于推进社会公益事业建设领域政府信息公开的意见》《关于提高技术工人待遇的意见》等多个文件。会议还审议了《浙江省“最多跑一次”改革调研报告》。

这次会议强调，2018年是站在新的历史起点上接力探索、接续奋进的关键之年，要全面贯彻党的十九大精神，以习近平新时代中国特色社会主义思想为指导，统筹推进党的十八大以来部署的改革举措和党的十九大部署的改革任务，更加注重改革的系统性、整体性、协同性，着力补齐重大制度短板，着力抓好改革任务落实，着力巩固拓展改革成果，着力提升人民群众获得感，不断将改革推深做实，推进基础性关键领域改革取得实质性成果。

改革要突出重点、攻克难点，在破除各方面体制机制弊端、调整深层次利益格局上再拿下一些硬任务，重点推进国企国资、垄断行业、产权保护、财税金融、乡村振兴、社会保障、对外开放、生态文明等关键领域改革。要提高政治站位，勇于推进改革，敢于自我革命。要结合实际，实事求是，多从基层和群众关心的问题上找突破口，多推有地方特点的改革。要鼓励基层创新，继续发扬敢闯敢试、敢为人先的精神，推动形成更加浓厚、更有活力的改革创新氛围。

要拿出实实在在的举措克服形式主义问题。主要负责同志要带好头，把责任和工作抓实，越是难度大、见效慢的越要抓在手上，不弃微末，不舍寸功。要把调查研究突出出来，把存在的矛盾和困难摸清摸透，把工作做实做深做好。改革督察要扩点拓面、究根探底，既要听其言，也要观其行、查其果。对不作为的，要抓住典型，严肃问责。

这两次中央深改组会议都是在党的十九大之后紧锣密鼓召开的，都有很强的针对性，再次吹响了把全面深化改革向纵深推进的进军号。

为加强组织协调，继续推动全面深化改革，2018 年初，党的十九届三中全会围绕健全党对重大工作的领导体制机制，优化中央决策议事协调机构，决定把中央全面深化改革领导小组改为中央全面深化改革委员会。这是健全党对重大工作领导体制机制的一项重要举措，是新时代全面深化改革的必然要求。成立中央全面深化改革委员会，有利于完善科学领导和决策、有效管理和执行的体制机制，加强战略研究、统筹规划、综合协调、整体推进，加强对地方和部门工作的领导，从而更好地统一思想、凝聚力量、蹄疾步稳推进各项改革。

2018 年 3 月 28 日，中共中央总书记、国家主席、中央军委主席、中央全面深化改革委员会主任习近平主持召开中央全面深化改革委员会第一次会议并发表重要讲话。中央全面深化改革委员会副主任李克强、王沪宁、韩正出席会议。会议审议通过了《中央全面深化改革委员会工作规则》《中央全面深化改革委员会专项小组工作规则》《中央全面深化改革委员会办公室工作细则》。会议审议了《关于深化纪检监察体制改革和中央纪委国家监委机构改革情况的报告》《关于第一轮中央环境保护督察总结和下一步工作考虑的报告》。会议审议通过了《关于深入推进审批服务便民化的指导意见》《关于设立上海金融法院的方案》《关于形成参与国际宏观经济政策协调的机制推动国际经济治理结构完善的意见》《进一步深化中国（广东）自由贸易试验区改革开放方案》《进一步深化中国（天津）自由贸易试验区改革开放方案》《进一步深化中国（福建）自由贸易试验区改革开放方案》《关于规范金融机构资产管理业务的指导意见》《关于加强非金融企业投资金融机构监管的指导意见》等 10 多个文件。

这次会议指出，把中央全面深化改革领导小组改为委员会，是健全党对重大工作领导体制机制的一项重要举措。要完善科学领导和决策、有效管理和执行的体制机制，加强战略研究、统筹规划、综合协调、整体推进，加强对地方和部门工作的指导。各级党委要加强对改革工作的领导，强化组织协调能力，确保党中央改革决策部署落到实处。会议强调，深化党和国家机构改革，转变和优化职责是关键。要在改职责上出硬招，不光是改头换面，还要脱胎换骨，切实解决多头分散、条块分割、下改上不改、上推下不动的问题，确保党中央令行禁止。要在宏观管理、市场监管、教育文化、卫生健康、医疗保障、生态环保、应急管理、退役军人服务、移民管理服务、综合执法等人民群众普遍关心的领域，重点攻坚、抓好落实。各地区各部门要主动对表、积极作为，结合机构改革，加快内部职责和业务整合。会议指出，要统筹安排深化党和国家机构改革和各领域改革，既要通过机构改革推进各领域改革，又要在深化各领域改革中优化机构职责配置。深化党和国家机构改革涉及一批改革任务和分工的调整，要把同机构改革相关联的改革事项理清楚，确保各项改革任务责任明确、协同推进。

从这次会议到 2020 年 12 月 30 日召开中央深改委第十七次会议，每次会议召开都会审议一批改革文件，涉及方方面面的改革。在此期间，我们党通过召开会议、颁布改革举措、督查举措落实情况，扎扎实实推进了全面深化改革向纵深进发。比如，2018 年 5 月 11 日，习近平总书记主持召开了中央全面深化改革委员会第二次会议。会议审议通过了《关于地方机构改革有关问题的指导意见》《关于加强国有企业资产负债约束的指导意见》《推进中央党政机关和事业单位经营性国有资产集中统一监管试点实施意见》《高等学校所属企业体制改革的指导意见》《企业职工基本养老保险基金中央调剂制度方案》《中央企业领导人员管理规定》《关于加强和改进生活无着的流浪乞讨人员救助管理工作的意见》《关于改革完善医疗卫生行业综合监管制度的指导意见》《关于党的十八大以来有关改革任务分工调整的请示》《党的十九大报告重要改革举措实施规划（2018—2022年）》等10个文件，还审议了《深化党和国家机构改革进展情况报告》，涉及政治、经济、社会等各领域的改革。开会期间正值党和国家机构改革的关键时段，习近平总书记发表重要讲话强调，党的十九届三中全会以来，中央和国家机关机构改革取得重大进展，要注意边实践、边总结，把好经验运用好，周密组织地方机构改革，使中央和地方机构改革在工作部署、组织实施上有机衔接、有序推进，确保深化党和国家机构改革取得全面胜利。会议强调，党的十九届三中全会以来，在党中央坚强领导下，深化党和国家机构改革加大统的力度、明确改的章法、做好人的工作，在较短时间里取得重大进展，各方面思想统一、热情高涨、行动迅速、推进稳妥，呈现出气势如虹、势如破竹的良好局面。这充分说明，党的十八大以来我们领导全面深化改革打下的基础是好的，前一段探索的机构改革工作机制和方法也是有力有效的。会议指出，根据党的十九届三中全会部署，地方机构改革要抓紧启动、压茬推进。总的要求是，全面准确贯彻落实党中央关于机构改革的部署要求，坚决维护党中央权威和集中统一领导，确保上下贯通、执行有力；赋予省级及以下机构更多自主权，允许地方因地制宜设置机构和配置职能；严格各级党政机构限额管理，强化编制管理刚性约束；着眼于服务方便人民群众、符合基层事务特点，构建简约高效的基层管理体制；深化综合行政执法改革，完善市场监管和执法体制。会议还指出，地方党委要加强对机构改革工作的领导，统筹研究机构改革方案制定和组织实施，把思想政治工作贯穿改革全过程，保证改革期间各项工作连续稳定。省（区、市）党委职能部门和政府组成部门总体上要同中央和国家机关机构对应，在此基础上，各地可以根据本地经济社会特点和工作需要因地制宜设置相关机构。要在转变和优化职责上下功夫，上下职责要能打得通、衔接得上。有关方面要加大对地方机构改革的指导力度，把情况和问题摸准摸透，逐一研究解决。会议强调，地方抓改革要坚持问题导向，对一些起关键作用的改革，要加强形势分析和研判，抓住机遇、赢得主动。指导和推动地方改革要注意分类指导，既要有全局的统一性，也要有局部的灵活性，发挥好导向和激励作用。[①]

按照党的十八届三中全会的决策部署，2020 年是全面深化改革进程中的重要节点。在这一年 12 月 30 日召开的中央深改委第十七次会议，全面系统总结了 7 年多来的改革进程，高度评价了全面深化改革。会议指出，党的十八届三中全会以来，党中央以前所未有的决心和力度冲破思想观念的束缚，突破利益固化的藩篱，坚决破除各方面体制机制弊端，积极应对外部环境变化带来的风险挑战，开启了气势如虹、波澜壮阔的改革进程。党的十八届三中全会确定的目标任务全面推进，各领域基础性制度框架基本确立，许多领域实现历史性变革、系统性重塑、整体性重构，为推动形成系统完备、科学规范、运行有效的制度体系，使各方面制度更加成熟更加定型奠定了坚实基础。要坚定改革信心，汇聚改革合力，再接再厉，锐意进取，推动新发展阶段改革取得更大突破、展现更大作为。“全面深化改革取得历史性伟大成就”这句话虽然简短但很有力量，表达了党中央对十八届三中全会以来全面深化改革历程的集中看法。

这次会议审议了党的十八届三中全会以来全面深化改革总结评估报告。会议审议通过了《关于中央企业党的领导融入公司治理的若干意见（试行）》《关于加快建立健全绿色低碳循环发展经济体系的指导意见》《环境信息依法披露制度改革方案》《关于建立健全政务数据共享协调机制加快推进数据有序共享的意见》《关于进一步深化预算管理制度改革的意见》等文件。

习近平总书记在会上的讲话中指出，回顾这些年改革工作，我们提出的一系列创新理论、采取的一系列重大举措、取得的一系列重大突破，都是革命性的，开创了以改革开放推动党和国家各项事业取得历史性成就、发生历史性变革的新局面。第一，这是一场思想理论的深刻变革。我们坚持以思想理论创新引领改革实践创新，以总结实践经验推动思想理论丰富

---

① 《加强领导周密组织有序推进　统筹抓好中央和地方机构改革》，《人民日报》2018 年 5 月 12 日。

和发展，从改革的总体目标、主攻方向、重点任务、方法路径等方面提出一系列具有突破性、战略性、指导性的重要思想和重大论断，科学回答了在新时代为什么要全面深化改革、怎样全面深化改革等一系列重大理论和实践问题。第二，这是一场改革组织方式的深刻变革。我们加强党对全面深化改革的集中统一领导，以全局观念和系统思维谋划推进改革，从前期夯基垒台、立柱架梁，到中期全面推进、积厚成势，再到现阶段加强系统集成、协同高效，蹄疾步稳、有力有序解决各领域各方面体制性障碍、机制性梗阻、政策性创新问题，方向目标清晰，战略部署明确，方法路径高效，实现由局部探索、破冰突围到系统协调、全面深化的历史性转变。第三，这是一场国家制度和治理体系的深刻变革。我们始终突出制度建设这条主线，不断健全制度框架，筑牢根本制度、完善基本制度、创新重要制度。在抗击新冠肺炎疫情、决胜全面建成小康社会、决战脱贫攻坚、“十三五”规划实施、全年经济工作等进程中，制度建设发挥了重要作用，改革的关键一招作用充分彰显。无论从改革广度和深度看，还是从党和国家各项事业发展对改革的实际检验看，取得的重大成就都具有鲜明的时代性和实践性。第四，这是一场人民广泛参与的深刻变革。我们以人民为中心推进改革，坚持加强党的领导和尊重人民首创精神相结合，坚持顶层设计和摸着石头过河相协调，坚持试点先行和全面推进相促进，抓住人民最关心最直接最现实的利益问题推进重点领域改革，不断增强人民获得感、幸福感、安全感，全社会形成改革创新活力竞相迸发、充分涌流的生动局面。①

从这次会后到党的二十大召开，全面深化改革继续向纵深推进。2021年1月22日，国务院办公厅印发《关于推动药品集中带量采购工作常态化制度化开展的意见》。3月11日，十三届全国人大四次会议通过《关于修改〈中华人民共和国全国人民代表大会组织法〉的决定》《关于修改〈中华人民共和国全国人民代表大会议事规则〉的决定》《关于完善香港特别行政

① 习近平：《习近平著作选读》第二卷，人民出版社2023年版，第394—396页。

区选举制度的决定》。3 月 27 日，中共中央印发《关于加强对“一把手”和领导班子监督的意见》。4 月 14 日，国务院常务会议通过《中华人民共和国市场主体登记管理条例》。近年来通过推进商事制度等改革，市场主体不断培育壮大，登记在册的市场主体总数由 2012 年的近 5500 万户增加到 2021 年 4 月份的 1.43 亿户，增长了 1.6 倍。4 月 29 日，十三届全国人大常委会第二十八次会议通过《中华人民共和国乡村振兴促进法》。8 月 30 日，中央全面深化改革委员会第二十一次会议审议通过了《关于强化反垄断深入推进公平竞争政策实施的意见》(以下简称《意见》)。随着《意见》的印发和《中华人民共和国反垄断法(修正草案)》提请全国人大常委会审议，在顶层设计上已基本形成公平竞争政策的完整框架。在执法层面，我国积极稳妥逐步解决平台经济“二选一”等问题，依法查处一系列案件，有力促进全社会公平竞争的法治意识，强化企业合规意识，保护各类市场主体发展活力。2021 年国家反垄断局挂牌成立，预示着反垄断执法已进入常态化、长效化新阶段。反垄断是为了促公平、促发展。通过加快构建全方位、多层次、立体化的竞争监管体系，加强重点领域反垄断反不正当竞争的监管执法，促进标准的市场体系建设，我国将着力打造市场化、法治化、国际化营商环境，为各类市场主体创造更好的发展空间。10 月 12 日，国家发展改革委印发《关于进一步深化燃煤发电上网电价市场化改革的通知》。此次煤电上网电价改革聚焦有序放开全部煤电上网电价、扩大市场化交易电价上下浮动范围、推动工商业用户全部进入市场等内容，既立足当前，保障电力安全稳定供应，又着眼长远，服务新型电力系统构建，标志着电力市场化改革迈出重要一步。改革完善煤电价格市场化形成机制，尽快理顺煤电价格关系，是有效化解煤电博弈、保障电力稳定供应的重中之重。需要指出的是，此次改革保持了居民、农业用电价格的稳定，不会对居民消费价格指数产生直接影响，最大限度体现了国家对于民生保障的基本取向，有利于充分发挥市场机制作用，着眼长远推动电力市场加快建设发展，服务能源绿色低碳转型和“双碳”目标实现。11 月 15 日，北京证券交易所开市。深化新三板改革，设立北京证券交易所，旨在打造服务创新型中小企业主阵地。作为我国第一家公司制证券交易所，北交所定位服务创新型中小企业，突出“更早、更小、更新”，将与沪深交易所、区域性股权市场互联互通，形成层层递进的创新型中小企业成长路径，与主板主要服务大型成熟企业，科创板服务“硬科技”，创业板服务“三创四新”形成错位发展格局。开市首日，北交所有 81 只股票交易，其中 71 只是精选层平移股票，10 只为开市时直接上市的新股。北交所与沪深交易所一起，将形成资本市场赋能中小企业创新的强大合力，激发出实体创新创业的强大动能，推动我国经济高质量发展。①

2022 年的全面深化改革稳中有进。3 月，党中央、国务院下发《关于加快建设全国统一大市场的意见》，指导思想是：以习近平新时代中国特色社会主义思想为指导，全面贯彻党的十九大和十九届历次全会精神，弘扬伟大建党精神，坚持稳中求进工作总基调，完整、准确、全面贯彻新发展理念，加快构建新发展格局，全面深化改革开放，坚持创新驱动发展，推动高质量发展，坚持以供给侧结构性改革为主线，以满足人民日益增长的美好生活需要为根本目的，统筹发展和安全，充分发挥法治的引领、规范、保障作用，加快建立全国统一的市场制度规则，打破地方保护和市场分割，打通制约经济循环的关键堵点，促进商品要素资源在更大范围内畅通流动，加快建设高效规范、公平竞争、充分开放的全国统一大市场，全面推动我国市场由大到强转变，为建设高标准市场体系、构建高水平社会主义市场经济体制提供坚强支撑。主要目标包括：一是持续推动国内市场高效畅通和规模拓展；二是加快营造稳定公平透明可预期的营商环境；三是进一步降低市场交易成本；四是促进科技创新和产业升级；五是培育参与国际竞争合作新优势。9 月，党中央、国务院印发了《全面深化前海深港现代服务业合作区改革开放方案》（以下简称《方案》）并发出通知，要求各地区各部门结合实际认真贯彻落实。该《方案》的指导思想是：以习近平新时代中国特色社会主义思想为指导，全面贯彻党的十九大和十九届二中、三中、

① 《向着更深层次更宽领域迈进》，《经济日报》2021 年 12 月 29 日。

四中、五中全会精神，坚决贯彻党的基本理论、基本路线、基本方略，增强“四个意识”、坚定“四个自信”、做到“两个维护”，坚持稳中求进工作总基调，立足新发展阶段，贯彻新发展理念，构建新发展格局，以推动高质量发展为主题，以深化供给侧结构性改革为主线，以改革创新为根本动力，以满足人民日益增长的美好生活需要为根本目的，坚持系统观念，更好统筹发展和安全，以制度创新为核心，在“一国两制”框架下先行先试，推进与港澳规则衔接、机制对接，丰富协同协调发展模式，打造粤港澳大湾区全面深化改革创新试验平台，建设高水平对外开放门户枢纽，不断构建国际合作和竞争新优势。该《方案》明确提出发展目标是：到 2025 年，建立健全更高层次的开放型经济新体制，初步形成具有全球竞争力的营商环境，高端要素集聚、辐射作用突出的现代服务业蓬勃发展，多轮驱动的创新体系成效突出，对粤港澳大湾区发展的引擎作用日益彰显。到 2035 年，高水平对外开放体制机制更加完善，营商环境达到世界一流水平，建立健全与港澳产业协同联动、市场互联互通、创新驱动支撑的发展模式，建成全球资源配置能力强、创新策源能力强、协同发展带动能力强的高质量发展引擎，改革创新经验得到广泛推广。

据 2023 年 3 月的政府工作报告，从党的十九大到二十大的 5 年间，我们聚焦重点领域和关键环节深化改革，更大激发市场活力和社会创造力。坚持社会主义市场经济改革方向，处理好政府和市场的关系，使市场在资源配置中起决定性作用，更好发挥政府作用，推动有效市场和有为政府更好结合。一是持续推进政府职能转变。完成国务院及地方政府机构改革。加快建设全国统一大市场，建设高标准市场体系，营造市场化法治化国际化营商环境。大道至简，政简易行。持之以恒推进触动政府自身利益的改革。进一步简政放权，放宽市场准入，全面实施市场准入负面清单制度，清单管理措施比制度建立之初压减 64%，将行政许可事项全部纳入清单管理。多年来取消和下放行政许可事项 1000 多项，中央政府层面核准投资项目压减 90% 以上，工业产品生产许可证从 60 类减少到 10 类，工程建设项目全流程审批时间压缩到不超过 120 个工作日。改革商事制度，推行“证照分离”改革，企业开办时间从一个月以上压缩到目前的平均 4 个工作日以内，实行中小微企业简易注销制度。坚持放管结合，加强事中事后监管，严格落实监管责任，防止监管缺位、重放轻管，强化食品药品等重点领域质量和安全监管，推行“双随机、一公开”等方式加强公正监管，规范行使行政裁量权。加强反垄断和反不正当竞争，全面落实公平竞争审查制度，改革反垄断执法体制。依法规范和引导资本健康发展，依法坚决管控资本无序扩张。不断优化服务，推进政务服务集成办理，压减各类证明事项，加快数字政府建设，90% 以上的政务服务实现网上可办，户籍证明、社保转接等 200 多项群众经常办理事项实现跨省通办。取消所有省界高速公路收费站。制定实施优化营商环境、市场主体登记管理、促进个体工商户发展、保障中小企业款项支付等条例。改革给人们经商办企业更多便利和空间，去年底企业数量超过 5200 万户、个体工商户超过 1.1 亿户，市场主体总量超过 1.6 亿户，是 10 年前的 3 倍，发展内生动力明显增强。二是促进多种所有制经济共同发展。坚持和完善社会主义基本经济制度，坚持“两个毫不动摇”。完成国企改革三年行动任务，健全现代企业制度，推动国企聚焦主责主业优化重组、提质增效。促进民营企业健康发展，破除各种隐性壁垒，一视同仁给予政策支持，提振民间投资信心。完善产权保护制度，保护企业家合法权益，弘扬企业家精神。三是推进财税金融体制改革。深化预算管理体制改革，加大预算公开力度，推进中央与地方财政事权和支出责任划分改革，完善地方政府债务管理体系，构建综合与分类相结合的个人所得税制，进一步深化税收征管改革。推动金融监管体制改革，统筹推进中小银行补充资本和改革化险，推进股票发行注册制改革，完善资本市场基础制度，加强金融稳定法治建设。足见，5 年来的改革开放成就喜人。

改革永远在路上。“改革道路上仍面临着很多复杂的矛盾和问题，我们已经啃下了不少硬骨头但还有许多硬骨头要啃，我们攻克了不少难关但还有许多难关要攻克。要把接续推进改革同服务党和国家工作大局结合起来，围绕落实新发展理念、构建新发展格局、推动高质量发展等战略目标任务，推进创造性、引领性改革。要把深化改革攻坚同促进制度集成结合起来，聚焦基础性和具有重大牵引作用的改革举措，加强制度创新充分联动和衔接配套，提升改革综合效能。要把推进改革同防范化解重大风险结合起来，深入研判改革形势和任务，科学谋划推动落实改革的时机、方式、节奏，推动改革行稳致远。要把激发创新活力同凝聚奋进力量结合起来，强化激励机制，充分调动各方面推进改革的积极性、主动性、创造性，推动改革在新发展阶段打开新局面。”①

① 习近平:《习近平著作选读》第二卷，人民出版社 2023 年版，第 396 页。

第六章

推进高水平
对外开放

党的十九大专门就对外开放作出部署，强调中国开放的大门不会关闭，只会越开越大。党的十九大以来，面对风云变幻的国际形势，我们坚持互利共赢的对外开放战略，推动共建“一带一路”高质量发展，实施自由贸易试验区提升战略，加快推进海南自由贸易港建设，举办国际进口博览会，不断优化营商环境，努力推进形成对外开放新格局。

第一节　在国际形势风云变幻中坚持对外开放

党的十九大指出，要以“一带一路”建设为重点，坚持“引进来”和“走出去”并重，遵循共商共建共享原则，加强创新能力开放合作，形成陆海内外联动、东西双向互济的开放格局。拓展对外贸易，培育贸易新业态新模式，推进贸易强国建设。实行高水平的贸易和投资自由化便利化政策，全面实行准入前国民待遇加负面清单管理制度，大幅度放宽市场准入，扩大服务业对外开放，保护外商投资合法权益。凡是在我国境内注册的企业，都要一视同仁、平等对待。优化区域开放布局，加大西部开放力度。赋予自由贸易试验区更大改革自主权，探索建设自由贸易港。创新对外投资方式，促进国际产能合作，形成面向全球的贸易、投融资、生产、服务网络，加快培育国际经济合作和竞争新优势。① 党的十九届一中全会后，习近平总书记在十九届中央政治局常委同中外记者见面时，强调“坚定不移地扩大开放，使改革开放相互促进、相得益彰”②。

党的十九大后，全球化出现逆流、中美贸易战打响、世纪疫情来袭……国际形势变幻莫测。习近平总书记提出世界处于百年未有之大变局的重大判断。2017 年 10 月，习近平总书记在党的十九大上提出“世界正处于大发展大变革大调整时期”，对世界格局作出宏观判断。11 月 9 日，在同来华进行国事访问的美国总统特朗普共同会见记者时，习近平总书记指出：“面对复杂多变的国际形势，中美两个大国在维护世界和平稳定、促进全球发展繁荣方面拥有共同利益更多了，肩负责任更大了，合作空间更广了。”12 月，

---

① 习近平：《习近平著作选读》第二卷，人民出版社 2023 年版，第 28—29 页。

② 中共中央党史和文献研究院编《十九大以来重要文献选编》上，中央文献出版社 2019 年版，第 86 页。

习近平总书记在接见驻外使节工作会议上发表讲话，提出：“中国特色社会主义进入了新时代。做好新时代外交工作，首先要深刻领会党的十九大精神，正确认识当今时代潮流和国际大势。放眼世界，我们面对的是百年未有之大变局。”2018年6月，习近平总书记在中央外事工作会议上指出：“当前，我们处于近代以来最好的发展时期，世界处于百年未有之大变局，两者同步交织、相互激荡。”这是在国内首次明确提出“世界处于百年未有之大变局”。9月，习近平总书记在中非合作论坛北京峰会上提出“当今世界正在经历百年未有之大变局”，这是在国际场合的第一次明确论述。大变局包括世界经济重心从大西洋两岸正在向太平洋两岸转移，世界政治格局发生深刻调整、多极化趋势显著。在这种大变局中，有些国家出于种种原因，动辄“退群”“脱欧”，搞单边主义、贸易保护主义，实行以邻为壑策略和俱乐部战略，掀起阵阵的逆全球化潮流。

在这种形势下，我们坚定认为开放融通是大势所趋，经济全球化是人类社会发展必经之路。历史地看，经济全球化是社会生产力发展的客观要求和科技进步的必然结果，为世界经济增长提供了强劲动力，促进了商品和资本流动、科技和文明进步、各国人民交往。同时，经济全球化是一把双刃剑。当世界经济处于下行期的时候，全球经济蛋糕不容易做大，甚至变小了，效率和公平等矛盾就会更加突出，经济全球化就会遭遇更多不确定性。

近年来，单边主义、保护主义、孤立主义上升，世界经济低迷，国际贸易和投资大幅萎缩，给人类生产生活带来前所未有的挑战和考验。但世界是联系的，绝不会退回相互封闭、彼此分割的状态，开放合作仍然是历史潮流，互利共赢是人心所向。所谓大江奔腾向海，总会遇到逆流，但任何逆流都阻挡不了大江东去。就此习近平总书记指出：“综合研判世界发展大势，经济全球化是不可逆转的历史潮流。”① 面对经济全球化大势，像鸵鸟一样把头埋在沙里假装视而不见，或像堂吉诃德一样挥舞长矛加以抵制，

① 习近平：《习近平著作选读》第二卷，人民出版社2023年版，第143页。

都违背了历史规律。中国一直表示，扩大高水平开放的决心不会变，同世界分享发展机遇的决心不会变，推动经济全球化朝着更加开放、包容、普惠、平衡、共赢方向发展的决心也不会变。同时，中国坚决反对保护主义、反对“筑墙设垒”“脱钩断链”，反对单边制裁、极限施压。

“实践证明，过去四十年中国经济发展是在开放条件下取得的，未来中国经济实现高质量发展也必须在更加开放的条件下进行。这是中国基于发展需要作出的战略抉择，同时也是在以实际行动推动经济全球化造福世界各国人民。”[①]“中国对外开放，不是要一家唱独角戏，而是要欢迎各方共同参与；不是要谋求势力范围，而是要支持各国共同发展；不是要营造自己的后花园，而是要建设世界各国共享的百花园。中国的发展离不开世界，世界的繁荣也需要中国。”[②]

习近平总书记在2018年4月10日举行的博鳌亚洲论坛2018年年会开幕式上的主旨演讲中，明确提出“中国人民将继续扩大开放、加强合作，坚定不移奉行互利共赢的开放战略，坚持引进来和走出去并重，推动形成陆海内外联动、东西双向互济的开放格局，实行高水平的贸易和投资自由化便利化政策，探索建设中国特色自由贸易港”[③]，并向世界宣布在扩大开放方面中国将采取以下重大举措。

第一，大幅度放宽市场准入。在服务业特别是金融业方面，去年年底宣布的放宽银行、证券、保险行业外资股比限制的重大措施要确保落地，同时要加大开放力度，加快保险行业开放进程，放宽外资金融机构设立限制，扩大外资金融机构在华业务范围，拓宽中外金融市场合作领域。在制造业方面，目前已基本开放，保留限制的主要是汽车、船舶、飞机等少数行业，现在这些行业已经具备开放基础，下一步要尽快放宽外资股比限制

① 习近平:《习近平著作选读》第二卷，人民出版社2023年版，第143页。
② 中共中央宣传部编《习近平新时代中国特色社会主义思想学习纲要》(2023年版)，学习出版社、人民出版社2023年版，第99页。
③ 习近平:《习近平著作选读》第二卷，人民出版社2023年版，第143页。

特别是汽车行业外资限制。第二，创造更有吸引力的投资环境。投资环境就像空气，空气清新才能吸引更多外资。我们将加强同国际经贸规则对接，增强透明度，强化产权保护，坚持依法办事，鼓励竞争、反对垄断。今年3月，我们组建了国家市场监督管理总局等新机构，对现有政府机构作出大幅度调整，坚决破除制约使市场在资源配置中起决定性作用、更好发挥政府作用的体制机制弊端。今年上半年，我们将完成修订外商投资负面清单工作，全面落实准入前国民待遇加负面清单管理制度。第三，加强知识产权保护。这是完善产权保护制度最重要的内容，也是提高中国经济竞争力最大的激励。对此，外资企业有要求，中国企业更有要求。我们将重新组建国家知识产权局，完善执法力量，加大执法力度，把违法成本显著提上去，把法律威慑作用充分发挥出来。我们鼓励中外企业开展正常技术交流合作，保护在华外资企业合法知识产权。同时，我们希望外国政府加强对中国知识产权的保护。第四，主动扩大进口。内需是中国经济发展的基本动力，也是满足人民日益增长的美好生活需要的必然要求。中国不以追求贸易顺差为目标，真诚希望扩大进口，促进经常项目收支平衡。我们将相当幅度降低汽车进口关税，同时降低部分其他产品进口关税，努力增加人民群众需求比较集中的特色优势产品进口，加快加入世界贸易组织《政府采购协定》进程。我们希望发达国家对正常合理的高技术产品贸易停止人为设限，放宽对华高技术产品出口管制。今年11月，我们将在上海举办首届中国国际进口博览会。这不是一般性的会展，而是我们主动开放市场的重大政策宣示和行动。欢迎各国朋友来华参加。

习近平总书记强调："刚才宣布的这些对外开放重大举措，我们将尽快使之落地，宜早不宜迟，宜快不宜慢，努力让开放成果及早惠及中国企业和人民，及早惠及世界各国企业和人民。我相信，经过努力，中国金融业竞争力将明显提升，资本市场将持续健康发展，现代产业体系建设将加快推进，中国市场环境将大大改善，知识产权将得到有力保护，中国对外开放一定会打开一个全新的局面。”[①]

第二节　推动共建“一带一路”高质量发展

自提出以来，“一带一路”建设从理念到行动，发展成为实实在在的国际合作，取得了令人瞩目的成就。党的十九大报告指出，中国坚持对外开放的基本国策，要以“一带一路”建设为重点，坚持“引进来”和“走出去”并重，遵循共商共建共享原则，加强创新能力开放合作，形成陆海内外联动、东西双向互济的开放格局；坚持打开国门搞建设，积极促进“一带一路”国际合作，努力实现政策沟通、设施联通、贸易畅通、资金融通、民心相通，打造国际合作新平台，增添共同发展新动力。这为“一带一路”合作和建设指明了方向。2017 年 10 月 24 日，党的十九大通过关于《中国共产党章程（修正案）》的决议，推进“一带一路”建设等正式写入党章。

习近平总书记一直高度重视和关心指导“一带一路”的建设发展。2017 年 11 月 10 日，习近平总书记出席在越南举行的亚太经合组织工商领导人峰会时说，“一带一路”国际合作高峰论坛在北京成功举办。共建“一带一路”倡议的核心内涵，就是促进基础设施建设和互联互通，加强经济政策协调和发展战略对接，促进协同联动发展，实现共同繁荣。这一倡议源自中国，更属于世界；植根于历史，更面向未来；重点面向亚欧非大陆，更向所有伙伴开放。这表明，“一带一路”是面向全球的，面向世界的。2017 年 12 月 1 日，习近平总书记在中国共产党与世界政党高层对话会上指出，4 年来，共建“一带一路”已成为有关各国实现共同发展的巨大合作平台。2018 年 1 月 22 日，习近平总书记在致中国—拉美和加勒比国家共同体论坛第二届部长级会议的贺信中表达了中拉合作共建“一带一路”的愿望。他在信中说：“四年前，我提出‘一带一路’国际合作倡议，就是要同有关

① 习近平：《习近平著作选读》第二卷，人民出版社 2023 年版，第 145 页。

各方一道，建设互联互通国际合作新平台，增添共同发展新动力。倡议推出后，得到包括许多拉美和加勒比国家在内的国际社会积极热烈响应。历史上，我们的先辈劈波斩浪，远涉重洋，开辟了中拉‘太平洋海上丝绸之路’。今天，我们要描绘共建‘一带一路’新蓝图，打造一条跨越太平洋的合作之路，把中国和拉美两块富饶的土地更加紧密地联通起来，开启中拉关系崭新时代。”[①]2018 年 4 月 10 日，在博鳌亚洲论坛 2018 年年会开幕式上的主旨演讲中，习近平总书记说：“五年前，我提出了共建‘一带一路’倡议。五年来，已经有八十多个国家和国际组织同中国签署了合作协议。共建‘一带一路’倡议源于中国，但机会和成果属于世界，中国不打地缘博弈小算盘，不搞封闭排他小圈子，不做凌驾于人的强买强卖。需要指出的是，‘一带一路’建设是全新的事物，在合作中有些不同意见是完全正常的，只要各方秉持和遵循共商共建共享的原则，就一定能增进合作、化解分歧，把‘一带一路’打造成为顺应经济全球化潮流的最广泛国际合作平台，让共建‘一带一路’更好造福各国人民。”[②]5 月 15 日，习近平总书记在中央外事工作委员会第一次会议上指出，要抓好首届“一带一路”国际合作高峰论坛成果的落实，凝聚各方共识，规划合作愿景，扩大对外开放，加强同各国的沟通、协商、合作，推动“一带一路”建设走深走实、行稳致远，更好造福各国人民。7 月 10 日，在中阿合作论坛第八届部长级会议开幕式上，习近平总书记就中阿之间共建“一带一路”发表了重要讲话，引起强烈反响。他在讲话中指出：“作为历史上丝路文明的重要参与者和缔造者之一，阿拉伯国家身处‘一带一路’交汇地带，是共建‘一带一路’的天然合作伙伴。”[③]“一带一路”成为中阿关系重要内容。阿拉伯国家联盟外长理事会通过决议，表达阿拉伯国家集体参与“一带一路”建设政治意愿。本届部长级会议上，中阿双方签署了《中阿合作共建“一带一路”行动宣言》。几年来，中阿携手同行，把“一带一路”同地区实际结合起来，把集

① 习近平：《习近平谈“一带一路”》，中央文献出版社 2018 年版，第 219 页。
② 习近平：《习近平谈“一带一路”》，中央文献出版社 2018 年版，第 217 页。
③ 习近平：《习近平谈“一带一路”》，中央文献出版社 2018 年版，第 221—222 页。

体行动同双边合作结合起来，把促进发展同维护和平结合起来，优势互补，合作共赢，造福地区人民和世界人民。“一带一路”建设落地之处呈现出多姿多彩、生机勃勃的面貌，结出累累硕果。“一带一路”建设全面带动中阿关系发展，中阿全方位合作进入新阶段。习近平总书记在会上表示：“中方愿同阿方加强战略和行动对接，携手推进‘一带一路’建设，共同做中东和平稳定的维护者、公平正义的捍卫者、共同发展的推动者、互学互鉴的好朋友，努力打造中阿命运共同体，为推动构建人类命运共同体作出贡献。”①

“一带一路”建设取得显著进展，与俄罗斯提出的“欧亚经济联盟”、东盟提出的“互联互通总体规划”、蒙古国提出的“草原之路”、越南提出的“两廊一圈”、沙特阿拉伯提出的“2030 愿景”等实现了政策或规划对接。可以说，经过 5 年努力，“一带一路”顶层设计初步完成，四梁八柱已经建立，“一带一路”进入国际话语体系，写入联合国大会、联合国安理会等重要决议；以双边合作筑底、多边机制呼应、高峰论坛引领的“三位一体”国际合作架构初步搭建。截至 2018 年 7 月底，全球 100 多个国家和国际组织同中国签署共建“一带一路”合作文件，签署范围自亚欧大陆拓展至非洲、拉美和加勒比地区、南太平洋地区。截至 7 月底，首届“一带一路”国际合作高峰论坛 279 项成果中 265 项已完成或转为常态工作，14 项正在督办推进，落实率达到 95%。数字丝绸之路建设已成“一带一路”建设合作的新热点，中国已与 15 个国家有关部门签署合作文件。“冰上丝绸之路”“空中丝绸之路”……一条条纽带多元联动，为推进“一带一路”建设开辟更加光明的前景。由中国承建的亚吉铁路，穿越于埃塞俄比亚和印度洋亚丁湾西岸国家吉布提之间。2018 年 1 月运营后，两地行程由原来的 7 天缩短为 10 多个小时。中老铁路全线动工，将结束老挝几无铁路的历史；雅万高铁作为中国高铁方案“走出去”第一单，建成后雅加达至万隆车程将缩短近五分之四；中泰铁路建成后将成为泰国第一条高速铁路……类似

① 习近平：《习近平谈“一带一路”》，中央文献出版社 2018 年版，第 222 页。

亚吉铁路带来改变的故事，如今正在不断上演。[①]

2018年7月10日，在北京召开推进“一带一路”建设工作5周年座谈会，回顾总结“一带一路”建设工作，对下一步工作作出部署。座谈会由中共中央政治局常委、国务院副总理、推进“一带一路”建设工作领导小组组长韩正主持，全国政协副主席、国家发展改革委主任何立峰，国务委员、外交部部长王毅，上海市市长应勇，浙江省委书记车俊，重庆市市长唐良智，四川省省长尹力，招商局集团有限公司董事长李建红，浙江吉利控股集团有限公司董事长李书福，中国宏观经济研究院研究员史育龙先后发言。他们结合实际就推进“一带一路”建设工作介绍了情况，谈了意见和建议。

在听取大家发言后，习近平总书记发表了重要讲话。他强调，2013年秋天，我们提出共建“一带一路”倡议以来，引起越来越多国家热烈响应，共建“一带一路”正在成为我国参与全球开放合作、改善全球经济治理体系、促进全球共同发展繁荣、推动构建人类命运共同体的中国方案。5年来，共建“一带一路”大幅提升了我国贸易投资自由化便利化水平，推动我国开放空间从沿海、沿江向内陆、沿边延伸，形成陆海内外联动、东西双向互济的开放新格局；我们同“一带一路”相关国家的货物贸易额累计超过5万亿美元，对外直接投资超过600亿美元，为当地创造20多万个就业岗位，我国对外投资成为拉动全球对外直接投资增长的重要引擎。当今世界正处于大发展大变革大调整时期，我们要具备战略眼光，树立全球视野，既要有风险忧患意识，又要有历史机遇意识，努力在这场百年未有之大变局中把握航向。以共建“一带一路”为实践平台推动构建人类命运共同体，这是从我国改革开放和长远发展出发提出来的，也符合中华民族历来秉持的天下大同理念，符合中国人怀柔远人、和谐万邦的天下观，占据了国际道义制高点。共建“一带一路”不仅是经济合作，而且是完善全球

---

① 《大道致远，海纳百川——习近平主席提出“一带一路”倡议5周年记》，新华社2018年8月26日电。

发展模式和全球治理、推进经济全球化健康发展的重要途径。习近平总书记强调，广大发展中国家加快工业化城镇化，进而实现经济独立和民族振兴方兴未艾。共建“一带一路”之所以得到广泛支持，反映了各国特别是广大发展中国家对促和平、谋发展的愿望。共建“一带一路”是经济合作倡议，不是搞地缘政治联盟或军事同盟；是开放包容进程，不是要关起门来搞小圈子或者“中国俱乐部”；是不以意识形态划界，不搞零和游戏，只要各国有意愿，我们都欢迎。

在讲话中，习近平总书记提出推动“一带一路”高质量发展的新任务。“经过夯基垒台、立柱架梁的5年，共建‘一带一路’正在向落地生根、持久发展的阶段迈进。我们要百尺竿头、更进一步，在保持健康良性发展势头的基础上，推动共建‘一带一路’向高质量发展转变，这是下一阶段推进共建‘一带一路’工作的基本要求。”①要坚持稳中求进工作总基调，贯彻新发展理念，集中力量、整合资源，以基础设施等重大项目建设和产能合作为重点，解决好重大项目、金融支撑、投资环境、风险管控、安全保障等关键问题，形成更多可视性成果，积土成山、积水成渊，推动这项工作不断走深走实。

提出共同绘制“工笔画”的要求。习近平总书记指出，过去几年共建“一带一路”完成了总体布局，绘就了一幅“大写意”，今后要聚焦重点、精雕细琢，共同绘制好精谨细腻的“工笔画”。要在项目建设上下功夫，建立工作机制，完善配套支持，全力推动项目取得积极进展，注意实施雪中送炭、急对方之所急、能够让当地老百姓受益的民生工程。要在开拓市场上下功夫，搭建更多贸易促进平台，引导有实力的企业到沿线国家开展投资合作，发展跨境电子商务等贸易新业态、新模式，注重贸易平衡。要在金融保障上下功夫，加快形成金融支持共建“一带一路”的政策体系，有序推动人民币国际化，引导社会资金共同投入沿线国家基础设施、资源开发等项目，为“走出去”企业提供外汇资金支持。要推动教育、科技、文

---

① 习近平：《习近平谈治国理政》第三卷，外文出版社2020年版，第487页。

化、体育、旅游、卫生、考古等领域交流蓬勃开展，围绕共建“一带一路”开展卓有成效的民生援助。要规范企业投资经营行为，合法合规经营，注意保护环境，履行社会责任，成为共建“一带一路”的形象大使。要高度重视境外风险防范，完善安全风险防范体系，全面提高境外安全保障和应对风险能力。

加强党对共建“一带一路”工作的领导。习近平总书记强调，各地区各部门要增强“四个意识”、坚定“四个自信”，主动站在党和国家大局上谋划推动共建工作。推进“一带一路”建设工作领导小组要根据党中央统一部署，发挥牵头抓总作用，协调各地区各部门，明确工作重点，细化工作方案，层层分解任务，加强督促检查，推动有关部署和举措逐项落到实处。各地区要加强共建“一带一路”同京津冀协同发展、长江经济带发展、粤港澳大湾区建设等国家战略对接，促进西部地区、东北地区在更大范围、更高层次上开放，助推内陆沿边地区成为开放前沿，带动形成陆海内外联动、东西双向互济的开放格局。

2019 年 4 月 25 日至 27 日，第二届“一带一路”国际合作高峰论坛在北京举行。同首届论坛相比，本届论坛规模更大、内容更丰富、参与国家更多、成果更丰硕。高峰论坛期间，举行了开幕式，召开了高级别会议，举办了 12 场分论坛和一场企业家大会，来自 150 多个国家的各界代表参加。习近平总书记在出席会议时发表了多篇重要讲话，其中在第二届“一带一路”国际合作高峰论坛开幕式上的主旨演讲尤为重要。这一主旨演讲，介绍了“一带一路”提出后 5 年来的进展，指出了“一带一路”建设前进的方向和路径。

关于“一带一路”建设的进展，习近平总书记说，在各方共同努力下，“六廊六路多国多港”的互联互通架构基本形成，一大批合作项目落地生根，首届高峰论坛的各项成果顺利落实，150 多个国家和国际组织同中国签署共建“一带一路”合作协议。共建“一带一路”倡议同联合国、东盟、非盟、欧盟、欧亚经济联盟等国际和地区组织的发展和合作规划对接，同各国发展战略对接。从亚欧大陆到非洲、美洲、大洋洲，共建“一带一路”为世界经济增长开辟了新空间，为国际贸易和投资搭建了新平台，为完善全球经济治理拓展了新实践，为增进各国民生福祉作出了新贡献，成为共同的机遇之路、繁荣之路。事实证明，共建“一带一路”不仅为世界各国发展提供了新机遇，也为中国开放发展开辟了新天地。

关于共同开创共建“一带一路”的美好未来，习近平总书记强调要聚焦重点、深耕细作，共同绘制精谨细腻的“工笔画”，推动共建“一带一路”沿着高质量发展方向不断前进，并从要秉持共商共建共享原则，坚持开放、绿色、廉洁理念，努力实现高标准、惠民生、可持续目标等方面作了阐发。习近平总书记重点从互联互通方面，谈了下一步“一带一路”合作的中国思考。他说，共建“一带一路”，关键是互联互通。我们应该构建全球互联互通伙伴关系，实现共同发展繁荣。我相信，只要大家齐心协力、守望相助，即使相隔万水千山，也一定能够走出一条互利共赢的康庄大道。他强调了五条，第一条是，基础设施是互联互通的基石，也是许多国家发展面临的瓶颈。第二条是，商品、资金、技术、人员流通，可以为经济增长提供强劲动力和广阔空间。第三条是，创新就是生产力，企业赖之以强，国家赖之以盛。第四条是，发展不平衡是当今世界最大的不平衡。第五条是，要积极架设不同文明互学互鉴的桥梁，深入开展教育、科学、文化、体育、旅游、卫生、考古等各领域人文合作，加强议会、政党、民间组织往来，密切妇女、青年、残疾人等群体交流，形成多元互动的人文交流格局。[①]

在这次主旨演讲中，习近平总书记还表达了中国坚定不移推进改革开放的决心。他强调，我们将继续沿着中国特色社会主义道路大步向前，坚持全面深化改革，坚持高质量发展，坚持扩大对外开放，坚持走和平发展道路，推动构建人类命运共同体。下一步，中国将采取一系列重大改革开放举措，加强制度性、结构性安排，促进更高水平对外开放。

① 习近平：《习近平谈治国理政》第三卷，外文出版社 2020 年版，第 491—494 页。

第一，更广领域扩大外资市场准入。公平竞争能够提高效率、带来繁荣。中国已实施准入前国民待遇加负面清单管理模式，未来将继续大幅缩减负面清单，推动现代服务业、制造业、农业全方位对外开放，并在更多领域允许外资控股或独资经营。我们将新布局一批自由贸易试验区，加快探索建设自由贸易港。我们将加快制定配套法规，确保严格实施《中华人民共和国外商投资法》。我们将以公平竞争、开放合作推动国内供给侧结构性改革，有效淘汰落后和过剩产能，提高供给体系质量和效率。

第二，更大力度加强知识产权保护国际合作。没有创新就没有进步。加强知识产权保护，不仅是维护内外资企业合法权益的需要，更是推进创新型国家建设、推动高质量发展的内在要求。中国将着力营造尊重知识价值的营商环境，全面完善知识产权保护法律体系，大力强化执法，加强对外国知识产权人合法权益的保护，杜绝强制技术转让，完善商业秘密保护，依法严厉打击知识产权侵权行为。中国愿同世界各国加强知识产权保护合作，创造良好创新生态环境，推动同各国在市场化法治化原则基础上开展技术交流合作。

第三，更大规模增加商品和服务进口。中国既是“世界工厂”，也是“世界市场”。中国有世界上规模最大、成长最快的中等收入群体，消费增长潜力巨大。为满足人民日益增长的物质文化生活需要，增加消费者选择和福利，我们将进一步降低关税水平，消除各种非关税壁垒，不断开大中国市场大门，欢迎来自世界各国的高质量产品。我们不刻意追求贸易顺差，愿意进口更多国外有竞争力的优质农产品、制成品和服务，促进贸易平衡发展。

第四，更加有效实施国际宏观经济政策协调。全球化的经济需要全球化的治理。中国将加强同世界各主要经济体的宏观政策协调，努力创造正面外溢效应，共同促进世界经济强劲、可持续、平衡、包容增长。中国不搞以邻为壑的汇率贬值，将不断完善人民币汇率形成机制，使市场在资源配置中起决定性作用，保持人民币汇率在合理均衡水平上的基本稳定，促进世界经济稳定。规则和信用是国际治理体系有效运转的基石，也是国际经贸关系发展的前提。中国积极支持和参与世贸组织改革，共同构建更高水平的国际经贸规则。

第五，更加重视对外开放政策贯彻落实。中国人历来讲求“一诺千金”。我们高度重视履行同各国达成的多边和双边经贸协议，加强法治政府、诚信政府建设，建立有约束的国际协议履约执行机制，按照扩大开放的需要修改完善法律法规，在行政许可、市场监管等方面规范各级政府行为，清理废除妨碍公平竞争、扭曲市场的不合理规定、补贴和做法，公平对待所有企业和经营者，完善市场化、法治化、便利化的营商环境。

这些举措都是根据中国改革发展客观需要作出的自主选择，有利于推动经济高质量发展，有利于满足人民对美好生活的向往，有利于世界和平、稳定、发展。一个更加开放的中国，将同世界形成更加良性的互动，带来更加进步和繁荣的中国和世界。

2020 年 6 月 18 日，“一带一路”国际合作高级别视频会议召开。习近平总书记发表书面致辞时指出，疫情给我们带来一系列深刻启示。促进互联互通、坚持开放包容，是应对全球性危机和实现长远发展的必由之路，共建“一带一路”国际合作可以发挥重要作用。他还表示：“我们愿同合作伙伴一道，把‘一带一路’打造成团结应对挑战的合作之路、维护人民健康安全的健康之路、促进经济社会恢复的复苏之路、释放发展潜力的增长之路。”[①]2021 年 4 月 18 日，博鳌亚洲论坛 2021 年年会新闻发布会暨旗舰报告发布会举行；4 月 20 日，习近平总书记以视频方式出席开幕式，并发表题为《同舟共济克时艰，命运与共创未来》的主旨演讲；4 月 21 日下午，博鳌亚洲论坛 2021 年年会闭幕。这次年会以“世界大变局：共襄全球治理盛举　合奏‘一带一路’强音”为主题，设置“解读中国”“把握世界变局”“‘一带一路’合作”“拥抱产业变革”“与新技术共舞”“共享发展”等

① 习近平：《习近平谈治国理政》第四卷，外文出版社 2022 年版，第 491—492 页。

六项议题，回应了亚洲各国和地区的最新关切，为区内外各方探讨完善全球治理合作提供了重要平台。

习近平总书记在视频演讲中指出，“一带一路”是大家携手前进的阳光大道，不是某一方的私家小路。所有感兴趣的国家都可以加入进来，共同参与、共同合作、共同受益。共建“一带一路”追求的是发展，崇尚的是共赢，传递的是希望。面向未来，我们将同各方继续高质量共建“一带一路”，践行共商共建共享原则，弘扬开放、绿色、廉洁理念，努力实现高标准、惠民生、可持续目标。一是我们将建设更紧密的卫生合作伙伴关系。中国企业已经在印度尼西亚、巴西、阿联酋、马来西亚、巴基斯坦、土耳其等共建“一带一路”伙伴国开展疫苗联合生产。我们将在传染病防控、公共卫生、传统医药等领域同各方拓展合作，共同护佑各国人民生命安全和身体健康。二是我们将建设更紧密的互联互通伙伴关系。中方将同各方携手，加强基础设施“硬联通”以及规则标准“软联通”，畅通贸易和投资合作渠道，积极发展丝路电商，共同开辟融合发展的光明前景。三是我们将建设更紧密的绿色发展伙伴关系。加强绿色基建、绿色能源、绿色金融等领域合作，完善“一带一路”绿色发展国际联盟、“一带一路”绿色投资原则等多边合作平台，让绿色切实成为共建“一带一路”的底色。四是我们将建设更紧密的开放包容伙伴关系。世界银行有关报告认为，到2030年，共建“一带一路”有望帮助全球760万人摆脱极端贫困、3200万人摆脱中度贫困。我们将本着开放包容精神，同愿意参与的各相关方共同努力，把“一带一路”建成“减贫之路”“增长之路”，为人类走向共同繁荣作出积极贡献。[①]

2021年11月19日，第三次“一带一路”建设座谈会在北京顺利召开。习近平总书记出席会议。中共中央政治局常委、国务院副总理、推进“一带一路”建设工作领导小组组长韩正主持座谈会。座谈会上，国家发展改革委主任何立峰、外交部部长王毅、新疆维吾尔自治区党委书记陈全国、

① 习近平：《习近平谈治国理政》第四卷，外文出版社2022年版，第493—494页。

江苏省委书记吴政隆、中国远洋海运集团有限公司董事长万敏、正泰集团股份有限公司董事长南存辉、中国国际经济交流中心总经济师陈文玲先后发言，结合实际介绍工作情况，提出意见和建议。

在听取大家发言后，习近平总书记发表了重要讲话。他指出，要正确认识和把握共建“一带一路”面临的新形势。总体上看，和平与发展的时代主题没有改变，经济全球化大方向没有变，国际格局发展战略态势对我有利，共建“一带一路”仍面临重要机遇。同时，世界百年未有之大变局正加速演变，新一轮科技革命和产业变革带来的激烈竞争前所未有，气候变化、疫情防控等全球性问题对人类社会带来的影响前所未有，共建“一带一路”国际环境日趋复杂。我们要保持战略定力，抓住战略机遇，统筹发展和安全、统筹国内和国际、统筹合作和斗争、统筹存量和增量、统筹整体和重点，积极应对挑战，趋利避害，奋勇前进。

习近平总书记在讲话中提出了下一步工作思路。一要夯实发展根基。要深化政治互信，发挥政策沟通的引领和催化作用，探索建立更多合作对接机制，推动把政治共识转化为具体行动、把理念认同转化为务实成果。要深化互联互通，完善陆、海、天、网“四位一体”互联互通布局，深化传统基础设施项目合作，推进新型基础设施项目合作，提升规则标准等“软联通”水平，为促进全球互联互通做增量。要深化贸易畅通，扩大同周边国家贸易规模，鼓励进口更多优质商品，提高贸易和投资自由化便利化水平，促进贸易均衡共赢发展。要继续扩大三方或多方市场合作，开展国际产能合作。要深化资金融通，吸引多边开发机构、发达国家金融机构参与，健全多元化投融资体系。要深化人文交流，形成多元互动的人文交流大格局。

二要稳步拓展合作新领域。要稳妥开展健康、绿色、数字、创新等新领域合作，培育合作新增长点。要加强抗疫国际合作，继续向共建国家提供力所能及的帮助。要支持发展中国家能源绿色低碳发展，推进绿色低碳发展信息共享和能力建设，深化生态环境和气候治理合作。要深化数字领域合作，发展“丝路电商”，构建数字合作格局。要实施好科技创新行动计划，加强知识产权保护国际合作，打造开放、公平、公正、非歧视的科技发展环境。

三要更好服务构建新发展格局。要统筹考虑和谋划构建新发展格局和共建“一带一路”，聚焦新发力点，塑造新结合点。要加快完善各具特色、互为补充、畅通安全的陆上通道，优化海上布局，为畅通国内国际双循环提供有力支撑。要加强产业链供应链畅通衔接，推动来源多元化。要优质打造标志性工程。民生工程是快速提升共建国家民众获得感的重要途径，要加强统筹谋划，形成更多接地气、聚人心的合作成果。

四要全面强化风险防控。要落实风险防控制度，压紧压实企业主体责任和主管部门管理责任。要探索建立境外项目风险的全天候预警评估综合服务平台，及时预警、定期评估。要加强海外利益保护、国际反恐、安全保障等机制的协同协作。要统筹推进疫情防控和共建“一带一路”合作，全力保障境外人员生命安全和身心健康，突出防控措施的精准性，着力保障用工需求、人员倒班回国、物资供应、资金支持等。要教育引导我国在海外企业和公民自觉遵守当地法律，尊重当地风俗习惯。要加快形成系统完备的反腐败涉外法律法规体系，加大跨境腐败治理力度。各类企业要规范经营行为，决不允许损害国家声誉。对违纪违法问题，发现一起就严肃处理一起。

五要强化统筹协调。要坚持党的集中统一领导，领导小组要抓好重大规划、重大政策、重大项目、重大问题和年度重点工作等协调把关。有关部门要把共建“一带一路”工作纳入重要议事日程，统筹落实好境外项目建设和风险防控责任。地方要找准参与共建“一带一路”定位。要营造良好舆论氛围，深入阐释共建“一带一路”的理念、原则、方式等，共同讲好共建“一带一路”故事。[①]

---

① 习近平：《习近平谈治国理政》第四卷，外文出版社 2022 年版，第 495—498 页。

正是在习近平总书记的关心、领导下，党的十九大以来的“一带一路”建设，保持了正确的方向，取得了累累硕果。我们统筹谋划推动高质量发展、构建新发展格局和共建“一带一路”，坚持共商共建共享原则，把基础设施“硬联通”作为重要方向，把规则标准“软联通”作为重要支撑，把同共建国家人民“心联通”作为重要基础，推动共建“一带一路”高质量发展，取得实打实、沉甸甸的成就。通过共建“一带一路”，提高了国内各区域开放水平，拓展了对外开放领域，推动了制度型开放，构建了广泛的朋友圈，探索了促进共同发展的新路子，实现了同共建国家互利共赢。

第三节　实施自由贸易试验区提升战略、高标准建设海南自由贸易港

2017 年 10 月，党的十九大提出，赋予自由贸易试验区更大改革自主权，探索建设自由贸易港。2018 年 4 月，习近平总书记在庆祝海南建省办经济特区 30 周年大会上郑重宣布，党中央决定支持海南全岛建设自由贸易试验区，支持海南逐步探索、稳步推进中国特色自由贸易港建设，分步骤、分阶段建立自由贸易港政策和制度体系。10 月，国务院印发《中国（海南）自由贸易试验区总体方案》。2020 年 6 月 1 日，中共中央、国务院印发了《海南自由贸易港建设总体方案》（以下简称《方案》）。该《方案》指出，海南是我国最大的经济特区，具有实施全面深化改革和试验最高水平开放政策的独特优势。支持海南逐步探索、稳步推进中国特色自由贸易港建设，分步骤、分阶段建立自由贸易港政策和制度体系，是习近平总书记亲自谋划、亲自部署、亲自推动的改革开放重大举措，是党中央着眼国内国际两个大局，深入研究、统筹考虑、科学谋划作出的战略决策。当今世界正在经历新一轮大发展大变革大调整，保护主义、单边主义抬头，经济全球化遭遇更大的逆风和回头浪。在海南建设自由贸易港，是推进高水平开放，建立开放型经济新体制的根本要求；是深化市场化改革，打造法治化、国

际化、便利化营商环境的迫切需要；是贯彻新发展理念，推动高质量发展，建设现代化经济体系的战略选择；是支持经济全球化，构建人类命运共同体的实际行动。这一《方案》也是为了深入贯彻习近平总书记在庆祝海南建省办经济特区 30 周年大会上的重要讲话精神，落实《中共中央、国务院关于支持海南全面深化改革开放的指导意见》要求，加快建设高水平的中国特色自由贸易港而制定的。

《方案》里提出了海南自由贸易试验区的发展目标和时间表：到 2025 年，初步建立以贸易自由便利和投资自由便利为重点的自由贸易港政策制度体系。营商环境总体达到国内一流水平，市场主体大幅增长，产业竞争力显著提升，风险防控有力有效，适应自由贸易港建设的法律法规逐步完善，经济发展质量和效益明显改善。到 2035 年，自由贸易港制度体系和运作模式更加成熟，以自由、公平、法治、高水平过程监管为特征的贸易投资规则基本构建，实现贸易自由便利、投资自由便利、跨境资金流动自由便利、人员进出自由便利、运输来往自由便利和数据安全有序流动。营商环境更加优化，法律法规体系更加健全，风险防控体系更加严密，现代社会治理格局基本形成，成为我国开放型经济新高地。到 21 世纪中叶，全面建成具有较强国际影响力的高水平自由贸易港。该《方案》发出后，海南上下积极行动，加紧贯彻落实。

2018 年 10 月，习近平总书记对自由贸易试验区建设作出重要指示，强调建设自由贸易试验区是党中央在新时代推进改革开放的一项战略举措，在我国改革开放进程中具有里程碑意义。5 年来，各自由贸易试验区认真贯彻党中央决策部署，锐意进取，勇于突破，工作取得重大进展，一大批制度创新成果推广至全国，发挥了全面深化改革的试验田作用。面向未来，要在深入总结评估的基础上，继续解放思想、积极探索，加强统筹谋划和改革创新，不断提高自由贸易试验区发展水平，形成更多可复制可推广的制度创新成果，把自由贸易试验区建设成为新时代改革开放的新高地，为实现“两个一百年”奋斗目标、实现中华民族伟大复兴的中国梦贡献更大力量。李克强总理也批示指出，5 年来，有关地方和部门密切配合，推动自贸试验区在改革开放的“深水区”积极探索创新，勇于攻坚克难，在多方面取得重大进展，成绩应予充分肯定。望以习近平新时代中国特色社会主义思想为指导，认真贯彻党中央、国务院决策部署，坚持新发展理念，更大力度推动自贸试验区改革开放创新。要着眼解决深层次矛盾和结构性问题，强化改革统筹谋划和系统集成，继续狠抓制度创新，加快形成发展和竞争新优势。积累更多可在更大范围乃至全国复制推广的经验，进一步发挥改革开放“排头兵”的示范引领作用。

11 月，国务院印发《关于支持自由贸易试验区深化改革创新若干措施的通知》(以下简称《通知》)。该《通知》指出，建设自由贸易试验区是党中央、国务院在新形势下全面深化改革和扩大开放的战略举措。要以习近平新时代中国特色社会主义思想为指导，全面贯彻党的十九大和十九届二中、三中全会精神，深刻认识支持自由贸易试验区深化改革创新的重大意义，贯彻新发展理念，进一步发挥自由贸易试验区全面深化改革和扩大开放试验田作用。该《通知》围绕自由贸易试验区建设发展需要，在营造优良投资环境、提升贸易便利化水平、推动金融创新服务实体经济、推进人力资源领域先行先试等方面，加大改革授权和开放力度，给予政策扶持，体现特色定位，提出了 53 项切口小、见效快的工作措施，着力打通有关工作的“堵点”和“难点”，推动自由贸易试验区更好发挥示范引领作用。这个《通知》具有五方面特点，一是加大改革授权力度。在风险可控前提下，通过下放相关权限，支持自由贸易试验区大胆试、大胆闯、自主改。二是开展试点探索。推动相关措施在自由贸易试验区先行先试，在契合自由贸易试验区发展定位的关键领域开展探索，如进一步发挥自由贸易试验区试验田作用。三是进一步推动对外开放。在现有外商投资负面清单基础上，提出有关开放举措，打破准入后的“玻璃门”。进一步放宽外商投资建设工程设计企业、人才中介机构等方面的资质限制。四是给予政策扶持。给予自由贸易试验区有针对性的扶持政策，补齐功能短板，促进新产业、新业态、新模式发展，培育发展新动能。五是体现特色定位。根据各自由贸易试验区的特色功能定位，提出不同的深化改革创新措施，引导各自由贸易试验区有针对性地开展探索，53 项支持措施中有 14 项适用于特定自由贸易试验区。《通知》中还强调，各有关地区和部门、各自由贸易试验区要牢固树立总体国家安全观，强化底线思维和风险意识，维护国家核心利益和政治安全，主动服务大局。各有关地区和部门要高度重视、密切协作，以钉钉子精神抓好深化改革创新措施落实工作，不断提高自由贸易试验区建设和管理水平。这个重要《通知》体现了习近平总书记关于自由贸易试验区的指示精神，明确了自由贸易试验区下一步工作的重点，也给自由贸易试验区的健康发展提供了及时指导。

2019 年 8 月，国务院决定在山东、江苏、广西、河北、云南、黑龙江新设 6 个自由贸易试验区。由此，经过前期四个阶段的探索、规划、建设，扩容后的自贸试验区形成了“1+3+7+1+6”的新布局。据《国务院关于同意新设 6 个自由贸易试验区的批复》，中国（山东）自由贸易试验区涵盖济南片区、青岛片区、烟台片区，总面积 119.98 平方公里；中国（江苏）自由贸易试验区涵盖南京片区、苏州片区、连云港片区，总面积 119.97 平方公里；中国（广西）自由贸易试验区涵盖南宁片区、钦州港片区、崇左片区，总面积 119.99 平方公里；中国（河北）自由贸易试验区涵盖雄安片区、正定片区、曹妃甸片区、大兴机场片区，总面积 119.97 平方公里；中国（云南）自由贸易试验区涵盖昆明片区、红河片区、德宏片区，总面积 119.86 平方公里；中国（黑龙江）自由贸易试验区涵盖哈尔滨片区、黑河片区、绥芬河片区，总面积 119.85 平方公里。国务院要求这 6 个新设自由贸易试验区地块的落桩定界工作，经商务部、自然资源部审核验收后报国务院备案，由商务部、自然资源部负责发布；6 个新设自由贸易试验区内的海关特殊监管区域的实施范围和税收政策适用范围维持不变；山东省、江苏省、广西壮族自治区、河北省、云南省、黑龙江省人民政府和商务部要会同有关部门做好新设自由贸易试验区总体方案的组织实施工作。党中央、国务院作出的这一重大决策，是新时代推进改革开放的战略举措，是为了在更大范围进行改革创新的实践和探索，通过更深层次的改革激发高质量发展的内生动力，通过更高水平的开放彰显中国支持建设开放型世界经济的坚定决心。在山东、江苏、河北新设自贸试验区，将实现我国沿海省份自贸试验区的全覆盖，连点成线、连线成面，形成对外开放的前沿地带，全方位发挥沿海地区对腹地的辐射带动作用，更好地服务陆海内外联动、东西双向互济的对外开放总体布局。在广西、云南、黑龙江新设自贸试验区，是我国首次在沿边地区布局自贸试验区，这将有利于通过改革创新助推沿边开放，辐射带动沿边发展，为我国进一步密切同周边国家经贸合作、提升沿边地区开放开发水平，提供可复制、可借鉴的改革经验。这样的安排，不仅有利于进一步优化自贸试验区战略布局，也能够主动服务和融入京津冀协同发展、长三角区域一体化发展、东北振兴、海洋强国、创新驱动发展等国家重大战略。

6个新设自贸试验区总体方案有四方面的特点：一是突出以制度创新为核心。在充分借鉴现有自贸试验区成功的改革试点经验的基础上，围绕投资、贸易、金融、事中事后监管等方面，提出各具特色的具有系统性、集成性的改革试点任务。比如，云南自贸试验区创新沿边经济社会发展新模式；河北自贸试验区探索建立数字化贸易监管模式。二是突出扩大开放。立足各自区位优势，深化与周边国家和地区经贸合作，更好服务对外开放总体战略布局。比如，广西自贸试验区围绕构建国际陆海贸易新通道，深化沿边对外开放，推动跨境贸易、跨境物流、跨境劳务合作等发展；黑龙江自贸试验区进一步扩大对俄罗斯合作，积极推动人员出入境便利、企业“走出去”；河北自贸试验区支持生物医药和生命健康产业开放发展。三是突出引领高质量发展。充分发挥战略叠加优势，通过制度创新，破解发展难题，推动发展质量变革、效率变革、动力变革，聚集新产业、新业态、新模式。比如，山东自贸试验区围绕发展海洋经济，加快推动海洋科技创新，培育东北亚水产品加工和贸易中心，推进国家海洋药物中试基地建设，提升海洋国际合作水平；江苏自贸试验区推动科技与产业融合，促进集成电路、人工智能、生物医药、纳米技术应用等产业创新发展。四是突出服务和融入国家重大战略。进一步对标高标准国际经贸规则，充分利用各地资源禀赋优势与区位优势，形成各有侧重、各具特色的试点格局，积极服务京津冀协同发展、长江经济带发展、东北振兴、长三角区域一体化发展、海洋强国等国家战略。

该总体方案赋予自由贸易试验区更大改革自主权。一是聚焦贸易便利化。6个总体方案在贸易便利化方面提出一系列政策措施，比如，江苏方案提出优化口岸通关流程、推进货物平均放行和结关时间体系化建设；云南方案提出实施“一口岸多通道”监管创新；广西方案提出与东盟国家“单一窗口”进行互联互通。二是聚焦投资便利化。如将外资人才中介机构、无船承运、外资经营国际船舶管理业务的审批或备案管理权限赋予自贸试验区或有关地方。三是聚焦金融创新服务实体经济。比如，河北方案提出金融监管“沙盒机制”，在雄安股权交易所开展股权众筹试点；山东方案提出开展资本项目收入支付便利化改革试点。四是聚焦引进人才便利化。比如，广西方案提出将有关外籍及港澳台人才省级管理权限赋予自贸试验区；云南方案提出建立外籍务工人员管理长效机制；黑龙江方案提出开展海外人才离岸创新创业试点。五是聚焦体制机制创新。6个总体方案均提出支持各地构建精简高效、权责明晰的自贸试验区管理体制和用编用人制度，如山东方案、江苏方案都提出将能下放的省级经济社会管理权限全部下放给自贸试验区。

2020年9月，国务院决定在北京、湖南、安徽新设3个自由贸易试验区。至此，我国立足战略定位和区位特色优势，共设立21个自由贸易试验区及海南自由贸易港，形成了覆盖祖国东西南北中的试点格局。这些自由贸易试验区坚持改革开放精神，大胆试大胆闯，立足自身功能定位，对标高标准国际经贸规则，深化首创性、集成化、差别化改革探索，深入推进高水平制度型开放，加快对外开放新高地建设，形成了一大批可复制的制度创新成果，发挥了排头兵的示范作用和全面深化改革试验田的作用。比如，自由贸易试验区外商投资准入特别管理措施（负面清单）由2013年190条措施缩减到2020年的30条措施，开放度高于我国加入世界贸易组织时的承诺和对外签订的贸易协定。[1]

典型带动、示范引领是推进工作的好办法。2021 年，国务院自由贸易试验区工作部际联席会议办公室发布自由贸易试验区新一批 18 个“最佳实践案例”。比如，广西自贸试验区提供的创新成果是“边境地区跨境人民币使用改革创新”。广西地处沿边地区，跨境贸易活跃，边民跨境金融结算业务需求旺盛。广西自贸试验区从创新人民币对越南盾的资金清算机制、设立互市贸易服务中心、创新中越有关银行机构信息沟通机制三个方面着手，提高结算审核真实性、提升跨境调运头寸的清算效率、完善中越本币汇率形成机制。通过改革创新，截至 2021 年 5 月底，广西自贸试验区累计办理银行间越南盾清算业务 13 笔，为边民办理贸易结算金额 293.35 亿元，发放便民卡 13108 张，调运越南盾现钞 106 亿越盾，调运人民币现钞 4638 万元，有效促进了中越两国跨境贸易、跨境金融发展，共同营造了两国边境地区经贸繁荣的局面。[2] 比如，江苏自贸试验区的“‘生态眼’助力长江大保护”入选了第四批“最佳实践案例”。江苏自贸试验区三大片区以全省千分之一的面积集聚了全省 9% 的高新技术企业。江苏自贸试验区南京片区着眼于长江生态保护，搭建“生态眼”智慧化平台，利用物联网等创新技术，整合各类监管数据，实现了长江生态环境立体多源的实时动态感知。[3] 这些案例既显示了各自贸试验区的开创创新，又能为其他自贸试验区提供经验借鉴，更能为打造改革开放新高地注入新动能。

2021 年 7 月，经党中央、国务院同意，商务部公布《海南自由贸易港跨境服务贸易特别管理措施（负面清单）（2021 年版）》（以下简称《负面清单》）。与过去在各个具体行业零敲碎打作出开放安排不同，这一《负面清单》明确列出针对境外服务提供者的 11 个门类 70 项特别管理措施。凡是清单之外的领域，在海南自由贸易港内，都将对境内外服务提供者一视同仁、

① 当代中国研究所：《新时代这十年（2012—2022）》，人民出版社 2023 年版，第 147 页。
② 《18 个实践案例贡献改革开放新经验》，光明网 2021 年 7 月 9 日。
③ 《第四批自贸试验区最佳实践案例发布》，人民网 2021 年 7 月 9 日。

平等准入，开放度、透明度、可预见性都更高。这是国家在跨境服务贸易领域的首张负面清单，对接高标准国际经贸规则，是对服务贸易管理模式的重大突破，是一项制度型开放安排。该《负面清单》会推动以服务为载体的技术、资本、数据等生产要素资源自由便利流动，对于推动海南自由贸易港高质量发展、推动我国建设更高水平开放型经济具有重要意义。

党的十九大以来，各自由贸易试验区积极打造开放新高地，推出一批高水平制度创新成果，建成一批世界领先的产业集群，加快形成开放层次更高、营商环境更优、辐射作用更强的改革开放新格局。

在面向全球的高标准自由贸易区网络建构方面，党的十九大后又有新的更大进展。2017 年 11 月 29 日，中国与马尔代夫签订自由贸易协定。2020 年 11 月 15 日，在第四次区域全面经济伙伴关系协定领导人会议期间，东盟十国和中国、日本、韩国、澳大利亚、新西兰正式签署《区域全面经济伙伴关系协定》（RCEP，以下简称《协定》）。这个《协定》是 2012 年由东盟发起的。2021 年 2 月 3 日召开的国务院常务会议指出，我国对《协定》涉及的 701 条约束性义务 85% 已做好履约准备，并对下一步如何抓住机遇、应对挑战作出部署。根据会议内容，有关部门加快《协定》生效国内相关对接准备工作。《协定》条文司法审查、货物贸易关税减让承诺表转换方案制定已完成，原产地累积规则实施技术准备取得实质进展。2022 年 1 月 1 日，《区域全面经济伙伴关系协定》生效实施，形成了全球最大自由贸易区。这意味着总人口 22.7 亿、国内生产总值达 26 万亿美元、出口总额 5.2 万亿美元、占全球经济约 30% 经济体量的区域形成一个一体化大市场。1 日零点，《协定》生效后全国首份 RCEP 原产地证书和山东首笔出口退税申请在山东青岛完成办理。在国际形势复杂多变的背景下，RECP 如期生效实施，将成为中国连接国内国际双循环的纽带和桥梁，使国内国际两个市场、两种资源更加紧密相连，国内规则和国际规则更有效衔接，开放创新更有活力。中国同新西兰的自贸协定于 2008 年 4 月签署并于同年 10 月正式生效，是中国与发达国家签署的第一个自贸协定。2016 年 11 月双方启动自贸协定升级谈判，并于2019年11月宣布完成升级谈判。2021年1月，双方正式签署《中国—新西兰自由贸易协定升级议定书》，于2022年4月7日正式生效实施。这是为数不多的升级版议定书。截至2022年9月底，中国自贸伙伴达到26个，货物、服务、投资以及制度型开放水平得到全面提升。

第四节　成功举办中国国际进口博览会

中国国际进口博览会，是迄今为止世界上第一个以进口为主题的国家级展会，是国际贸易发展史上的一大创举。举办中国国际进口博览会，是中国着眼于推动新一轮高水平对外开放作出的重大决策，是中国主动向世界开放市场的重大举措。这体现了中国支持多边贸易体制、推动发展自由贸易的一贯立场，是中国推动建设开放型世界经济、支持经济全球化的实际行动。中国国际进口博览会，由中华人民共和国商务部、上海市人民政府主办。2018年11月5日至10日，第一届中国国际进口博览会在国家会展中心（上海）举行，习近平总书记出席开幕式并发表了重要讲话。

第一届中国国际进口博览会以“新时代，共享未来”为主题。主要目的就是要欢迎各国朋友，把握新时代中国发展机遇，深化国际经贸合作，实现共同繁荣进步。共有172个国家、地区和国际组织参会，3600多家企业参展，展览总面积达30万平方米，超过40万名境内外采购商到会洽谈采购，参展展品涵盖了农产品、日用消费品、服装服饰等多个门类。博览会包括展会和论坛两个部分。展会即国家贸易投资综合展和企业商业展，论坛即虹桥国际经贸论坛。

习近平总书记在开幕式上的讲话中，不仅表达了欢迎八方宾客的中国态度，还就积极开放合作、实现共同发展谈了中国建议。一是各国应该坚持开放融通，拓展互利合作空间。二是各国应该坚持创新引领，加快新旧动能转换。三是各国应该坚持包容普惠，推动各国共同发展。

习近平总书记还从中国40年对外开放的经验出发，向世界各国表明中国将坚定不移奉行互利共赢的开放战略，实行高水平的贸易和投资自由化便利政策，并表示中国要进一步扩大开放，要在以下几方面加大推进力度。第一，激发进口潜力。中国主动扩大进口，不是权宜之计，而是面向世界、面向未来、促进共同发展的长远考量。中国将顺应国内消费升级趋势，采取更加积极有效的政策措施，促进居民收入增加、消费能力增强，培育中高端消费新增长点，持续释放国内市场潜力，扩大进口空间。中国将进一步降低关税，提升通关便利化水平，削减进口环节制度性成本，加快跨境电子商务等新业态新模式发展。中国有13亿多人口的大市场，中国真诚向各国开放市场，中国国际进口博览会不仅要年年办下去，而且要办出水平、办出成效、越办越好。

第二，持续放宽市场准入。4月份中方宣布的放宽市场准入各项举措，目前已基本落地。中国已经进一步精简了外商投资准入负面清单，减少投资限制，提升投资自由化水平。中国正在稳步扩大金融业开放，持续推进服务业开放，深化农业、采矿业、制造业开放，加快电信、教育、医疗、文化等领域开放进程，特别是外国投资者关注、国内市场缺口较大的教育、医疗等领域也将放宽外资股比限制。预计未来15年，中国进口商品和服务将分别超过30万亿美元和10万亿美元。

第三，营造国际一流营商环境。中国将加快出台外商投资法规，完善公开、透明的涉外法律体系，全面深入实施准入前国民待遇加负面清单管理制度。中国将尊重国际营商惯例，对在中国境内注册的各类企业一视同仁、平等对待。中国将保护外资企业合法权益，坚决依法惩处侵犯外商合法权益特别是侵犯知识产权行为，提高知识产权审查质量和审查效率，引入惩罚性赔偿制度，显著提高违法成本。营商环境只有更好，没有最好。各国都应该努力改进自己的营商环境，解决自身存在的问题，不能总是粉饰自己、指责他人，不能像手电筒那样只照他人、不照自己。

第四，打造对外开放新高地。中国将支持自由贸易试验区深化改革创新，持续深化差别化探索，加大压力测试，发挥自由贸易试验区改革开放试验田作用。中国将抓紧研究提出海南分步骤、分阶段建设自由贸易港政策和制度体系，加快探索建设中国特色自由贸易港进程。这是中国扩大对外开放的重大举措，将带动形成更高层次改革开放新格局。

第五，推动多边和双边合作深入发展。中国一贯主张，坚定维护世界贸易组织规则，支持对世界贸易组织进行必要改革，共同捍卫多边贸易体制。中国愿推动早日达成区域全面经济伙伴关系协定，加快推进中欧投资协定谈判，加快中日韩自由贸易区谈判进程。中国将认真实施2018年中非合作论坛北京峰会提出的“八大行动”。中国支持二十国集团、亚太经合组织、上海合作组织、金砖国家等机制发挥更大作用，推动全球经济治理体系朝着更加公正合理的方向发展。中国将继续推进共建“一带一路”，坚持共商共建共享，同相关国家一道推进重大项目建设，搭建更多贸易促进平台，鼓励更多有实力、信誉好的中国企业到沿线国家开展投资合作，深化生态、科技、文化、民生等各领域交流合作，为全球提供开放合作的国际平台。

在这次进口博览会上，为了更好发挥上海等地区在对外开放中的重要作用，中国还决定：一是将增设中国上海自由贸易试验区的新片区，鼓励和支持上海在推进投资和贸易自由化便利化方面大胆创新探索，为全国积累更多可复制可推广经验。二是将在上海证券交易所设立科创板并试点注册制，支持上海国际金融中心和科技创新中心建设，不断完善资本市场基础制度。三是将支持长江三角洲区域一体化发展并上升为国家战略，着力落实新发展理念，构建现代化经济体系，推进更高起点的深化改革和更高层次的对外开放，同“一带一路”建设、京津冀协同发展、长江经济带发展、粤港澳大湾区建设相互配合，完善中国改革开放空间布局。

当然，中国国际进口博览会由中国主办，世界贸易组织等多个国际组织和众多国家共同参与，不是中国的独唱，而是各国的大合唱。中国希望与会嘉宾在虹桥国际经贸论坛上深入探讨全球经济治理体系改革新思路，共同维护自由贸易和多边贸易体制，共建创新包容的开放型世界经济，向着构建人类命运共同体目标不懈奋进，开创人类更加美好的未来。

首届进博会交易采购成果按一年计，累计意向成交 578.3 亿美元。在 578.3 亿美元意向成交额中，智能及高端装备展区成交额最高，为 164.6 亿美元；其次是食品及农产品展区，成交 126.8 亿美元；汽车展区成交 119.9 亿美元；医疗器械及医药保健展区成交 57.6 亿美元；消费电子及家电展区成交 43.3 亿美元；服装服饰及日用消费品展区成交 33.7 亿美元；服务贸易展区成交 32.4 亿美元。此外，与“一带一路”沿线国家累计意向成交 47.2 亿美元。[①]

2018 年 11 月 5 日，习近平总书记在首届进博会开幕式的主旨演讲中指出，进博会“不仅要年年办下去，而且要办出水平、办出成效、越办越好”。从 2019 年 11 月至 2022 年 11 月，中国已经连续成功举办第二届至第五届进博会。其中，2021 年 11 月 5 日至 10 日，第四届中国国际进口博览会在上海举行，按一年计累计意向成交 707.2 亿美元。这届进博会，由于疫情，国家展首次在线上举办，为 58 个国家和 3 个国际组织提供数字展厅，吸引了大量海内外网友关注、互动，经初步统计，累计访问量超过 5800 万次，为促进各国交往、开创线上国家展示新模式作出有益尝试。本届进博会“朋友圈”进一步扩大，企业商业展共有来自 127 个国家和地区的 2900 多家企业参展，展览面积达 36.6 万平方米，展示新产品、新技术、新服务 422 项。其中，世界五百强及行业龙头企业数量达 281 家，近 40 家为首次亮相的“新朋友”，更有 120 多家是连续四届参展的“老朋友”。在这里，展品变商品、展商变投资商，出口市场拓展为生产地和创新所，不断开放的中国市场催生着新机遇。在 2022 年举办的第五届进博会上，共有 145 个国家、地区和国际组织参展，24 场虹桥论坛活动顺利举办。本届进博会按一年计意向成交金额 735.2 亿美元，比上届增长 3.9%。2022 年 11 月 4 日，习近平总书记以视频方式出席在上海举行的第五届中国国际进口博览会开

① 《578.3 亿美元！首届进博会交易采购成果丰硕》，新华社 2018 年 11 月 10 日电。

幕式并发表题为《共创开放繁荣的美好未来》的致辞。他在致辞中说："5年前，我宣布举办进博会，就是要扩大开放，让中国大市场成为世界大机遇。现在，进博会已经成为中国构建新发展格局的窗口、推动高水平开放的平台、全球共享的国际公共产品。开放是人类文明进步的重要动力，是世界繁荣发展的必由之路。当前，世界百年未有之大变局加速演进，世界经济复苏动力不足。我们要以开放纾发展之困、以开放汇合作之力、以开放聚创新之势、以开放谋共享之福，推动经济全球化不断向前，增强各国发展动能，让发展成果更多更公平惠及各国人民。"习近平总书记不仅表达了中国坚定不移对外开放的决心，还谈了中国进一步扩大开放的思路。他指出，第一，中国将推动各国各方共享中国大市场机遇，加快建设强大国内市场，推动货物贸易优化升级，创新服务贸易发展机制，扩大优质产品进口，创建"丝路电商"合作先行区，建设国家服务贸易创新发展示范区，推动贸易创新发展，推进高质量共建"一带一路"。第二，中国将推动各国各方共享制度型开放机遇，稳步扩大规则、规制、管理、标准等制度型开放，实施好新版《鼓励外商投资产业目录》，深化国家服务业扩大开放综合示范区建设；实施自由贸易试验区提升战略，加快建设海南自由贸易港，发挥好改革开放综合试验平台作用。第三，中国将推动各国各方共享深化国际合作机遇，全面深入参与世界贸易组织改革谈判，推动贸易和投资自由化便利化，促进国际宏观经济政策协调，共同培育全球发展新动能，积极推进加入《全面与进步跨太平洋伙伴关系协定》和《数字经济伙伴关系协定》，扩大面向全球的高标准自由贸易区网络，坚定支持和帮助广大发展中国家加快发展，推动构建人类命运共同体。

作为中国对外开放重要平台之一，进博会自开办以来已走过五载。5年来，进博会已经成为中国构建新发展格局的窗口、推动高水平开放的平台、全球共享的国际公共产品。

除进博会外，我们还坚持举办中国国际服务贸易交易会（以下简称服贸会），这是专门为服务贸易搭建的国家级、国际性、综合型大规模展会和交易平台。自2012年起每年在北京举行，习近平总书记以致贺信或致辞等方式领导和推动服贸会。服贸会由商务部和北京市人民政府共同举办，世贸组织、联合国贸发会议、经合组织等国际组织共同支持，是全球唯一涵盖服务贸易十二大领域的综合型服务贸易交易会。自2021年起，服贸会在国家会议中心和首钢园设置“双会场”。2021年9月2日至7日，中国国际服务贸易交易会在北京国家会议中心和首钢园区举办，主题为“数字开启未来，服务促进发展”。习近平总书记2日晚在2021年中国国际服务贸易交易会全球服务贸易峰会上发表视频致辞。他指出，服务贸易是国际贸易的重要组成部分和国际经贸合作的重要领域，在构建新发展格局中具有重要作用。中方愿同各方一道，坚持开放合作、互利共赢，共享服务贸易发展机遇，共促世界经济复苏和增长。他强调，中国将提高开放水平，在全国推进实施跨境服务贸易负面清单，探索建设国家服务贸易创新发展示范区；扩大合作空间，加大对共建“一带一路”国家服务业发展的支持，同世界共享中国技术发展成果；加强服务领域规则建设，支持北京等地开展国际高水平自由贸易协定规则对接先行先试，打造数字贸易示范区；继续支持中小企业创新发展，深化新三板改革，设立北京证券交易所，打造服务创新型中小企业主阵地。他指出，让我们携手抗疫、共克时艰，坚持用和平、发展、合作、共赢的“金钥匙”，破解当前世界经济、国际贸易和投资面临的问题，共创更加美好的未来！2022年8月31日至9月5日，2022年中国国际服务贸易交易会在北京国家会议中心和首钢园区顺利举办，主题为“服务合作促发展　绿色创新迎未来”。习近平总书记发来了贺信。他在贺信中说道，服贸会是中国扩大开放、深化合作、引领创新的重要平台，为促进全球服务业和服务贸易发展作出了积极贡献。中国坚持以高水平开放促进高质量发展，不断放宽服务领域市场准入，提高跨境服务贸易开放水平，拓展对外开放平台功能，努力构建高标准服务业开放制度体系。中国愿同世界各国一道，坚持真正的多边主义，坚持普惠包容、合作共赢，携手共促开放共享的服务经济，为世界经济复苏发展注入动力。

成功举办中国国际消费品博览会。2021年5月7日至10日，首届中国国际消费品博览会在海南成功举办。消博会期间，共有约 70 个国家和地区的 1505 家企业、2628 个消费精品品牌参展，进场观众超 24 万人次。首届消博会共举办 93 场新品首发首秀活动。其中，国际品牌举办 83 场新品发布会，国内各省份举办 10 场地方精品推介会，共发布新品超过 550 个。2022 年 7 月 25 日，第二届中国国际消费品博览会举行开幕式，全国政协副主席梁振英出席开幕式并发表主旨演讲。博览会期间举办了主宾国法国国家馆开馆仪式、全球消费论坛暨免税与旅游零售论坛、时装周等活动。7 月 30 日，第二届中国国际消费品博览会闭幕。消博会为各国消费精品进入中国市场提供展示、交易的平台，为全球消费精品企业提供了进入中国大市场的桥梁，也为各国消费精品销往世界各地创造了商机，充分展现了中国以实际行动凝聚合作共识、促进互利共赢的坚定决心。中国国际消费品博览会的成功举办既展现了中国消费市场的巨大潜力，也显示出中国统筹疫情防控和经济社会发展的有效成果；既为各国提供了一个全球消费精品展示交易的平台，也展现了中国“共享”与“开放”的坚定决心；同时，对稳定经济大盘、助推消费恢复和潜力释放也起到了积极作用。

第五节　持续优化营商环境

营造国际一流营商环境，顺应经济全球化新趋势、国际形势新变化、国内改革发展新要求，不仅有利于稳定市场预期、激发市场主体活力，而且有利于吸引外资、提升我国经济国际竞争力，是我们推动对外开放的重要环节。我们把优化营商环境作为深化对外开放的重要抓手，采取了一系列重大举措。2015 年，党的十八届五中全会提出要完善法治化、国际化、便利化的营商环境；2017 年，党的十九大报告提出要全面实施市场准入负面清单制度，深化商事制度改革，完善市场监管体制。

2019 年 10 月 8 日国务院第 66 次常务会议通过《优化营商环境条例》

（以下简称《条例》）。于2020年1月1日起，我国正式实施。该《条例》总则规定，营商环境是指企业等市场主体在市场经济活动中所涉及的体制机制性因素和条件。还指出，国家持续深化简政放权、放管结合、优化服务改革，最大限度减少政府对市场资源的直接配置，最大限度减少政府对市场活动的直接干预，加强和规范事中事后监管，着力提升政务服务能力和水平，切实降低制度性交易成本，更大激发市场活力和社会创造力，增强发展动力。各级人民政府及其部门应当坚持政务公开透明，以公开为常态、不公开为例外，全面推进决策、执行、管理、服务、结果公开。优化营商环境应当坚持市场化、法治化、国际化原则，以市场主体需求为导向，以深刻转变政府职能为核心，创新体制机制、强化协同联动、完善法治保障，对标国际先进水平，为各类市场主体投资兴业营造稳定、公平、透明、可预期的良好环境。同时，该《条例》指出，一是国家加快建立统一开放、竞争有序的现代市场体系，依法促进各类生产要素自由流动，保障各类市场主体公平参与市场竞争。二是国家鼓励、支持、引导非公有制经济发展，激发非公有制经济活力和创造力。三是国家进一步扩大对外开放，积极促进外商投资，平等对待内资企业、外商投资企业等各类市场主体。四是各级人民政府应当加强对优化营商环境工作的组织领导，完善优化营商环境的政策措施，建立健全统筹推进、督促落实优化营商环境工作的相关机制，及时协调、解决优化营商环境工作中的重大问题。县级以上人民政府有关部门应当按照职责分工，做好优化营商环境的相关工作。县级以上地方人民政府根据实际情况，可以明确优化营商环境工作的主管部门。五是国家鼓励和支持各地区、各部门结合实际情况，在法治框架内积极探索原创性、差异化的优化营商环境具体措施；对探索中出现失误或者偏差，符合规定条件的，可以予以免责或者减轻责任。六是国家建立和完善以市场主体和社会公众满意度为导向的营商环境评价体系，发挥营商环境评价对优化营商环境的引领和督促作用。开展营商环境评价，不得影响各地区、各部门正常工作，不得影响市场主体正常生产经营活动或者增加市场主体负担。《条例》还规定，任何单位不得利用营商环境评价谋取利益。市场主体应当遵守法律法规，恪守社会公德和商业道德，诚实守信、公平竞争，履行安全、质量、劳动者权益保护、消费者权益保护等方面的法定义务，在国际经贸活动中遵循国际通行规则。这一《条例》的通过，为优化营商环境提供了制度保障，有利于营商环境的改善和优化。

2020 年 5 月，中共中央、国务院下发了《关于新时代加快完善社会主义市场经济体制的意见》，更是旗帜鲜明地提出“以一流营商环境建设为牵引持续优化政府服务”，对新时代优化营商环境提出了明确要求。

2021 年 11 月，国务院印发《关于开展营商环境创新试点工作的意见》，部署在北京、上海、重庆、杭州、广州、深圳 6 个城市开展营商环境创新试点，聚焦市场主体关切，加快打造市场化法治化国际化的一流营商环境，更大力度利企便民。优化营商环境是激发市场主体活力和社会创造力、推动高质量发展的重要抓手，有利于稳定市场预期，保持经济平稳运行。我国选择上述 6 个城市开展营商环境创新试点，对于进一步聚焦市场主体关切、对标国际先进水平，率先建成市场化法治化国际化一流营商环境，形成一系列可复制可推广的制度创新成果，具有重要示范意义。通过 3 年至 5 年努力，试点城市营商环境国际竞争力将跃居全球前列，带动全国营商环境的优化提升。

制定外商投资法，是中国为优化营商环境推出的重大举措。2019 年 3 月 15 日，十三届全国人大二次会议表决通过了《中华人民共和国外商投资法》，习近平总书记签署第二十六号主席令予以公布，自 2020 年 1 月 1 日起施行。其中第三条规定，国家坚持对外开放的基本国策，鼓励外国投资者依法在中国境内投资。国家实行高水平投资自由化便利化政策，建立和完善外商投资促进机制，营造稳定、透明、可预期和公平竞争的市场环境。为落实好这一法律，2019 年 12 月 12 日国务院第 74 次常务会议通过了《中华人民共和国外商投资法实施条例》。《中华人民共和国外商投资法》回应了长期以来外国投资者和外商投资企业关注的问题，为我国有效利用外资提供更加统一、有力的法律保障，彰显了新时代我国进一步扩大对外开放、积极促进外商投资的决心和信心。

中国改善营商环境的努力取得显著成效。世界银行自2003年起每年发布全球营商环境报告，选取10项评估指标对全球190个经济体的营商环境进行评分排名。该报告评估样本为各国常住人口最多的城市，其中11个人口过亿国家选择两个常住人口最多的城市参与评估。2022年，我国国务院有关部门和京沪两市政府对标国际先进水平，推出130余项相关改革举措，进一步增强了我国营商环境的国际竞争力。世界银行于北京时间2022年10月24日上午发布《全球营商环境报告2022》，中国营商环境全球排名继2021年从此前第78位跃至第46位，2022年再度升至第31位，跻身全球前40，连续两年入列全球优化营商环境改善幅度最大的十大经济体。

此外，制度型开放取得显著进展。制度型开放，主要指一国规则等制度与他国相应制度之间开放透明，并在竞争中调适或变革，实现制度的国际化融入。党的十九大之后，中国开始稳步扩大规则、规制、管理、标准等制度型开放。2019年党的十九届四中全会和2020年党的十九届五中全会，都提出要推动规则、规制、管理、标准等制度型开放。与过去商品和要素流动型开放不同，制度型开放是更高质量的开放，这对中国而言是发展转型升级、走向大国经济的必然选择。近年来，我国出台外商投资法及其实施条例，实施准入前国民待遇加负面清单管理制度，外商投资准入负面清单持续“瘦身”，对外开放持续由商品和要素流动型开放向规则、规制、管理、标准等制度型开放拓展，有效提升了我国参与国际循环的质量和水平，推动了国内国际双循环相互促进。

人民币国际化步伐不断加快。随着中国经济实力稳步提升、在全球产业链供应链中的地位不断上升、在全球经济治理中发挥的作用持续加大，人民币的国际储备货币、支付货币等功能不断增强，越来越多的国家开始积极推动与中国进行相关货币安排。2022年，跨境人民币收付总额达42万亿元，比2017年增长3.4倍，已成为全球第五大支付货币。截至2022年底，境外主体持有境内人民币资产的余额为9.6万亿元，较2017年增长1.2倍。

有 80 多个境外央行或货币当局将人民币纳入外汇储备，人民币成为全球第五大储备货币，在国际货币基金组织特别提款权货币篮子中的权重排名第三。中国与累计 40 个国家和地区的中央银行或货币当局签署了双边本币互换协议，总金额超过 4 万亿元；在清算机制安排方面，中国已在 29 个国家和地区授权 31 家境外人民币清算行，覆盖了全球主要的国际金融中心。[①] 人民币国际化的步伐加快，也表明中国对外开放的大门越开越大。

① 《人民币国际地位稳步提升　突显国际社会对中国经济发展信心》，中工网 2023 年 5 月 31 日。

第七章

梳理改革开放的历程、成就、经验

进入中国特色社会主义新时代，以习近平同志为核心的党中央十分注重对改革开放历程的回顾与总结。党的十八大后，习近平总书记在主持召开中央全面深化改革领导小组会议、出席纪念老一辈革命家诞辰等场合多次总结改革开放、肯定改革开放。党的十九大后，中国先后迎来改革开放40周年、经济特区创办40周年等重要历史节点，党中央都予以隆重庆祝。尤其是党的十九届六中全会通过的历史决议，不仅对1978年至2012年改革开放和社会主义现代化建设历史新时期的成就经验进行了系统梳理，还对新时代全面深化改革开放取得的伟大成就进行了概括，为更好推动新征程的全面深化改革开放提供了基本遵循。

第一节　庆祝中国改革开放 40 周年

2018 年对中国和中国人民而言是一个具有特殊意义的年份，它是中国改革开放 40 周年，这 40 年是改变中国影响世界的 40 年；它是中国人民生活迅速改善的 40 年，这 40 年人民生活实现了从温饱到小康的跨越。中国决定隆重庆祝改革开放 40 周年，不仅举办大型展览、进行大型歌舞表演，习近平总书记还在 2018 年 12 月 18 日举行的庆祝改革开放 40 周年大会上发表重要讲话，为继续改革开放提供了科学指引。

举办“伟大的变革——庆祝改革开放 40 周年大型展览”。展览自 2018 年 11 月 13 日开幕至 2019 年 3 月 20 日结束。大型展览以“坚持和发展中国特色社会主义”为主题，紧扣“改革开放 40 年光辉历程”的主线，设置 6 个主题展区，展出各类要素超过 10000 项。展览场景布置恢宏大气，展示内容系统全面，创意设计新颖别致，展陈技术手段先进，互动环节生动有趣，多角度、全景式地描绘了一幅改革开放 40 年波澜壮阔的历史画卷。广大观众深刻感受到 40 年来中国共产党领导中国人民，不忘初心、砥砺奋进，用双手书写了国家和民族发展的壮丽史诗，中华大地发生了感天动地的伟大变革，特别是党的十八大以来，以习近平同志为核心的党中央坚定不移高举改革开放的旗帜，推进全面深化改革，全面扩大开放，推动党和国家事业取得了历史性成就，发生了历史性变革。这次大型展览由中央宣传部、中央改革办、中央党史和文献研究院、国家发展改革委、商务部、新华社、中央军委政治工作部和北京市联合主办。展览期间，现场观众累计达 423 万人次、留言 312 万字，网上展馆点击浏览量 4.03 亿次，营造了浓厚的社会氛围，掀起了庆祝改革开放 40 周年的热潮。展览还专门建设了数字化网上展馆，全要素呈现展览内容，全景式还原现场体验，全方位集纳新闻宣传报道，不能到现场参观的各界群众可以点击浏览。很多观众在现场或网上留言评论，表达对以习近平同志为核心的党中央的衷心拥护、对40年来党和国家事业取得伟大成就的由衷赞叹。海外舆论高度关注积极评价大型展览，认为这是“关注中国奇迹、探寻中国智慧、借鉴中国道路、展现中国担当的绝佳舞台”[①]。

拍摄大型政论专题片。中宣部等部门组织拍摄了大型政论专题片《必由之路》。该片以改革开放是坚持和发展中国特色社会主义的必由之路为主题，全景式回顾改革开放40年历程，以风云激荡的感人故事，铺陈出一部国家民族砥砺奋进的壮丽史诗，深刻揭示中国特色社会主义是建立在我们党长期奋斗基础上，是由我们党带领人民历经千辛万苦、付出各种代价、接力探索取得的，响亮回答改革开放是决定当代中国命运的关键一招，也是决定实现“两个一百年”奋斗目标、实现中华民族伟大复兴的关键一招。《我们一起走过——致敬改革开放40周年》则精选展现了107个典型的改革故事，采访了183位改革的亲历者、参与者、见证者，记录下众多珍贵的历史瞬间。全片还挖掘了大量珍贵的历史素材，生动呈现40年来中国时代的变迁和百姓生活的巨大变化。

表彰改革开放杰出贡献人员。2018年12月18日，党中央、国务院作出《关于表彰改革开放杰出贡献人员的决定》（以下简称《决定》）。在回顾40年改革历程的基础上，该《决定》指出，人民是改革开放伟大奇迹的创造者，是推动改革开放的力量源泉。改革开放在认识和实践上的每一次突破和深化、改革开放中每一个新生事物的产生和发展、每一个经验的取得和积累，都来自亿万人民的实践和创造。40年波澜壮阔的改革开放伟大进程，涌现出一大批勇立时代潮头、锐意改革创新、敢于实践探索的先锋模范。在隆重庆祝改革开放40周年之际，为表彰先进、鼓舞斗志，弘扬敢闯敢试、敢为人先的改革精神，激励全党全国各族人民坚定不移听党话、跟党走，将改革开放进行到底，党中央、国务院决定，授予于敏等100名同

---

① 《“伟大的变革——庆祝改革开放40周年大型展览”圆满落幕》，新华网2019年3月20日。

志“改革先锋”称号，颁授“改革先锋奖章”；同时，为感谢国际社会对中国改革开放事业的支持和帮助，向阿兰·梅里埃等 10 名国际友人颁授“中国改革友谊奖章”。这次受到表彰的改革先锋，为推动改革开放作出了杰出贡献，发挥了突出的示范引领作用，是人民群众的优秀代表。他们拥护中国共产党领导和我国社会主义制度，拥护改革开放，坚持正确改革方向；他们冲破思想观念的束缚，突破利益固化的藩篱，敢于啃硬骨头，敢于涉险滩，奋斗在改革开放一线，引领思想观念和体制机制变革，推动改革开放和社会主义现代化建设；他们带头践行社会主义核心价值观，大力弘扬以爱国主义为核心的民族精神和以改革创新为核心的时代精神，爱岗敬业，无私奉献，作风优良，赢得人民群众广泛赞誉。受到表彰的国际友人，是中国人民的老朋友。他们长期致力于促进中外交流合作，深度参与中国改革开放进程，为支持中国改革开放事业作出了杰出贡献。比如，于敏（1926 年 8 月 16 日—2019 年 1 月 16 日），1949 年毕业于北京大学物理系，1980 年当选为中国科学院学部委员（院士），原中国工程物理研究院副院长、研究员、高级科学顾问。于敏在中国氢弹原理突破中解决了一系列基础问题，提出了从原理到构形基本完整的设想。此后于敏长期领导核武器理论研究、设计，解决了大量理论问题，对中国核武器进一步发展到国际先进水平作出了重要贡献。从 20 世纪 70 年代起，于敏在倡导、推动若干高科技项目研究中发挥了重要作用。1999 年于敏被国家授予“两弹一星功勋奖章”。2018 年 12 月 18 日，党中央、国务院授予于敏同志“改革先锋”称号，颁授“改革先锋奖章”，并获评“国防科技事业改革发展的重要推动者”。再比如佩里。在庆祝改革开放 40 周年大会上，作为“中英友好的传承者、中英经贸人文交流的促进者”，佩里获颁“中国改革友谊奖章”。佩里的父亲杰克·佩里被誉为英中关系的“破冰者”。1953 年，时任伦敦出口公司董事长的老佩里和其他 15 名英国工商界代表突破了西方对新中国的封锁，访问北京，开启了最早的贸易对话。1953 年的“破冰之旅”为翌年以老佩里为首的 48 名英国商界人士访问中国奠定了基础，这就是“英中贸易 48 家集团”的前身。1991 年，该集团改名为“英国 48 家集团俱乐部”。“那时，我父亲就相信中国必然会在世界舞台上越来越重要。1978 年改变了中国，也改变了世界，”佩里说，“中国所取得的成就令世界刮目相看。”1993 年，佩里成为英国 48 家集团俱乐部主席。多年来，英国 48 家集团俱乐部在改善中国与西方关系，尤其是中英关系方面作出了卓越贡献。[①]

这一《决定》还说，当前，中国特色社会主义进入新时代，开启了实现中华民族伟大复兴新征程。伟大时代呼唤伟大精神，崇高事业需要先锋引领。党中央、国务院号召，全党全国各族人民要以习近平新时代中国特色社会主义思想为指导，以这次受到表彰的先进个人为榜样，增强“四个意识”、坚定“四个自信”、坚决做到“两个维护”，不忘改革开放初心，继续高举改革开放旗帜，坚定改革开放再出发信心和决心，更加紧密地团结在以习近平同志为核心的党中央周围，汇聚推进改革开放的磅礴力量，在新时代新起点上把改革开放不断推向深入，为决胜全面建成小康社会、夺取新时代中国特色社会主义伟大胜利、实现中华民族伟大复兴的中国梦、实现人民对美好生活的向往，为维护世界和平、促进共同发展、推动构建人类命运共同体不懈奋斗。

举行庆祝改革开放 40 周年大会。2018 年 12 月 18 日，在北京人民大会堂举行了庆祝改革开放 40 周年大会。10 时，李克强总理宣布庆祝大会开始。与会人员全体起立，高唱国歌。王沪宁宣读《中共中央　国务院关于表彰改革开放杰出贡献人员的决定》。大会宣读了授予“改革先锋”称号、“中国改革友谊奖章”人员名单。在《春天的故事》乐曲声中，习近平总书记等为获得“改革先锋”称号、“中国改革友谊奖章”人员代表颁奖。颁奖时，与会人员全体起立并热烈鼓掌，向受表彰人员表示衷心祝贺和崇高敬意。少先队员还向他们献上了美丽的鲜花。

把庆祝改革开放推向最高潮的是习近平总书记在庆祝改革开放 40 周年大会上发表重要讲话。这一载入史册的重要讲话，深情回顾波澜壮阔的改

---

① 《专访：“我很幸运能够参与历史”——访中国改革友谊奖章获得者斯蒂芬·佩里》，新华社伦敦 2019 年 1 月 7 日电。

革开放历程、系统梳理改革开放的光辉成就、深刻总结改革开放的宝贵经验，进一步明确了新时代改革开放的前进方向。

习近平总书记的讲话把推进改革开放和中国特色社会主义事业作为百年来中国发生的三大历史性事件之一。他说，建立中国共产党、成立中华人民共和国、推进改革开放和中国特色社会主义事业，是五四运动以来我国发生的三大历史性事件，是近代以来实现中华民族伟大复兴的三大里程碑。这就把改革开放的历史地位提高到了和建党、建国一样的高度，确实是前所未有的历史定位。

习近平总书记的讲话从大历史观的角度分五个阶段回顾了改革开放的历程。第一，以毛泽东同志为主要代表的中国共产党人，把马克思列宁主义基本原理同中国革命具体实践结合起来，创立了毛泽东思想，团结带领全党全国各族人民，经过长期浴血奋斗，完成了新民主主义革命，建立了中华人民共和国，确立了社会主义基本制度，成功实现了中国历史上最深刻最伟大的社会变革，为当代中国一切发展进步奠定了根本政治前提和制度基础。在探索过程中，虽然经历了严重曲折，但党在社会主义革命和建设中取得的独创性理论成果和巨大成就，为在新的历史时期开创中国特色社会主义提供了宝贵经验、理论准备、物质基础。第二，党的十一届三中全会以后，以邓小平同志为主要代表的中国共产党人，团结带领全党全国各族人民，深刻总结我国社会主义建设正反两方面经验，借鉴世界社会主义历史经验，创立了邓小平理论，作出把党和国家工作中心转移到经济建设上来、实行改革开放的历史性决策，深刻揭示社会主义本质，确立社会主义初级阶段基本路线，明确提出走自己的路、建设中国特色社会主义，科学回答了建设中国特色社会主义的一系列基本问题，制定了到21世纪中叶分三步走、基本实现社会主义现代化的发展战略，成功开创了中国特色社会主义。第三，党的十三届四中全会以后，以江泽民同志为主要代表的中国共产党人，团结带领全党全国各族人民，坚持党的基本理论、基本路线，加深了对什么是社会主义、怎样建设社会主义和建设什么样的党、怎样建设党的认识，积累了治党治国新的宝贵经验，形成了“三个代表”重要思想。在国内外形势十分复杂、世界社会主义出现严重曲折的严峻考验面前，捍卫了中国特色社会主义，确立了社会主义市场经济体制的改革目标和基本框架，确立了社会主义初级阶段的基本经济制度和分配制度，开创全面改革开放新局面，推进党的建设新的伟大工程，成功把中国特色社会主义推向 21 世纪。第四，党的十六大以后，以胡锦涛同志为主要代表的中国共产党人，团结带领全党全国各族人民，坚持以邓小平理论和“三个代表”重要思想为指导，根据新的发展要求，深刻认识和回答了新形势下实现什么样的发展、怎样发展等重大问题，形成了科学发展观，抓住重要战略机遇期，在全面建设小康社会进程中推进实践创新、理论创新、制度创新，强调坚持以人为本、全面协调可持续发展，形成中国特色社会主义事业总体布局，着力保障和改善民生，促进社会公平正义，推动建设和谐世界，推进党的执政能力建设和先进性建设，成功在新的历史起点上坚持和发展了中国特色社会主义。第五，党的十八大以来，党中央团结带领全党全国各族人民，全面审视国际国内新的形势，通过总结实践、展望未来，深刻回答了新时代坚持和发展什么样的中国特色社会主义、怎样坚持和发展中国特色社会主义这个重大时代课题，形成了新时代中国特色社会主义思想，坚持统筹推进“五位一体”总体布局、协调推进“四个全面”战略布局，坚持稳中求进工作总基调，对党和国家各方面工作提出一系列新理念新思想新战略，推动党和国家事业取得历史性成就、发生历史性变革，中国特色社会主义进入了新时代。我们以巨大的政治勇气和智慧，提出全面深化改革总目标是完善和发展中国特色社会主义制度、推进国家治理体系和治理能力现代化，着力增强改革系统性、整体性、协同性，着力抓好重大制度创新，着力提升人民群众获得感、幸福感、安全感，推出 1600 多项改革方案，啃下了不少硬骨头，闯过了不少急流险滩，改革呈现全面发力、多点突破、蹄疾步稳、纵深推进的局面。这是从党的领导人变化的政治高度，划分改革开放的进程，凝练了改革开放进程中的重点突破。

习近平总书记的讲话总结了改革开放取得的重大成就。讲话指出，改革开放40年来，从开启新时期到跨入新世纪，从站上新起点到进入新时代，40年风雨同舟，40年披荆斩棘，40年砥砺奋进，我们党引领人民绘就了一幅波澜壮阔、气势恢宏的历史画卷，谱写了一曲感天动地、气壮山河的奋斗赞歌。然后讲话从思想指引、经济建设等诸多方面总结了改革开放的成就。一是指导思想方面。40年来，我们始终坚持解放思想、实事求是、与时俱进、求真务实，坚持马克思主义指导地位不动摇，坚持科学社会主义基本原则不动摇，勇敢推进理论创新、实践创新、制度创新、文化创新以及其他各方面创新，不断赋予中国特色社会主义以鲜明的实践特色、理论特色、民族特色、时代特色，形成了中国特色社会主义道路、理论、制度、文化，以不可辩驳的事实彰显了科学社会主义的鲜活生命力，社会主义的伟大旗帜始终在中国大地上高高飘扬！

二是经济建设方面。40年来，我们始终坚持以经济建设为中心，不断解放和发展社会生产力，我国国内生产总值由3679亿元增长到2017年的82.7万亿元，年均实际增长9.5%，远高于同期世界经济2.9%左右的年均增速。我国国内生产总值占世界生产总值的比重由改革开放之初的1.8%上升到15.2%，多年来对世界经济增长贡献率超过30%。我国货物进出口总额从206亿美元增长到超过4万亿美元，累计使用外商直接投资超过2万亿美元，对外投资总额达到1.9万亿美元。我国主要农产品产量跃居世界前列，建立了全世界最完整的现代工业体系，科技创新和重大工程捷报频传。我国基础设施建设成就显著，信息畅通，公路成网，铁路密布，高坝矗立，西气东输，南水北调，高铁飞驰，巨轮远航，飞机翱翔，天堑变通途。现在，我国是世界第二大经济体、制造业第一大国、货物贸易第一大国、商品消费第二大国、外资流入第二大国，我国外汇储备连续多年位居世界第一，中国人民在富起来、强起来的征程上迈出了决定性的步伐！

三是政治建设方面。40年来，我们始终坚持中国特色社会主义政治发展道路，不断深化政治体制改革，发展社会主义民主政治，党和国家领导体制日益完善，全面依法治国深入推进，中国特色社会主义法律体系日益健全，人民当家作主的制度保障和法治保障更加有力，人权事业全面发展，爱国统一战线更加巩固，人民依法享有和行使民主权利的内容更加丰富、渠道更加便捷、形式更加多样，掌握着自己命运的中国人民焕发出前所未有的积极性、主动性、创造性，在改革开放和社会主义现代化建设中展现出气吞山河的强大力量！

四是文化建设方面。40 年来，我们始终坚持发展社会主义先进文化，加强社会主义精神文明建设，培育和践行社会主义核心价值观，传承和弘扬中华优秀传统文化，坚持以科学理论引路指向，以正确舆论凝心聚力，以先进文化塑造灵魂，以优秀作品鼓舞斗志，爱国主义、集体主义、社会主义精神广为弘扬，时代楷模、英雄模范不断涌现，文化艺术日益繁荣，网信事业快速发展，全民族理想信念和文化自信不断增强，国家文化软实力和中华文化影响力大幅提升。改革开放铸就的伟大改革开放精神，极大丰富了民族精神内涵，成为当代中国人民最鲜明的精神标识！

五是社会建设方面。40 年来，我们始终坚持在发展中保障和改善民生，全面推进幼有所育、学有所教、劳有所得、病有所医、老有所养、住有所居、弱有所扶，不断改善人民生活、增进人民福祉。全国居民人均可支配收入由 171 元增加到 2.6 万元，中等收入群体持续扩大。我国贫困人口累计减少 7.4 亿人，贫困发生率下降 94.4 个百分点，谱写了人类反贫困史上的辉煌篇章。教育事业全面发展，九年义务教育巩固率达 93.8%。我国建成了包括养老、医疗、低保、住房在内的世界最大的社会保障体系，基本养老保险覆盖超过 9 亿人，医疗保险覆盖超过 13 亿人。常住人口城镇化率达到 58.52%，上升 40.6 个百分点。居民预期寿命由 1981 年的 67.8 岁提高到 2017 年的 76.7 岁。我国社会大局保持长期稳定，成为世界上最有安全感的国家之一。粮票、布票、肉票、鱼票、油票、豆腐票、副食本、工业券等百姓生活曾经离不开的票证已经进入了历史博物馆，忍饥挨饿、缺吃少穿、生活困顿这些几千年来困扰我国人民的问题总体上一去不复返了！

六是生态文明建设方面。40 年来，我们始终坚持保护环境和节约资源，坚持推进生态文明建设，生态文明制度体系加快形成，主体功能区制度逐步健全，节能减排取得重大进展，重大生态保护和修复工程进展顺利，生态环境治理明显加强，积极参与和引导应对气候变化国际合作，中国人民生于斯、长于斯的家园更加美丽宜人！

七是国防和军队建设方面。40年来，我们始终坚持党对军队的绝对领导，不断推进国防和军队现代化，推进人民军队实现革命性重塑，武器装备取得历史性突破，治军方式发生根本性转变，革命化现代化正规化水平显著提高，人民军队维护国家主权、安全、发展利益的能力显著增强，成为保卫人民幸福生活、保卫祖国和世界和平牢不可破的强大力量！

八是祖国统一方面。40年来，我们始终坚持推进祖国和平统一大业，实施“一国两制”基本方针，相继恢复对香港、澳门行使主权，洗雪了中华民族百年屈辱。我们坚持一个中国原则和“九二共识”，加强两岸经济文化交流合作，推动两岸关系和平发展，坚决反对和遏制“台独”分裂势力，牢牢掌握两岸关系发展主导权和主动权。海内外全体中华儿女的民族认同感、文化认同感大大增强，同心共筑中国梦的意志更加坚强！

九是外交工作方面。40年来，我们始终坚持独立自主的和平外交政策，始终不渝走和平发展道路、奉行互利共赢的开放战略，坚定维护国际关系基本准则，维护国际公平正义。我们实现由封闭半封闭到全方位开放的历史转变，积极参与经济全球化进程，为推动人类共同发展作出了应有贡献。我们积极推动建设开放型世界经济、构建人类命运共同体，促进全球治理体系变革，旗帜鲜明反对霸权主义和强权政治，为世界和平与发展不断贡献中国智慧、中国方案、中国力量。我国日益走近世界舞台中央，成为国际社会公认的世界和平的建设者、全球发展的贡献者、国际秩序的维护者！

十是党的领导和党的建设方面。40年来，我们始终坚持加强和改善党的领导，积极应对在长期执政和改革开放条件下党面临的各种风险考验，持续推进党的建设新的伟大工程，保持党的先进性和纯洁性，保持党同人民群众的血肉联系。我们积极探索共产党执政规律、社会主义建设规律、人类社会发展规律，不断开辟马克思主义中国化新境界。我们坚持党要管党、从严治党，净化党内政治生态，持之以恒正风肃纪，大力整治形式主义、官僚主义、享乐主义和奢靡之风，以零容忍态度严厉惩治腐败，反腐败斗争取得压倒性胜利。我们党在革命性锻造中坚定走在时代前列，始终是中国人民和中华民族的主心骨！①

在从十个方面介绍完成就之后，习近平总书记的讲话用了“四个面貌”“三大飞跃”对成就进行了总结升华。他指出：“40年春风化雨、春华秋实，改革开放极大改变了中国的面貌、中华民族的面貌、中国人民的面貌、中国共产党的面貌。中华民族迎来了从站起来、富起来到强起来的伟大飞跃！中国特色社会主义迎来了从创立、发展到完善的伟大飞跃！中国人民迎来了从温饱不足到小康富裕的伟大飞跃！中华民族正以崭新姿态屹立于世界的东方！”②

关于改革开放的宝贵经验，习近平总书记讲话中用“九个必须坚持”进行了概括，并且在论述经验的过程中对未来如何推动改革开放也进行了论述。这“九个必须坚持”主要是：第一，必须坚持党对一切工作的领导，不断加强和改善党的领导；第二，必须坚持以人民为中心，不断实现人民对美好生活的向往；第三，必须坚持马克思主义指导地位，不断推进实践基础上的理论创新；第四，必须坚持走中国特色社会主义道路，不断坚持和发展中国特色社会主义；第五，必须坚持完善和发展中国特色社会主义制度，不断发挥和增强我国制度优势；第六，必须坚持以发展为第一要务，不断增强我国综合国力；第七，必须坚持扩大开放，不断推动共建人类命运共同体；第八，必须坚持全面从严治党，不断提高党的创造力、凝聚力、战斗力；第九，必须坚持辩证唯物主义和历史唯物主义世界观和方法论，

① 中共中央党史和文献研究院编《十九大以来重要文献选编》上，中央文献出版社2019年版，第724—728页。

② 中共中央党史和文献研究院编《十九大以来重要文献选编》上，中央文献出版社2019年版，第728页。

正确处理改革发展稳定关系。[①]

这“九个必须坚持”，既包含了改革开放和社会主义现代化建设新时期积累的宝贵经验，也体现了新时代全面深化改革开放的新鲜经验，是中国改革开放为什么能的密码所在，也是今后继续改革开放的重要遵循。

在讲话中，习近平总书记用“九个前进道路上”明确了下一步继续改革开放的方向和路径。比如，关于领导力量方面，习近平总书记指出：“前进道路上，我们必须增强‘四个意识’、坚定‘四个自信’，坚决维护党中央权威和集中统一领导，把党的领导贯彻和体现到改革发展稳定、内政外交国防、治党治国治军等各个领域。改革开放每一步都不是轻而易举的，未来必定会面临这样那样的风险挑战，甚至会遇到难以想象的惊涛骇浪。我们党要总揽全局、协调各方，坚持科学执政、民主执政、依法执政，完善党的领导方式和执政方式，提高党的执政能力和领导水平，不断提高党把方向、谋大局、定政策、促改革的能力和定力，确保改革开放这艘航船沿着正确航向破浪前行。”[②]比如，关于以人民为中心方面，习近平总书记指出：“前进道路上，我们必须始终把人民对美好生活的向往作为我们的奋斗目标，践行党的根本宗旨，贯彻党的群众路线，尊重人民主体地位，尊重人民群众在实践活动中所表达的意愿、所创造的经验、所拥有的权利、所发挥的作用，充分激发蕴藏在人民群众中的创造伟力。我们要健全民主制度、拓宽民主渠道、丰富民主形式、完善法治保障，确保人民依法享有广泛充分、真实具体、有效管用的民主权利。我们要着力解决人民群众所需所急所盼，让人民共享经济、政治、文化、社会、生态等各方面发展成果，有更多、更直接、更实在的获得感、幸福感、安全感，不断促进人的全面发展、全体人民共同富裕。”[③]再比如，关于理论创新方面，习近平总书记指出：“前进道路上，我们必须坚持以马克思列宁主义、毛泽东思想、邓小平

① 习近平：《习近平著作选读》第二卷，人民出版社 2023 年版，第 222—230 页。
② 习近平：《习近平著作选读》第二卷，人民出版社 2023 年版，第 223 页。
③ 习近平：《习近平著作选读》第二卷，人民出版社 2023 年版，第 224 页。

理论、‘三个代表’重要思想、科学发展观、新时代中国特色社会主义思想为指导，坚持解放思想和实事求是有机统一。发展21世纪马克思主义、当代中国马克思主义，是当代中国共产党人责无旁贷的历史责任。我们要强化问题意识、时代意识、战略意识，用深邃的历史眼光、宽广的国际视野把握事物发展的本质和内在联系，紧密跟踪亿万人民的创造性实践，借鉴吸收人类一切优秀文明成果，不断回答时代和实践给我们提出的新的重大课题，让当代中国马克思主义放射出更加灿烂的真理光芒。”①

习近平总书记的重要讲话，是一篇马克思主义的光辉文献，是新时代改革开放再出发新的宣言书、新的动员令，引起强烈反响。据2018年12月20日新华社消息，18日上午，全国人大机关、安全部、应急部等部门，第一时间组织干部职工准时收看大会直播，认真聆听习近平总书记的重要讲话。大家认为，习近平总书记的重要讲话，深刻总结了改革开放40年来党和国家事业取得的伟大成就和宝贵经验，郑重宣示了改革开放只有进行时没有完成时、改革开放永远在路上的信心和决心，大家倍感振奋、倍受鼓舞、倍增信心。国家民委、司法部、财政部干部职工表示，改革开放的40年，是我们党带领全国各族人民进行伟大社会革命、不断开辟中国特色社会主义道路的40年，是我们党带领全国各族人民书写国家繁荣发展壮丽史诗的40年。正是有了这40年的风雨兼程、披荆斩棘，中华民族才实现了从“赶上时代”到“引领时代”的伟大跨越。来自中宣部、中央党校的干部职工表示，对历史的最好纪念，就是书写新的历史；对改革开放的最大致敬，就是创造新的辉煌。要以习近平新时代中国特色社会主义思想和党的十九大精神为指导，将改革开放进行到底，为实现“两个一百年”奋斗目标、实现中华民族伟大复兴的中国梦不懈奋斗。这篇讲话也引起了全国各地的热烈反响。比如据2018年12月21日山东《大众日报》报道，作为打造寿光蔬菜品牌推动农业产业化的典型代表，寿光原县委书记王伯祥说：“总书记对改革开放40年的经验总结，其实就是潍坊乃至我省改革开放的历程缩

① 习近平：《习近平著作选读》第二卷，人民出版社2023年版，第224—225页。

影。我们的国家和民族要前进，就一定要坚持改革开放，不忘初心继续前行。”“总书记的讲话，指明了今后努力的方向，让大家对民族复兴充满信心，对美好生活充满信心。”[①]

第二节　总结经济特区成功实践

岁月流金。21世纪初叶，中国改革开放进程中的一些大事件确实值得庆祝。深圳、珠海、汕头、厦门四个经济特区迎来创办40周年，海南建省设立海南经济特区迎来30周年，开发开放上海浦东也迎来了30周年。党中央高度重视这些大的历史性节点，作出隆重庆祝的决策。习近平总书记出席纪念大会，并发表重要讲话。

一、成功举行庆祝海南建省办经济特区30周年大会

2018年4月13日，庆祝海南建省办经济特区30周年大会在海南海口举行。30年前，我国最大的经济特区——海南经济特区在海岛应势而生、扬帆起航。30年来，海南以实干为笔，以创新为墨，在先行先试中，书写出了披荆斩棘、砥砺奋进的华丽篇章，讲述了改革开放的“海南故事”。习近平总书记亲临海南，出席庆祝大会，并发表了重要讲话。隆重集会予以庆祝，就是要充分肯定经济特区建设的历史功绩，深刻总结经济特区建设的宝贵经验，全面贯彻党的十九大精神和习近平新时代中国特色社会主义思想，在新时代新起点上继续把全面深化改革推向前进，为实现“两个一百年”奋斗目标、实现中华民族伟大复兴的中国梦提供强大动力。

海南建省办经济特区30年来，在党中央坚强领导和全国大力支持下，海南经济特区坚持锐意改革，勇于突破传统经济体制束缚，经济社会发展

① 《坚定信心　接续奋斗　开创改革开放新局面》，《大众日报》2018年12月21日。

取得了令人瞩目的成绩。1987 年，海南地区生产总值仅有 57.28 亿元，地方财政收入不到 3 个亿。到 2017 年，海南地区生产总值达到 4462.5 亿元，人均地区生产总值 7179 美元，地方一般公共预算收入 674 亿元，地区生产总值、人均生产总值、地方财政收入分别增长 21.8 倍、14.3 倍、226.8 倍，现代服务业、热带农业、新型工业迅速成长，交通、电力、水利、通信等基础设施日趋完备。改革开放取得重要突破，在农垦体制改革、“多规合一”改革、省直管市县的行政管理体制改革、航权开放等方面走在全国前列。国际交流合作空前扩大，成功举办了 18 届博鳌亚洲论坛年会。在全国率先建设生态省，大气和水体质量保持领先水平。人民生活明显改善，教育、卫生、文化等社会事业加快发展，城乡面貌发生深刻变化。经过 30 年不懈努力，海南已从一个边陲海岛发展成为我国改革开放的重要窗口。应该说，海南经济特区是我国经济特区的一个生动缩影，海南经济特区取得的成就是改革开放以来我国实现历史性变革、取得历史性成就的一个生动缩影。30 年来，海南经济特区不辱使命，在建设中国特色社会主义伟大历史进程中谱写了勇立潮头、开拓进取的壮丽篇章，在体制改革中发挥了“试验田”作用，在对外开放中发挥了重要“窗口”作用，为全国改革开放和社会主义现代化建设作出了重大贡献。

海南经济特区的成功实践，一是充分证明了党的十一届三中全会以来形成的党的基本理论、基本路线、基本方略是完全正确的，中国特色社会主义道路是实现社会主义现代化、创造人民美好生活的必由之路；二是充分证明了无论改什么、改到哪一步，都要坚持党的领导，确保党把方向、谋大局、定政策，确保党始终总揽全局、协调各方；三是充分证明了改革开放是决定当代中国命运的关键抉择，是当代中国发展进步的活力之源，是党和人民事业大踏步赶上时代的重要法宝，是坚持和发展中国特色社会主义、实现中华民族伟大复兴的必由之路；四是充分证明了党中央关于兴办经济特区的战略决策是完全正确的，在决胜全面建成小康社会、夺取新时代中国特色社会主义伟大胜利的征程上，经济特区不仅要继续办下去，而且要办得更好、办出水平；五是充分证明了人民是改革的主体，要坚持一切为了人民、一切依靠人民，发挥好广大人民群众的积极性、主动性、创造性，使广大人民群众成为推动改革开放的强大力量。这“五个充分证明”是对海南办经济特区的经验总结，也是对中国举办经济特区经验的总结。

习近平总书记在讲话中对经济特区给予新的战略定位，对海南的发展提出了明确要求。关于经济特区在新时代的定位，习近平总书记指出，经济特区要不忘初心、牢记使命，在伟大斗争、伟大工程、伟大事业、伟大梦想中寻找新的方位，把握好新的战略定位。第一，经济特区要成为改革开放的重要窗口。经济特区是我国最早对外开放的地区，是对外经济交流最活跃的地区，也是最能代表改革开放形象的地区。经济特区要继续发挥好改革开放的重要窗口作用，坚持打开国门搞建设，坚持“引进来”和“走出去”并重，同各国扩大双向贸易和投资往来，共建开放型世界经济。要大幅度放宽市场准入，扩大服务业特别是金融业对外开放，创造更有吸引力的投资环境。要加强国际人文交流，促进民心相通、文化相融。第二，经济特区要成为改革开放的试验平台。创办经济特区是我国改革开放的重要方法论，是经过实践检验推进改革开放行之有效的办法。先行先试是经济特区的一项重要职责，目的是探索改革开放的实现路径和实现形式，为全国改革开放探路开路。只有敢于走别人没有走过的路，才能收获别样的风景。经济特区要勇于扛起历史责任，适应国内外形势新变化，按照国家发展新要求，顺应人民新期待，发扬敢闯敢试、敢为人先、埋头苦干的特区精神，始终站在改革开放最前沿，在各方面体制机制改革方面先行先试、大胆探索，为全国提供更多可复制可推广的经验。第三，经济特区要成为改革开放的开拓者。经济特区的成功实践为中国特色社会主义理论形成和发展提供了丰富素材和鲜活经验。新形势下，坚持和发展中国特色社会主义仍然有许多重大课题需要探索实践，有许多新的领域需要开拓创新。当前，改革在很多领域突入了“无人区”，经济特区要坚持摸着石头过河，逢山开路，遇水架桥，在实践中求真知，在探索中找规律，不断形成新经验、深化新认识、贡献新方案。第四，经济特区要成为改革开放的实干家。空谈误国，实干兴邦。只有真抓才能攻坚克难，只有实干才能梦想成真。经济特区要坚定舍我其谁的信念、勇当尖兵的决心，保持爬坡过坎的压力感、奋勇向前的使命感、干事创业的责任感，积极培育崇尚实干的环境，务实求变、务实求新、务实求进，为实干者撑腰，为干事者鼓劲，以昂扬的精神状态推动改革不停顿、开放不止步。

关于海南的发展方向，习近平总书记在讲话中明确指出，新时代，海南要高举改革开放旗帜，创新思路、凝聚力量、突出特色、增创优势，努力成为新时代全面深化改革开放的新标杆，形成更高层次改革开放新格局。这是我们庆祝海南建省办经济特区 30 周年的最好方式，也是庆祝我国改革开放 40 周年的重大举措。党中央对海南改革开放发展寄予厚望，最近研究制定了《关于支持海南全面深化改革开放的指导意见》，赋予海南经济特区改革开放新的重大责任和使命，也为海南深化改革开放注入了强大动力。这是海南发展面临的新的重大历史机遇。习近平总书记要求，海南广大干部群众要抓住机遇、再接再厉，全面贯彻党的十九大精神，以新时代中国特色社会主义思想为指导，坚持稳中求进工作总基调，增强“四个意识”，坚定“四个自信”，坚持新发展理念，统筹推进“五位一体”总体布局和协调推进“四个全面”战略布局，以供给侧结构性改革为主线，建设自由贸易试验区和中国特色自由贸易港，发挥自身优势，大胆探索创新，着力打造全面深化改革开放试验区、国家生态文明试验区、国际旅游消费中心、国家重大战略服务保障区，争创新时代中国特色社会主义生动范例，让海南成为展示中国风范、中国气派、中国形象的靓丽名片。第一，海南要坚持开放为先，实行更加积极主动的开放战略，加快建立开放型经济新体制，推动形成全面开放新格局。第二，海南要站在更高起点谋划和推进改革，下大气力破除体制机制弊端，不断解放和发展社会生产力。第三，海南要坚决贯彻新发展理念，建设现代化经济体系，在推动经济高质量发展方面走在全国前列。第四，海南要牢固树立和全面践行绿水青山就是金山银山的理念，在生态文明体制改革上先行一步，为全国生态文明建设作出表率。第五，海南要坚持以人民为中心的发展思想，不断满足人民日益增长的美好生活需要，让改革发展成果更多更公平惠及人民。第六，海南要坚持和加强党的全面领导，确保全面深化改革开放正确方向。

习近平总书记代表党中央宣布了一系列支持海南发展的重大举措。居于首位的就是党中央决定支持海南全岛建设自由贸易试验区，支持海南逐步探索、稳步推进中国特色自由贸易港建设，分步骤、分阶段建立自由贸易港政策和制度体系。这是党中央着眼于国际国内发展大局，深入研究、统筹考虑、科学谋划作出的重大决策，是彰显我国扩大对外开放、积极推动经济全球化决心的重大举措。习近平总书记指出，海南全岛建设自由贸易试验区，要以制度创新为核心，赋予更大改革自主权，支持海南大胆试、大胆闯、自主改，加快形成法治化、国际化、便利化的营商环境和公平开放统一高效的市场环境。要更大力度转变政府职能，深化简政放权、放管结合、优化服务改革，全面提升政府治理能力。要实行高水平的贸易和投资自由化便利化政策，对外资全面实行准入前国民待遇加负面清单管理制度，围绕种业、医疗、教育、体育、电信、互联网、文化、维修、金融、航运等重点领域，深化现代农业、高新技术产业、现代服务业对外开放，推动服务贸易加快发展，保护外商投资合法权益，推进航运逐步开放。自由贸易港是当今世界最高水平的开放形态。海南建设自由贸易港要体现中国特色，符合中国国情，符合海南发展定位，学习借鉴国际自由贸易港的先进经营方式、管理方法。我们欢迎全世界投资者到海南投资兴业，积极参与海南自由贸易港建设，共享中国发展机遇、共享中国改革成果。海南发展不能以转口贸易和加工制造为重点，而要以发展旅游业、现代服务业、高新技术产业为主导，更加注重通过人的全面发展充分激发发展活力和创造力。在内外贸、投融资、财政税务、金融创新、入出境等方面，探索更加灵活的政策体系、监管模式、管理体制，加强风险防控体系建设，打造开放层次更高、营商环境更优、辐射作用更强的开放新高地。海南要利用建设自由贸易港的契机，加强同“一带一路”沿线国家和地区开展多层次、多领域的务实合作，建设 21 世纪海上丝绸之路的文化、教育、农业、旅游等交流平台，在建设 21 世纪海上丝绸之路重要战略支点上迈出更加坚实的步伐。

习近平总书记在讲话中还宣布，党中央决定，支持海南建设国家生态文明试验区，鼓励海南省走出一条人与自然和谐发展的路子，为全国生态文明建设探索经验。要实行最严格的生态环境保护制度，构建高效统一的规划管理体系，率先建立现代生态环境和资源保护监管体制。要积极开展国家公园体制试点，建设热带雨林等国家公园，构建归属清晰、权责明确、监管有效的自然保护地体系。要完善以绿色发展为导向的考核评价体系，建立健全形式多样、绩效导向的生态保护补偿机制。要严格保护海洋生态环境，建立健全陆海统筹的生态系统保护修复和污染防治区域联动机制。

在这次庆祝大会上，中国科学院深海科学与工程研究所实验室钳工周皓、海南省委书记刘赐贵、国家发展改革委主任何立峰先后发言。海南省省长沈晓明主持大会。中央领导人丁薛祥、刘鹤出席大会。中央和国家机关有关部门负责同志、其他经济特区代表、海南籍华侨代表、海南省各界代表等参加大会。①

二、顺利举办深圳经济特区建立40周年庆祝大会

兴办经济特区，是党和国家为推进改革开放和社会主义现代化建设进行的伟大创举。1978年12月，党的十一届三中全会作出把党和国家工作中心转移到经济建设上来、实行改革开放的历史性决策，动员全党全国各族人民为社会主义现代化建设进行新的长征。1979年4月，广东省委负责人向中央领导同志提出兴办出口加工区、推进改革开放的建议。邓小平同志明确指出，还是叫特区好，中央可以给些政策，你们自己去搞，杀出一条血路来。同年7月，党中央、国务院批准广东、福建两省实行“特殊政策、灵活措施、先行一步”，并试办出口特区。1980年8月党和国家批准在深圳、珠海、汕头、厦门设置经济特区，1988年4月又批准建立海南经济特区，明确要求发挥经济特区对全国改革开放和社会主义现代化建设的重要窗口

① 《习近平出席庆祝海南建省办经济特区30周年大会并发表重要讲话》，新华社海口2018年4月13日电。

和示范带动作用。在党中央坚强领导和全国大力支持下，深圳等经济特区解放思想、改革创新，勇担使命、砥砺奋进，在建设中国特色社会主义伟大进程中谱写了勇立潮头、开拓进取的壮丽篇章，为全国改革开放和社会主义现代化建设作出了重大贡献。

在众多经济特区中，深圳很有代表性价值。因为，它是改革开放后党和人民一手缔造的崭新城市，是中国特色社会主义在一张白纸上的精彩演绎。2020 年 10 月 14 日，习近平总书记出席深圳经济特区建立 40 周年庆祝大会并发表重要讲话。在近一个小时的重要讲话中，习近平总书记深情回顾了 40 年来深圳经济特区实现的历史性跨越，总结了经济特区 40 年改革开放、创新发展积累的宝贵经验，对新时代深圳经济特区建设提出明确要求。他指出："深圳广大干部群众披荆斩棘、埋头苦干，用 40 年时间走过了国外一些国际化大都市上百年走完的历程。这是中国人民创造的世界发展史上的一个奇迹。"这个"奇迹"体现在生产力发展、制度变革等各个方面。一是在解放和发展社会生产力方面，深圳大力推进科技创新，地区生产总值从 1980 年的 2.7 亿元增至 2019 年的 2.7 万亿元，年均增长 20.7%，经济总量位居亚洲城市第 5 位，财政收入从不足 1 亿元增加到 9424 亿元，实现了由一座落后的边陲小镇到具有全球影响力的国际化大都市的历史性跨越。二是在制度变革方面，深圳坚持解放思想、与时俱进，率先进行市场取向的经济体制改革，首创 1000 多项改革举措，奏响了实干兴邦的时代强音，实现了由经济体制改革到全面深化改革的历史性跨越。三是在对外开放方面，深圳坚持实行"引进来"和"走出去"，积极利用国际国内两个市场、两种资源，积极吸引全球投资，外贸进出口总额由 1980 年的 0.18 亿美元跃升至 2019 年的 4315 亿美元，年均增长 26.1%，实现了由进出口贸易为主到全方位高水平对外开放的历史性跨越。四是在整体性发展方面，深圳坚持发展社会主义民主政治，尊重人民主体地位，加强社会主义精神文明建设，积极培育和践行社会主义核心价值观，实现了由经济开发到统筹社会主义物质文明、政治文明、精神文明、社会文明、生态文明发展的历史性跨越。五是在民生改善方面，深圳坚持以人民为中心，人民生活水平大幅提高，教育、医疗、住房等实现翻天覆地的变化，2019 年居民人均可支配收入 6.25 万元，比 1985 年增长 31.6 倍；率先完成全面建成小康社会的目标，实现了由解决温饱到高质量全面小康的历史性跨越。

习近平总书记在讲话中系统总结了经济特区建设的宝贵经验。一是必须坚持党对经济特区建设的领导，始终保持经济特区建设正确方向。二是必须坚持和完善中国特色社会主义制度，通过改革实践推动中国特色社会主义制度更加成熟更加定型。三是必须坚持发展是硬道理，坚持敢闯敢试、敢为人先，以思想破冰引领改革突围。四是必须坚持全方位对外开放，不断提高“引进来”的吸引力和“走出去”的竞争力。五是必须坚持创新是第一动力，在全球科技革命和产业变革中赢得主动权。六是必须坚持以人民为中心的发展思想，让改革发展成果更多更公平惠及人民群众。七是必须坚持科学立法、严格执法、公正司法、全民守法，使法治成为经济特区发展的重要保障。八是必须践行绿水青山就是金山银山的理念，实现经济社会和生态环境全面协调可持续发展。九是必须全面准确贯彻“一国两制”基本方针，促进内地与香港、澳门融合发展、相互促进。十是必须坚持在全国一盘棋中更好发挥经济特区辐射带动作用，为全国发展作出贡献。[①] 这 10 条经济特区 40 年改革开放、创新发展积累的宝贵经验，对新时代经济特区建设具有重要指导意义，深化了我们对中国特色社会主义经济特区建设规律的认识，必须倍加珍惜、长期坚持，在实践中不断丰富和发展。这里对办经济特区的经验予以简要概括，也是考虑到庆祝改革开放 40 周年大会已经对改革开放的宝贵经验进行了更为系统的总结。

习近平总书记在讲话中鲜明提出了新时代党中央赋予深圳的历史使命，即深圳要建设好中国特色社会主义先行示范区，创建社会主义现代化强国的城市范例，提高贯彻落实新发展理念能力和水平，形成全面深化改革、全面扩大开放新格局，推进粤港澳大湾区建设，丰富“一国两制”事业发

---

① 中共中央党史和文献研究院编《十九大以来重要文献选编》中，中央文献出版社 2021 年版，第 761 页。

展新实践，率先实现社会主义现代化。[①]

为实现这一新时代的历史使命，党中央要求深圳要坚定不移贯彻新发展理念，与时俱进全面深化改革，锐意开拓全面扩大开放，创新思路推动城市治理体系和治理能力现代化，真抓实干践行以人民为中心的发展思想，积极作为深入推进粤港澳大湾区建设。习近平总书记在讲话中还郑重宣布："党中央经过深入研究，决定以经济特区建立40周年为契机，支持深圳实施综合改革试点，以清单批量授权方式赋予深圳在重要领域和关键环节改革上更多自主权，一揽子推出27条改革举措和40条首批授权事项。"[②]这就要求，深圳经济特区要扛起责任，牢牢把握正确方向，解放思想、守正创新，努力在重要领域推出一批重大改革措施，形成一批可复制可推广的重大制度创新成果。要着眼于解决高质量发展中遇到的实际问题，着眼于建设更高水平的社会主义市场经济体制需要，多策划战略战役性改革，多推动创造型、引领型改革，在完善要素市场化配置体制机制、创新链产业链融合发展体制机制、市场化法治化国际化营商环境、高水平开放型经济体制、民生服务供给体制、生态环境和城市空间治理体制等重点领域先行先试。要优化政府管理和服务，全面推行权力清单、责任清单、负面清单制度，加快构建亲清政商关系。要进一步激发和弘扬企业家精神，依法保护企业家合法权益，依法保护产权和知识产权，激励企业家干事创业。

会后，习近平总书记参观了"从先行先试到先行示范——庆祝深圳经济特区建立40周年展览"，详细了解深圳40年来的沧桑巨变。参观过程中，习近平总书记感慨道："40多年前，我来深圳，去中英街，看到两边差距确实太大了，一边是破烂木板房，一边是带空调的气派小楼。当时就感觉到老百姓有着强烈的改变生活和命运的愿望。""深圳经济总量位居亚洲城市第五位。刚看到这个排名时，我还不太相信，但认真查了一下，看到这些数

---

① 中共中央党史和文献研究院编《十九大以来重要文献选编》中，中央文献出版社2021年版，第762页。

② 中共中央党史和文献研究院编《十九大以来重要文献选编》中，中央文献出版社2021年版，第763页。

据后，让人不得不信。这就是改革开放的力量，下一步要再接再厉。”[①]2020年10月14日下午，习近平总书记来到深圳莲花山公园，向邓小平同志铜像敬献花篮，表达对邓小平同志的崇高敬意和深切缅怀。“经过40年的发展，深圳还是一个年轻的城市，蓬勃向上、欣欣向荣。”习近平总书记对围拢过来的市民群众说，“党中央赋予经济特区新的内涵和使命。我们即将迎来中国共产党成立100周年，实现第一个百年奋斗目标。到新中国成立100年时，我们将建成社会主义现代化强国，实现第二个百年奋斗目标，那时的深圳又将是另外一番景象。深圳发展到今天靠的是大家，深圳的未来还要靠大家共同努力。”在考察中，习近平总书记还动情地说：“我此行到广东考察，来到潮汕，参加深圳经济特区建立40周年庆祝大会，就是要向海内外宣示，中国共产党领导中国人民将继续坚定不移走改革开放的道路，奋发有为推进社会主义现代化强国建设，锲而不舍努力实现中华民族伟大复兴的中国梦。父老乡亲们，让我们携手努力，共同奋斗！”[②]

三、成功召开浦东开发开放30周年庆祝大会

1990年，党中央决定开发开放浦东。至2020年，浦东经过30年发展，从过去以农业为主的区域，变成了一座功能集聚、要素齐全、设施先进的现代化新城，可谓是沧桑巨变。具体表现为，经济实现跨越式发展，生产总值从1990年的60亿元跃升到2019年的1.27万亿元，财政总收入从开发开放初期的11亿元增加到2019年的逾4000亿元，浦东以全国1/8000的面积创造了全国1/80的国内生产总值、1/15的货物进出口总额。改革开放走在全国前列，诞生了第一个金融贸易区、第一个保税区、第一个自由贸易试验区及临港新片区、第一家外商独资贸易公司等一系列“全国第一”。核心竞争力大幅度增强，基本形成以现代服务业为主体、战略性新兴产业为

---

① 《续写更多“春天的故事”——习近平总书记出席深圳经济特区建立40周年庆祝大会并在广东考察纪实》，新华网2020年10月30日。

② 《续写更多“春天的故事”——习近平总书记出席深圳经济特区建立40周年庆祝大会并在广东考察纪实》，新华网2020年10月30日。

引领、先进制造业为支撑的现代产业体系，承载了上海国际经济中心、金融中心、贸易中心、航运中心、科技创新中心建设的重要功能。人民生活水平整体性跃升，2019 年城乡居民人均可支配收入达到 71647 元，人均预期寿命从 1993 年的 76.10 岁提高到 84.46 岁，城镇人均住房建筑面积从 1993 年的 15 平方米提高到 42 平方米。回顾浦东开发开放 30 年的历程，不难发现，它走的是一条解放思想、深化改革之路，是一条面向世界、扩大开放之路，是一条打破常规、创新突破之路。

2020 年 11 月 12 日，浦东开发开放 30 周年庆祝大会在上海举行。习近平总书记亲临上海出席大会，并发表了重要讲话。在讲话中，习近平总书记总结了浦东开发开放取得的重大成就，明确了浦东继续开发开放的定位，表明了中央对浦东发展的坚定支持，提出了明确要求。习近平总书记指出，新征程上，我们要把浦东新的历史方位和使命，放在中华民族伟大复兴战略全局、世界百年未有之大变局这两个大局中加以谋划，放在构建以国内大循环为主体、国内国际双循环相互促进的新发展格局中予以考量和谋划，准确识变、科学应变、主动求变，在危机中育先机、于变局中开新局。习近平总书记宣布，党中央正在研究制定《关于支持浦东新区高水平改革开放、打造社会主义现代化建设引领区的意见》，将赋予浦东新区改革开放新的重大任务。浦东要抓住机遇、乘势而上，全面贯彻党的十九大和十九届二中、三中、四中、五中全会精神，科学把握新发展阶段，坚决贯彻新发展理念，服务构建新发展格局，坚持稳中求进工作总基调，勇于挑最重的担子、啃最硬的骨头，努力成为更高水平改革开放的开路先锋、全面建设社会主义现代化国家的排头兵、彰显“四个自信”的实践范例，更好向世界展示中国理念、中国精神、中国道路。①

关于上海浦东开发开放的方向和定位，习近平总书记从全力做强创新引擎，打造自主创新新高地；加强改革系统集成，激活高质量发展新动力；深入推进高水平制度型开放，增创国际合作和竞争新优势；增强全球资源

① 习近平：《习近平谈治国理政》第四卷，外文出版社 2022 年版，第 231 页。

配置能力，服务构建新发展格局；提高城市治理现代化水平，开创人民城市建设新局面等五个方面给予了阐发，为新时代的浦东乃至整个上海的发展明确了前进方向。其中，习近平总书记还特别强调了制度型开放。他指出，浦东要着力推动规则、规制、管理、标准等制度型开放，提供高水平制度供给、高质量产品供给、高效率资金供给，更好参与国际合作和竞争。要更好发挥中国（上海）自由贸易试验区临港新片区作用，对标最高标准、最高水平，实行更大程度的压力测试，在若干重点领域率先实现突破。要加快同长三角共建辐射全球的航运枢纽，提升整体竞争力和影响力。要率先实行更加开放更加便利的人才引进政策，积极引进高层次人才、拔尖人才和团队特别是青年才俊。

2021 年 7 月 15 日,《中共中央　国务院关于支持浦东新区高水平改革开放打造社会主义现代化建设引领区的意见》（以下简称《意见》）发布。关于发展目标,《意见》提出，到 2035 年，浦东现代化经济体系全面构建，现代化城区全面建成，现代化治理全面实现，城市发展能级和国际竞争力跃居世界前列。到 2050 年，浦东建设成为在全球具有强大吸引力、创造力、竞争力、影响力的城市重要承载区，城市治理能力和治理成效的全球典范，社会主义现代化强国的璀璨明珠。肩负新使命的浦东再出发，正在书写新的传奇。

第三节　系统总结改革开放的历史性成就

2021 年，中国共产党迎来成立 100 周年。在这个特殊的年份，党中央作出了隆重庆祝中国共产党成立 100 周年的重大决策。不仅在全党开展了党史学习教育，举办了大型歌舞晚会，还建成中国共产党历史展览馆，召开了党的十九届六中全会审议通过《中共中央关于党的百年奋斗重大成就和历史经验的决议》（在本书中简称第三个历史决议）。在第三个历史决议中，不仅回顾总结了 1978 年至 2012 年改革开放和社会主义现代化建设新时期的进程，还第一次对新时代全面深化改革开放作出了系统梳理。

第三个历史决议依据党的领导人的更替，对改革开放和社会主义现代化建设新时期的历程进行了回顾，对这个时期取得的改革开放成就作出了总结，对改革开放的历史地位给予了高度评价。

一是梳理改革开放和社会主义现代化建设新时期的历程，第三个历史决议从面对“文化大革命”结束后的重大历史关头入手进行了分析。第三个历史决议指出，“文化大革命”结束以后，在党和国家面临何去何从的重大历史关头，党深刻认识到，只有实行改革开放才是唯一出路，否则我们的现代化事业和社会主义事业就会被葬送。1978 年 12 月，党召开十一届三中全会，果断结束“以阶级斗争为纲”，实现党和国家工作中心战略转移，开启了改革开放和社会主义现代化建设新时期，实现了新中国成立以来党的历史上具有深远意义的伟大转折。党作出彻底否定“文化大革命”的重大决策。40 多年来，党始终不渝坚持这次全会确立的路线方针政策。

党的十一届三中全会以后，以邓小平同志为主要代表的中国共产党人，团结带领全党全国各族人民，深刻总结新中国成立以来正反两方面经验，围绕什么是社会主义、怎样建设社会主义这一根本问题，借鉴世界社会主义历史经验，创立了邓小平理论，解放思想，实事求是，作出把党和国家工作中心转移到经济建设上来、实行改革开放的历史性决策，深刻揭示社会主义本质，确立社会主义初级阶段基本路线，明确提出走自己的路、建设中国特色社会主义，科学回答了建设中国特色社会主义的一系列基本问题，制定了到二十一世纪中叶分三步走、基本实现社会主义现代化的发展战略，成功开创了中国特色社会主义。

党的十三届四中全会以后，以江泽民同志为主要代表的中国共产党人，团结带领全党全国各族人民，坚持党的基本理论、基本路线，加深了对什么是社会主义、怎样建设社会主义和建设什么样的党、怎样建设党的认识，形成了“三个代表”重要思想，在国内外形势十分复杂、世界社会主义出现严重曲折的严峻考验面前捍卫了中国特色社会主义，确立了社会主义市场经济体制的改革目标和基本框架，确立了社会主义初级阶段公有制为主体、多种所有制经济共同发展的基本经济制度和按劳分配为主体、多种分配方式并存的分配制度，开创全面改革开放新局面，推进党的建设新的伟大工程，成功把中国特色社会主义推向二十一世纪。

党的十六大以后，以胡锦涛同志为主要代表的中国共产党人，团结带领全党全国各族人民，在全面建成小康社会进程中推进实践创新、理论创新、制度创新，深刻认识和回答了新形势下实现什么样的发展、怎样发展等重大问题，形成了科学发展观，抓住重要战略机遇期，聚精会神搞建设，一心一意谋发展，强调坚持以人为本、全面协调可持续发展，着力保障和改善民生，促进社会公平正义，推进党的执政能力建设和先进性建设，成功在新形势下坚持和发展了中国特色社会主义。

二是从理论和实践相结合的角度分析改革开放是如何推进的。首先是为了推进改革开放，党重新确立马克思主义的思想路线、政治路线、组织路线，彻底否定“两个凡是”的错误方针，正确评价毛泽东同志的历史地位和毛泽东思想的科学体系。党明确我国社会的主要矛盾是人民日益增长的物质文化需要同落后的社会生产之间的矛盾，解决这个主要矛盾就是我们的中心任务，提出小康社会目标。党在各方面工作中恢复并制定一系列正确政策，调整国民经济。党领导全面开展思想、政治、组织等领域拨乱反正，大规模平反冤假错案和调整社会关系。党制定《关于建国以来党的若干历史问题的决议》，标志着党在指导思想上的拨乱反正胜利完成。其次是党深刻认识到，开创改革开放和社会主义现代化建设新局面，必须以理论创新引领事业发展。邓小平同志指出，一个党，一个国家，一个民族，如果一切从本本出发，思想僵化，迷信盛行，那它就不能前进，它的生机就停止了，就要亡党亡国。党领导和支持开展真理标准问题大讨论，从新的实践和时代特征出发坚持和发展马克思主义，科学回答了建设中国特色社会主义的发展道路、发展阶段、根本任务、发展动力、发展战略、政治保证、祖国统一、外交和国际战略、领导力量和依靠力量等一系列基本问题，形成中国特色社会主义理论体系，实现了马克思主义中国化新的飞跃。最后是介绍改革开放的重大举措和成就。主要有：我国改革从农村实行家庭联产承包责任制率先突破，逐步转向城市经济体制改革并全面铺开，确立社会主义市场经济的改革方向，更大程度更广范围发挥市场在资源配置中的基础性作用，坚持和完善基本经济制度和分配制度。党坚决推进经济体制改革，同时进行政治、文化、社会等各领域体制改革，推进党的建设制度改革，不断形成和发展符合当代中国国情、充满生机活力的体制机制。党把对外开放确立为基本国策，从兴办深圳等经济特区、开发开放浦东、推动沿海沿边沿江沿线和内陆中心城市对外开放到加入世界贸易组织，从“引进来”到“走出去”，充分利用国际国内两个市场、两种资源。经过持续推进改革开放，我国实现了从高度集中的计划经济体制到充满活力的社会主义市场经济体制、从封闭半封闭到全方位开放的历史性转变。①

三是介绍党中央如何庆祝改革开放 40 周年，并对改革开放的地位和贡献作出历史性结论。第三个历史决议指出，改革开放 40 周年之际，党中央隆重举行庆祝大会，习近平总书记发表重要讲话，全面总结 40 年改革开放取得的伟大成就和宝贵经验，强调改革开放是党的一次伟大觉醒，是中国人民和中华民族发展史上一次伟大革命，发出将改革开放进行到底的伟大号召。改革开放和社会主义现代化建设的伟大成就举世瞩目，我国实现了从生产力相对落后的状况到经济总量跃居世界第二的历史性突破，实现了人民生活从温饱不足到总体小康、奔向全面小康的历史性跨越，推进了中华民族从站起来到富起来的伟大飞跃。中国共产党和中国人民以英勇顽强的奋斗向世界庄严宣告，改革开放是决定当代中国前途命运的关键一招，中国特色社会主义道路是指引中国发展繁荣的正确道路，中国大踏步赶上

① 《中共中央关于党的百年奋斗重大成就和历史经验的决议》，人民出版社 2021 年版，第 18—19 页。

了时代。[①]

四是对新时代全面深化改革开放取得的理论创新和实践创新等作出了系统评价。在理论创新方面，第三个历史决议主要是在党的十九大概括提出“八个明确”的基础上提出“十个明确”，对习近平新时代中国特色社会主义思想进行了再次系统梳理，并明确提出“两个确立”具有决定性意义，指出习近平新时代中国特色社会主义思想是当代中国马克思主义、二十一世纪马克思主义，是中华文化和中国精神的时代精华，实现了马克思主义中国化新的飞跃。第三个历史决议不仅把全面深化改革作为“四个全面”战略布局的重要组成部分写了进来，而且还一如既往继续“明确全面深化改革总目标是完善和发展中国特色社会主义制度、推进国家治理体系和治理能力现代化”。理论创新还体现在针对党的十一届三中全会以后，我国改革开放走过波澜壮阔的历程，取得举世瞩目的成就，同时随着实践发展，一些深层次体制机制问题和利益固化的藩篱日益显现，改革进入攻坚期和深水区的现实情况，第三个历史决议指出：“党中央深刻认识到，实践发展永无止境，解放思想永无止境，改革开放也永无止境，改革只有进行时、没有完成时，停顿和倒退没有出路，必须以更大的政治勇气和智慧推进全面深化改革，敢于啃硬骨头，敢于涉险滩，突出制度建设，注重改革关联性和耦合性，真枪真刀推进改革，有效破除各方面体制机制弊端。”[②]这些深刻认识是习近平总书记关于改革开放的重要思想的重要组成部分。

在实践创新等方面，第三个历史决议从推出系列重大举措、出台系列重大方针政策、推进系列重大工作等方面，总结梳理了新时代全面深化改革开放取得的历史性胜利。一是召开十八届三中全会出台重大举措、制定重大方针政策。第三个历史决议指出，党的十八届三中全会对经济体制、政治体制、文化体制、社会体制、生态文明体制、国防和军队改革及

① 《中共中央关于党的百年奋斗重大成就和历史经验的决议》，人民出版社 2021 年版，第 22—23 页。

② 《中共中央关于党的百年奋斗重大成就和历史经验的决议》，人民出版社 2021 年版，第 22—23 页。

党的建设制度改革作出部署，确定全面深化改革的总目标、战略重点、优先顺序、主攻方向、工作机制、推进方式和时间表、路线图。党的十一届三中全会是划时代的，开启了改革开放和社会主义现代化建设新时期。党的十八届三中全会也是划时代的，实现改革由局部探索、破冰突围到系统集成、全面深化的转变，开创了我国改革开放新局面。二是围绕制度建设主轴，总结新时代改革成效。第三个历史决议指出，党坚持改革正确方向，以促进社会公平正义、增进人民福祉为出发点和落脚点，突出问题导向，聚焦进一步解放思想、解放和发展社会生产力、解放和增强社会活力，加强顶层设计和整体谋划，增强改革的系统性、整体性、协同性，激发人民首创精神，推动重要领域和关键环节改革走实走深。党推动改革全面发力、多点突破、蹄疾步稳、纵深推进，从夯基垒台、立柱架梁到全面推进、积厚成势，再到系统集成、协同高效，各领域基础性制度框架基本确立，许多领域实现历史性变革、系统性重塑、整体性重构。三是推动对外开放取得重大成就。开放带来进步，封闭必然落后；我国发展要赢得优势、赢得主动、赢得未来，必须顺应经济全球化，依托我国超大规模市场优势，实行更加积极主动的开放战略。第三个历史决议指出，党的十八大以来，我国坚持共商共建共享，推动共建“一带一路”高质量发展，推进一大批关系沿线国家经济发展、民生改善的合作项目，建设和平之路、繁荣之路、开放之路、绿色之路、创新之路、文明之路，使共建“一带一路”成为当今世界深受欢迎的国际公共产品和国际合作平台。我国坚持对内对外开放相互促进、“引进来”和“走出去”更好结合，推动贸易和投资自由化便利化，构建面向全球的高标准自由贸易区网络，建设自由贸易试验区和海南自由贸易港，推动规则、规制、管理、标准等制度型开放，形成更大范围、更宽领域、更深层次对外开放格局，构建互利共赢、多元平衡、安全高效的开放型经济体系，不断增强我国国际经济合作和竞争新优势。

在总结新时代全面深化改革开放的成就时，第三个历史决议聚焦全面深化改革总目标的实现程度说道：“党的十八大以来，党不断推动全面深化改革向广度和深度进军，中国特色社会主义制度更加成熟更加定型，国家治理体系和治理能力现代化水平不断提高，党和国家事业焕发出新的生机活力。”①

五是第三个历史决议在梳理党百年奋斗所积累的宝贵历史经验时，两次提到改革开放。比如在“坚持胸怀天下”这一条经验中讲到开放，即“党始终以世界眼光关注人类前途命运，从人类发展大潮流、世界变化大格局、中国发展大历史正确认识和处理同外部世界的关系，坚持开放、不搞封闭，坚持互利共赢、不搞零和博弈，坚持主持公道、伸张正义，站在历史正确的一边，站在人类进步的一边”②。在“坚持开拓创新”这一条经验中讲到改革，即“只要我们顺应时代潮流，回应人民要求，勇于推进改革，准确识变、科学应变、主动求变，永不僵化、永不停滞，就一定能够创造出更多令人刮目相看的人间奇迹”③。

此外，第三个历史决议在展望“新时代的中国共产党”部分强调全党必须坚持“全面深化改革开放”④。这是从指导思想层面、理念层面讲的，更具长远指导意义。

总之，以习近平同志为核心的党中央高度重视改革开放。每逢改革开放的重大历史性节点，习近平总书记都会召开庆祝大会并亲临会场发表重要讲话，不仅梳理改革开放的历史进程，总结改革开放的宝贵经验，提出继续改革开放的明确要求，还为新时代全面深化改革开放指明前进方向，由此确保了中国全面深化改革开放在正确的方向和轨道上健康推进。

---

① 《中共中央关于党的百年奋斗重大成就和历史经验的决议》，人民出版社 2021 年版，第 38—39 页。

② 《中共中央关于党的百年奋斗重大成就和历史经验的决议》，人民出版社 2021 年版，第 68 页。

③ 《中共中央关于党的百年奋斗重大成就和历史经验的决议》，人民出版社 2021 年版，第 69 页。

④ 《中共中央关于党的百年奋斗重大成就和历史经验的决议》，人民出版社 2021 年版，第 73 页。

第八章

党的二十大开启改革开放新征程

2022年10月召开的党的二十大是中国共产党已走过辉煌百年又踏上新的百年之际、是在新时代已走过极不寻常极不平凡的十年又迈上全面建设社会主义现代化国家新征程的关键时刻召开的一次重要会议，具有承上启下、继往开来的重大价值。改革开放是决定当代中国前途命运的关键一招，也是实现中华民族伟大复兴的关键一招。党的二十大报告虽然未就改革开放进行专题论述，但通篇贯穿着改革开放意识，不仅对改革开放取得的重大成就、存在的问题作出了梳理，而且明确了前进道路上必须牢牢坚持深化改革开放这个重大原则，并从经济社会多个领域就未来如何改革开放作出谋划部署。党的二十大是一次鲜明体现改革开放精神、着力推动改革开放走向新征程的一次重要会议。

第一节　概括新时代改革开放取得的重大成就

2022年10月召开的党的二十大批准习近平同志代表十九届中央委员会所作的报告以及中央纪委的工作报告，修订了党章，选举产生了新一届中央领导机构。这是一次团结的大会、胜利的大会。作为大会最重要成果的党的二十大报告从三个层面概括了我国改革开放的成就，既照顾到全面也突出了重点，彰显了党的二十大对改革开放进展予以权威性梳理的特点。

第一个层面是论述党的十九大以来五年工作时两处提到改革。一是指出过去五年我们召开了七次全会，其中一次涉及“深化党和国家机构改革”。这主要是指出了党的十九届三中全会研究的主题。十九届三中全会部署推进的政治改革具有系统性、整体性、重构性。改革后，党中央机构共计减少6个，其中，正部级机构减少4个、副部级机构减少2个。国务院机构共计减少15个，其中，正部级机构减少8个，副部级机构减少7个。党政合计，共计减少21个部级机构，其中，正部级12个，副部级9个。全国人大和全国政协各增加1个专门委员会。改革“力度规模之大、涉及范围之广、触及利益之深前所未有”[①]。二是指出党的十九大以来五年“蹄疾步稳推进改革”。这主要包括召开党的十九届二中全会研究修改宪法，党的十九届三中全会部署党和国家机构改革，党的十九届四中全会部署推进国家治理体系和治理能力现代化，党的十九届五中全会研究制定“十四五”规划，党的十九届六中全会回顾建党百年历史包括总结改革开放成就等，一步一个脚印，稳扎稳打，稳中有进。同时，这五年来中央全面深化改革领导小组召开2次会议，中央全面深化改革委员会召开27次会议，合计召开29次关于改革开放的部署会、推进会，研究通过一系列重大改革举措。比如，

---

① 习近平：《论坚持全面深化改革》，中央文献出版社2018年版，第445—446页。

党的十九大结束后，2017 年 11 月 20 日召开的十九届中央全面深化改革领导小组第一次会议。习近平总书记在会上讲话时强调，过去几年来改革已经大有作为，新征程上改革仍大有可为。各地区各部门学习贯彻党的十九大精神，要注意把握蕴含其中的改革精神、改革部署、改革要求，接力探索，接续奋斗，坚定不移将改革推向前进。会议审议通过了《关于建立国务院向全国人大常委会报告国有资产管理情况的制度的意见》《关于贯彻落实党的十九大精神坚定不移将改革推向深入的工作意见》《中央全面深化改革领导小组工作总结》《中央全面深化改革领导小组工作规则（修订稿）》《中央全面深化改革领导小组专项小组工作规则（修订稿）》《中央全面深化改革领导小组办公室工作细则（修订稿）》等 16 个文件。这些年来，党中央召开这样的会议都很务实，基本每次会议都会通过一系列重大改革举措。党的二十大召开之前举行的中央全面深化改革委员会第二十七次会议，则审议通过了《关于健全社会主义市场经济条件下关键核心技术攻关新型举国体制的意见》《关于深化院士制度改革的若干意见》《关于全面加强资源节约工作的意见》《关于深化农村集体经营性建设用地入市试点工作的指导意见》《关于进一步深化改革促进乡村医疗卫生体系健康发展的意见》等 5 个文件。党的十九大以来这五年，通过的改革开放重大举措就有 1000 多项。因此，党的二十大报告用"蹄疾步稳"来定位过去五年的改革开放权威、准确。

第二个层面是在肯定改革开放取得巨大成就的同时指出了仍然面临的问题。党的二十大报告指出："十年前，我们面对的形势是，改革开放和社会主义现代化建设取得巨大成就，党的建设新的伟大工程取得显著成效，为我们继续前进奠定了坚实基础、创造了良好条件、提供了重要保障，同时一系列长期积累及新出现的突出矛盾和问题亟待解决。"[①]这段话指出，改革开放取得巨大成就是新时代取得伟大成就的背景和基础，肯定了改革开放和社会主义现代化建设新时期中国共产党人的不懈努力。对这些因为艰

① 习近平：《高举中国特色社会主义伟大旗帜　为全面建设社会主义现代化国家而团结奋斗——在中国共产党第二十次全国代表大会上的报告》（2022 年 10 月 16 日），人民出版社 2022 年版，第 4—5 页。

辛努力带来的巨大成就，2021 年 11 月召开的党的十九届六中全会审议通过的《中共中央关于党的百年奋斗重大成就和历史经验的决议》，专列一章“进行改革开放和社会主义现代化建设”从治党治国治军、内政外交国防等方面作出了详细论述，并指出：“改革开放和社会主义现代化建设的伟大成就举世瞩目，我国实现了从生产力相对落后的状况到经济总量跃居世界第二的历史性突破，实现了人民生活从温饱不足到总体小康、奔向全面小康的历史性跨越，推进了中华民族从站起来到富起来的伟大飞跃。”[①] 用两个“历史性”作为评价副词，用一个“伟大飞跃”彰显成就，表明了改革开放对中国进步的巨大意义。

同时，我国的改革开放也不是一帆风顺的，还有很多需要解决的问题。党的二十大从党的领导、党的建设、经济社会发展、国防外交等角度列出一系列难题。比如党内存在不少对坚持党的领导认识模糊、行动乏力问题，存在不少落实党的领导弱化、虚化、淡化问题；经济结构性体制性矛盾突出，一些深层次体制机制问题和利益固化藩篱日益显现等。这些难题和过去改革不够深入有很大关系，解决这些问题的关键仍在于深化改革。这就不难让人想到习近平总书记在党的十八大之后讲到的“现在我国改革已经进入攻坚期和深水区”，“我们要坚持改革开放正确方向，敢于啃硬骨头，敢于涉险滩”。[②] 党的二十大报告既实实在在谈成就又实事求是谈问题，彰显了以习近平同志为核心的党中央运用唯物辩证法的纯熟和自觉，也为今后深化改革开放、增强改革开放的针对性指明了方向。

第三个层面是概括新时代十年来改革开放取得的显著进步。党的二十大报告分别就改革、开放的成就作出论述，不仅全面介绍了改革开放的巨大进展，而且突出了改革和开放在党和国家事业大局中的重要地位。这是因为，党的二十大报告从 16 个方面总结新时代的伟大成就，从布局上改革和开放就占了八分之一。这和党的十九届六中全会通过的第三个历史决议

---

① 《中共中央关于党的百年奋斗重大成就和历史经验的决议》，人民出版社 2021 年版，第 22 页。
② 习近平：《论坚持全面深化改革》，中央文献出版社 2018 年版，第 2 页。

从 13 个方面总结新时代伟大成就，全面深化改革开放是十三分之一的布局相比，分量明显有所加重。考虑到第三个历史决议的篇幅和字数比党的二十大报告更大、更多，党的二十大对改革和开放分开总结，更能凸显改革开放在新时代的重要地位和发挥出的积极作用。与第三个历史决议夹叙夹议的历史性叙述不同，党的二十大报告着重从成就本身来进行梳理，用语更加凝练，更加注重改革开放领域的最为显著、最为突出的进展。

关于新时代的改革成就，党的二十大报告指出："我们以巨大的政治勇气全面深化改革，打响改革攻坚战，加强改革顶层设计，敢于突进深水区，敢于啃硬骨头，敢于涉险滩，敢于面对新矛盾新挑战，冲破思想观念束缚，突破利益固化藩篱，坚决破除各方面体制机制弊端，各领域基础性制度框架基本建立，许多领域实现历史性变革、系统性重塑、整体性重构，新一轮党和国家机构改革全面完成，中国特色社会主义制度更加成熟更加定型，国家治理体系和治理能力现代化水平明显提高。"这里面没有讲具体数据，而是从精气神开始，从注重顶层设计切入，然后再以效果导向为结尾旨归，将改革成就定位为在制度建设上更进一步，在现代化水平上更有提高。关于新时代推进对外开放的成就，党的二十大报告指出："我们实行更加积极主动的开放战略，构建面向全球的高标准自由贸易区网络，加快推进自由贸易试验区、海南自由贸易港建设，共建'一带一路'成为深受欢迎的国际公共产品和国际合作平台。我国成为一百四十多个国家和地区的主要贸易伙伴，货物贸易总额居世界第一，吸引外资和对外投资居世界前列，形成更大范围、更宽领域、更深层次对外开放格局。"这一论述是抓住了新时代十年对外开放成就中的几个重点来展开的，涉及自由贸易区、"一带一路"、货物贸易、吸引外资和对外投资。这些成就有目共睹，令人信服。进入新时代，我们和 150 多个国家和地区以及 30 多个国际组织签订了共建"一带一路"合作协议，我们成为近 150 个国家的最大贸易伙伴，我们吸收外资在发展中国家中位居第一，对外投资也连续 10 多年位居全球第三。据报道，我国吸收外资继续保持稳定增长，在 2021 年突破万亿元大关之后，

2022 年实际使用外资首次超过 1.2 万亿元。[①]

分述改革和开放取得巨大成就尤其是充分肯定党和国家事业取得举世瞩目成就之后，党的二十大报告还指出，必须清醒认识到，我们的工作还存在一些不足。这彰显了中国共产党人的底线思维和理性清醒。

第二节　明确前进道路上必须坚持深化改革开放的重大原则

着眼于新时代新征程中国共产党的使命任务，党的二十大明确提出："从现在起，中国共产党的中心任务就是团结带领全国各族人民全面建成社会主义现代化强国、实现第二个百年奋斗目标，以中国式现代化全面推进中华民族伟大复兴。"[②]大会报告不仅论述了中国式现代化的中国特色和本质要求，还对未来五年乃至 2035 年以至本世纪中叶的社会主义现代化建设目标作出了规划展望。这意味着从党的二十大开始，中国踏上了全面建设社会主义现代化国家的新征程。

全面建设社会主义现代化国家，是一项伟大而艰巨的事业。国际局势复杂多变，世界百年未有之大变局加速演进，世界之变、时代之变、历史之变正以前所未有的方式展开，世界进入新的动荡变革期。同时，我国发展进入战略机遇和风险挑战并存、不确定难预料因素增多的时期，各种"黑天鹅""灰犀牛"事件随时可能发生。对此，习近平总书记鲜明指出："我们必须增强忧患意识，坚持底线思维，做到居安思危、未雨绸缪，准备

---

① 《2022 年实际使用外资首超 1.2 万亿元（新数据　新看点）再创历史新高》，《人民日报》2023 年 2 月 3 日。

② 习近平：《高举中国特色社会主义伟大旗帜　为全面建设社会主义现代化国家而团结奋斗——在中国共产党第二十次全国代表大会上的报告》（2022 年 10 月 16 日），人民出版社 2022 年版，第 21 页。

经受风高浪急甚至惊涛骇浪的重大考验。”①一方面任务艰巨繁重，一方面国际国内局势复杂。基于稳中求进的总基调，基于实现既定中心任务的新要求，党的二十大提出前进道路上必须牢牢把握坚持和加强党的全面领导等五个重大原则。而坚持深化改革开放是五大原则之一。

关于坚持深化改革开放这一重大原则，党的二十大指出：“深入推进改革创新，坚定不移扩大开放，着力破解深层次体制机制障碍，不断彰显中国特色社会主义制度优势，不断增强社会主义现代化建设的动力和活力，把我国制度优势更好转化为国家治理效能。”这段话内涵十分丰富，指出了改革要向深入推进，继续攻坚克难；指明了改革的问题指向是破解深层次体制机制障碍；明确了对外开放的态度是坚定不移；明确了改革开放的目标要求是通过“两个不断”来切实发挥好我国制度优势，体现了以问题导向和目标导向相结合推进改革开放的思路原则。

把坚持改革开放作为中国式现代化道路上需要牢牢把握的重大原则，是因为 1978 年以来党和国家事业的伟大实践表明改革开放是“当代中国发展进步的活力之源，是我们党和人民大踏步赶上时代前进步伐的重要法宝，是坚持和发展中国特色社会主义的必由之路”②。中国式现代化是在世界现代化进程中进行的。世界现代化历史表明，现代化模式并非定于一尊，要探索出符合各国实际国情的现代化道路，需要冲破很多历史惯性、打破很多清规戒律，需要海纳百川的开放态度和大气谦和的包容精神，需要积极进取地学习借鉴他人。要推进中国式现代化，就必须坚持改革开放，才能打破各种体制机制束缚，才能冲破利益固化的藩篱，才能对人类文明成果持正确态度。1978 年党的十一届三中全会以来，中国之所以能够摆脱贫困、全面建成小康社会，创造伟大成就取得巨大成功，很大程度上和实行了改革开放的历史性政策有关。面向未来，实践发展永无止境，解放思想永无

① 习近平：《高举中国特色社会主义伟大旗帜　为全面建设社会主义现代化国家而团结奋斗——在中国共产党第二十次全国代表大会上的报告》（2022 年 10 月 16 日），人民出版社 2022 年版，第 26 页。

② 习近平：《论坚持全面深化改革》，中央文献出版社 2018 年版，第 1 页。

止境，改革开放也永无止境，改革只有进行时、没有完成时。解决前进道路上的各种困难矛盾，仍然需要改革开放这个“重要法宝”、需要改革开放这个“关键一招”。

当然，新时代新征程的改革开放和党的十一届三中全会提出的改革开放，从内涵到外延都已经发生了重大变化。新时代的改革开放更强调全面性、系统性、整体性、协调性。党的十八届三中全会对经济体制、政治体制、文化体制、社会体制、生态文明体制、国防和军队改革和党的建设制度改革作出部署，确定全面深化改革的总目标、战略重点、优先顺序、主攻方向、工作机制、推进方式和时间表、路线图。这一集中全党智慧的顶层设计，彰显了中国共产党人极强的战略思维、系统思维，由此引领实现了改革由局部探索、破冰突围到系统集成、全面深化的深刻改变，开创了我国改革开放新局面。

第三节　精心擘画新征程上如何改革开放

党的二十大虽然没有对改革开放作出专题专章部署，但在目标设计、部署各领域工作过程中都贯彻了改革开放的重大原则，都体现了改革开放的进取精神。可以说，党的二十大从目标要求到经济社会发展，都贯穿了改革开放的自觉与主动。

从目标设定上看，关于未来五年的主要目标任务部分，党的二十大报告指出：“改革开放迈出新步伐，国家治理体系和治理能力现代化深入推进，社会主义市场经济体制更加完善，更高水平开放型经济新体制基本形成”；关于到 2035 年我国发展的总体目标部分，党的二十大报告指出“基本实现国家治理体系和治理能力现代化”。鉴于五年一度的党代会报告，一般是回顾过去五年工作，对下一个五年工作作出部署。这次党代会报告，不仅对党的十九大以来的工作成效作出简要概括，而且对 2022 至 2027 年工作作出安排，强调改革开放要迈出新步伐，意味着在经济社会各领域都要继续推进改革开放，改革开放要取得实实在在的新成效。对 2035 年目标提出规划，也是基于压茬推进中国式现代化建设，只为了更好地明确前进方向。

目标设定之后，紧跟着就是具体的部署落实。党的二十大报告从全面推进社会主义现代化国家的角度，部署了经济社会各方面的工作，几乎每个领域都涉及改革开放，尤其是改革意味更加浓厚。从经济建设领域看，党的二十大总体要求“坚持社会主义市场经济改革方向，坚持高水平对外开放”，要求把实施扩大内需战略同深化供给侧结构性改革有机结合起来；在分论部分涉及改革的内容则更加广泛，包括深化国资国企改革、完善中国特色现代企业制度、深化简政放权、完善产权保护、深化金融体制改革、深化农村土地制度改革等。党的二十大报告在论述经济建设时单列一条“推进高水平对外开放”，其内容涉及贸易投资、营商环境、“一带一路”、区域开放、西部陆海新通道、自贸区自贸港、人民币国际化以及全球产业分工合作等诸多领域。这向我们展现了未来五年经济领域的改革开放的全貌和努力方向。

党的二十大报告把“实施科教兴国战略，强化现代化建设人才支撑”单列。如此布局，在过去的党代会报告中没有过。这次党中央专门把教育、科技、人才工作专题部署，是鉴于教育、科技、人才是全面建设社会主义现代化国家的基础性、战略性支撑。但要让科技真正成为第一生产力、人才真正成为第一资源、创新真正成为第一动力，仍然需要深化改革扩大开放。在这一部分中，针对办好人民满意的教育，提到了“深化教育领域综合改革，加强教材建设和管理，完善学校管理和教育评价体系，健全学校家庭社会育人机制”；针对完善科技创新体系，提到了“完善党中央对科技工作统一领导的体制，健全新型举国体制”，“深化科技体制改革，深化科技评价改革，加大多元化科技投入，加强知识产权法治保障，形成支持全面创新的基础制度”；针对加快实施创新驱动发展战略，提到了“提升科技投入效能，深化财政科技经费分配使用机制改革，激发创新活力”；针对深入实施人才强国战略，提出了“深化人才发展体制机制改革，真心爱才、悉心育才、倾心引才、精心用才，求贤若渴，不拘一格，把各方面优秀人才集聚到党和人民事业中来”。这些举措针对性、实操性都很强，体现了党中央加强教育、科技、人才工作的思路和途径。

全面依法治国是国家治理的一场深刻革命，必须在法治轨道上全面建设社会主义现代化国家。针对法治建设，党的二十大报告提出“深化事业单位改革”“深化行政执法体制改革，全面推进严格规范公正文明执法，加大关系群众切身利益的重点领域执法力度，完善行政执法程序，健全行政裁量基准”“深化司法体制综合配套改革，全面准确落实司法责任制，加快建设公正高效权威的社会主义司法制度”。涉及法治领域的这些改革，已经持续多年，但还有待进一步向纵深推进，才能满足人民对美好生活的需要。

在文化建设领域，党的二十大报告指出要“深化文化体制改革，完善文化经济政策”。在社会建设领域，党的二十大报告指出要“深化医药卫生体制改革，促进医保、医疗、医药协同发展和治理”“深化以公益性为导向的公立医院改革，规范民营医院发展”。在生态文明建设领域，党的二十大报告指出“深化集体林权制度改革”“实现碳达峰碳中和是一场广泛而深刻的经济社会系统性变革”。在国防和军队建设领域，党的二十大报告指出“巩固拓展国防和军队改革成果”“深化军队院校改革，建强新型军事人才培养体系，创新军事人力资源管理”。以上领域改革的举措多冠以“深化”二字，主要是表明这些方面改革一直在推进，下一步还要继续加大力度。比如，文化体制改革早在20世纪80年代就启动了，一直持续至今。

当然，在论及政治建设领域、国家安全领域、外交领域、党的建设领域以及祖国统一方面时，虽然在党代会报告中没有出现“改革”字样，但出现了很多“健全”“完善”等词汇，实际上党代会报告中提到这些领域采取的很多举措也要通过改革才能实现。尤其是党的建设领域，强调党的自我革命制度规范体系的健全完善，自然就涉及党的建设制度的改革。因此，绝不能因为党代会报告某些部分中没有提到“改革”字样，就简单认为这些领域不存在需要改革的问题，更不能在改革上不作为。

从总体上看，党的二十大报告的第四部分至第十五部分，是以分领域部署推进未来五年的社会主义现代化建设为主体展开的。“改革”字样出现较多的领域是经济建设、科教兴国、人才建设以及法治建设等领域，这表明了下一步改革开放迈出新步伐的安排是有针对性和重点的。经济建设是我们的中心工作，自然是深化改革的重点。科教人才建设关乎我们现代化建设的关键，深化改革也十分紧迫。法治建设是我国社会主义现代化建设的短板弱项，必须通过改革来补短板强弱项。

同时，要以系统观念来看党的二十大关于改革开放的战略安排。坚持系统观念，就是提倡用普遍联系的、全面系统的、发展变化的观点观察事物、把握事物发展规律，进而推动经济社会发展。党的二十大作出的战略部署，都是着眼于社会主义现代化建设这个大局，着眼于整体上推进经济社会发展，具有极强的前瞻性、全局性。因此，我们要把党的二十大报告中关于改革开放的举措联系起来看，一体部署、一体落实。

第四节　落实好党的二十大关于改革开放的重大部署

抓好落实才是硬道理。党的二十大对改革开放作出了周密部署。2022年底召开的中央经济工作会议也提出要谋划新一轮的全面深化改革开放。从我国改革开放45年来的生动实践和积累的宝贵经验来看，新征程上落实党的二十大关于改革开放的重大部署、推动改革开放事业胜利前进，至少需要做好以下几个方面。

坚持党对改革开放的全面领导。中国共产党是领导我们事业的核心力量。“中国人民和中华民族之所以能够扭转近代以后的历史命运、取得今天的伟大成就，最根本的是有中国共产党的坚强领导。”[①]中国特色社会主义最本质的特征是中国共产党领导，中国特色社会主义制度的最大优势是中国共产党领导，中国共产党是最高政治领导力量，坚持党中央集中统一领导是最高政治原则。全面建设社会主义现代化国家、全面推进中华民族伟大复兴，关键在党。党如何领导改革开放事业呢？习近平总书记指出是“把方向、谋大局、定政策、促改革”。中国共产党不仅是改革开放重大决策的领导者，还是确保改革开放沿着正确方向前进的根本保证。中国共产党为了推进改革开放事业，总是从党和国家工作大局出发，把坚持改革开放和坚持四项基本原则统一起来，把改革开放写入党的基本路线，坚定不移推进改革开放，从而使得改革开放取得巨大成就。在新征程上，只要我们坚持和加强党的全面领导不动摇，深刻领悟“两个确立”的决定性意义，不断增强“四个意识”、坚定“四个自信”、做到“两个维护”，改革开放就一定能够健康前行，就能为全面建设社会主义现代化国家、全面推进中华民族伟大复兴提供澎湃动力。

坚持正确改革开放方向。习近平总书记指出，改革开放是一场深刻革命，必须坚持正确方向，沿着正确道路推进。对于中国共产党和中国而言，改革开放涉及范围之广、影响力度之大，确实是一场新的伟大革命。尤其是党的十八届三中全会开启了当代中国历史上最大范围的一次全面深化改革，更需要时刻保持正确方向。这个方向就是我们一以贯之坚持的不断推动社会主义制度自我完善和发展。我国的改革也好开放也罢，主要目的是完善发展我们的社会主义制度，而不是对社会主义制度的改弦易张。在改革开放中，我们既不走封闭僵化的老路，也不走改旗易帜的邪路，而是坚定不移走自己的道路即中国特色社会主义道路。正所谓，道不改，志不移。我国的改革开放，需要借鉴吸收人类文明成果，但绝不是照抄照搬、囫囵吞枣。“世界在发展、社会在进步，不实行改革开放死路一条，搞否定社会主义方向的‘改革开放’也是死路一条。”[②]新征程上，把全面深化改革开放

① 《中共中央关于党的百年奋斗重大成就和历史经验的决议》，人民出版社2021年版，第65页。
② 习近平：《论坚持全面深化改革》，中央文献出版社2018年版，第6页。

向纵深推进，目标依然是坚持和完善中国特色社会主义制度，不断推进国家治理体系和治理能力现代化。我们牢牢锚定这个总目标，绝不能在方向上出问题。

坚持科学的改革方法论。习近平总书记指出，“改革开放是前无古人的崭新事业，必须坚持正确的方法论”[①]。方法科学正确，就会事半功倍。中国共产党作为马克思主义政党的一个鲜明特征就是强调方法论，既然要过河，就要解决桥或船的问题。党的十八大以来，习近平总书记高度重视改革开放，从方法论上多次论述如何更好地推进改革开放。一是加强顶层设计和摸着石头过河相结合。这是富有中国特色、符合中国国情的改革方法。习近平总书记认为，摸着石头过河就是摸规律，而不是“脚踩西瓜皮”。先试点，积累经验后再推开，就是摸着石头过河的典型方法。这种方法被广泛运用。新时代，我们设立自由贸易试验区、推行检察官员额制试点等都取得了巨大成功。随着改革开放向纵深推进，顶层设计、通盘考虑也很重要。推进改革开放，我们既要加强宏观思考和顶层设计，又要继续鼓励大胆试验、大胆突破，不断把改革开放引向深入。二是注重改革开放的系统性、整体性、协同性。改革开放是一个巨大的系统工程，必须加强系统集成，注意压茬推进，避免畸重畸轻、单兵突进、顾此失彼。改革开放涉及面广，要注意各环节各方面之间的协同，上下左右都要协同，避免出现基层部门接受来自四面八方的相同指令的现象，使得改革开放的成效相得益彰。三是既要解放思想，更要实事求是。改革开放进程中，很多工作都具有开创性开拓性，必须敢闯敢想敢干，在思想上观念上要敢于突破，但这不同于蛮干胡干，而是要胆大心细，胆子要大、步子要稳，要立足于实事求是，要着眼改革发展稳定的统一。不从实际出发的解放思想是危险的，这在党的历史上有过惨痛教训。四是提高科学思维能力。要增强战略思维、历史思维、辩证思维、系统思维、创新思维、法治思维、底线思维能力。只有具备了科学思维，才能在面对各种问题时做到从容不迫，在克服各种

① 习近平：《论坚持全面深化改革》，中央文献出版社 2018 年版，第 6 页。

困难时做到心中有数，在各种挑战面前保持头脑清醒。此外，要注意精准思维的培养，改革开放推进到一定程度，对精准思维的要求会越来越高。还要注意在法治轨道上推进改革开放，绝不能打着改革开放的旗号，破坏法治。当然，与时俱进推进立法，为改革开放提供法治保障也很重要。

增强推进改革开放的信心和勇气。信心和勇气比黄金还重要。习近平总书记指出："改革开放是我们党在新的时代条件下带领人民进行的新的伟大革命，是当代中国最鲜明的特色，也是我们党最鲜明的旗帜。"[①] 面对未来，要破解发展面临的各种难题，化解来自各方面的风险和挑战，需要坚强的信心和巨大的勇气。面对难啃的硬骨头，必须一鼓作气，瞻前顾后、畏葸不前不仅不能前进，而且可能前功尽弃。尤其是我们改革开放已经45年了，很容易产生倦怠感，滋生不愿改不想改不主动改的情绪；随着我们取得的成就越来越大，也很容易产生短视浅视、夜郎自大的毛病。因此，我们必须有"思想再解放、改革再出发"的精气神，必须有"改革不停顿、开放不止步"的好状态。党的十八大以来，习近平总书记领导全党全国人民，啃下一个又一个硬骨头、涉过一个又一个险滩，推动新时代的改革开放取得历史性成就。新征程上，我们要紧密团结在以习近平同志为核心的党中央周围，以踔厉奋发的昂扬锐气，以敢于斗争的无畏勇气，砥砺奋进、勇毅前行，将全面深化改革开放进行到底。

---

① 习近平：《论坚持全面深化改革》，中央文献出版社2018年版，第41—42页。

第九章

新一轮全面深化改革开放顺利推进

党的二十大对全面深化改革开放作出了周密部署。党的二十大召开后，党中央谋划推动新一轮全面深化改革开放。基本完成新一轮党和国家机构改革，召开中央决策议事协调机构会议部署改革开放，顺利举办第六届进博会、第三届“一带一路”国际合作高峰论坛等，全面深化改革开放不断向纵深推进。

第一节 实施新一轮党和国家机构改革

进入新时代，以习近平同志为核心的党中央把深化党和国家机构改革作为推进国家治理体系和治理能力现代化的一项重要任务，按照坚持党的全面领导、坚持以人民为中心、坚持优化协同高效、坚持全面依法治国的原则，深化党和国家机构改革，党和国家机构职能实现系统性、整体性重构，为党和国家事业取得历史性成就、发生历史性变革提供了有力保障，也为继续深化党和国家机构改革积累了宝贵经验。但面对新时代新征程提出的新任务，党和国家机构设置和职能配置同全面建设社会主义现代化国家、全面推进中华民族伟大复兴的要求还不完全适应，同实现国家治理体系和治理能力现代化的要求还不完全适应，同构建高水平社会主义市场经济体制的要求还不完全适应，需要在巩固党和国家机构改革成果的基础上继续深化改革，对体制机制和机构职责进行调整和完善。因此，党的二十大对深化党和国家机构改革作出重要部署。

为贯彻落实党的二十大精神，2023 年 2 月 26 日至 28 日召开的党的二十届二中全会审议通过了在广泛征求意见的基础上提出的《党和国家机构改革方案》。习近平总书记就《党和国家机构改革方案（草案）》向全会作了说明。全会同意把《党和国家机构改革方案》的部分内容按照法定程序提交十四届全国人大一次会议审议。2023 年 3 月召开的十四届全国人大一次会议审议通过了这一改革方案。

这轮深化党和国家机构改革的目标是构建系统完备、科学规范、运行高效的党和国家机构职能体系。这次党和国家机构改革必须以习近平新时代中国特色社会主义思想为指导，以加强党中央集中统一领导为统领，以推进国家治理体系和治理能力现代化为导向，坚持稳中求进工作总基调，适应统筹推进“五位一体”总体布局、协调推进“四个全面”战略布局的要求，适应构建新发展格局、推动高质量发展的需要，坚持问题导向，统筹党中央机构、全国人大机构、国务院机构、全国政协机构，统筹中央和地方，深化重点领域机构改革，推动党对社会主义现代化建设的领导在机构设置上更加科学、在职能配置上更加优化、在体制机制上更加完善、在运行管理上更加高效。

2022 年 3 月，中共中央、国务院印发了《党和国家机构改革方案》。

关于深化党中央机构改革，一是组建中央金融委员会，二是组建中央金融工作委员会，三是组建中央科技委员会，四是组建中央社会工作部，五是组建中央港澳工作办公室。

关于深化全国人大机构改革，主要是组建全国人大常委会代表工作委员会。负责全国人大代表名额分配、资格审查、联络服务有关工作，指导协调代表集中视察、专题调研、联系群众有关工作，统筹管理全国人大代表议案建议工作，负责全国人大代表履职监督管理，统筹全国人大代表学习培训工作，指导省级人大常委会代表工作等，承担全国人大常委会代表资格审查委员会的具体工作，作为全国人大常委会的工作委员会。

关于深化国务院机构改革，主要有：一是重新组建科学技术部；二是组建国家金融监督管理总局；三是深化地方金融监管体制改革；四是把中国证券监督管理委员会调整为国务院直属机构；五是统筹推进中国人民银行分支机构改革；六是完善国有金融资本管理体制；七是加强金融管理部门工作人员统一规范管理；八是组建国家数据局；九是优化农业农村部职责；十是完善老龄工作体制；十一是完善知识产权管理体制。

关于深化全国政协机构改革，主要是优化全国政协界别设置。全国政协界别增设“环境资源界”。将“中国共产主义青年团”和“中华全国青年联合会”界别整合，设立“中国共产主义青年团和中华全国青年联合会”界别。优化“特别邀请人士”界别委员构成。

关于优化机构编制资源配置，主要是要精减中央和国家机关人员编制。这一改革方案规定，中央和国家机关各部门人员编制统一按照5%的比例进行精减，收回的编制主要用于加强重点领域和重要工作。中央垂管派出机构、驻外机构不纳入统一精减范围，根据行业和系统实际，盘活用好存量编制资源。地方党政机关人员编制精减工作，由各省（自治区、直辖市）党委结合实际研究确定。县、乡两级不作精减要求。

这一改革方案提出明确要求，各地区各部门要站在党和国家事业发展全局高度，充分认识党和国家机构改革的重要性和紧迫性，深刻领悟“两个确立”的决定性意义，增强“四个意识”、坚定“四个自信”、做到“两个维护”，自觉把思想和行动统一到党中央决策部署上来，坚决维护党中央决策部署的权威性和严肃性，坚定改革信心和决心，加强组织领导，落实工作责任，不折不扣把机构改革任务落到实处。

关于时间进度，这一改革方案提出，在中央政治局常委会领导下，中央全面深化改革委员会统筹党和国家机构改革组织实施工作。地方机构改革由省级党委统一领导，改革方案报党中央备案。中央层面的改革任务力争在2023年年底前完成，地方层面的改革任务力争在2024年年底前完成。推进机构改革情况和遇到的重大问题及时向党中央请示报告。①

这次机构改革中有很多新亮点，反映了经济社会的迅速发展，反映了机构改革的与时俱进。比如设立国家数据局，负责协调推进数据基础制度建设，统筹数据资源整合共享和开发利用，统筹推进数字中国、数字经济、数字社会规划和建设等，由国家发展和改革委员会管理。这对于充分激活数据要素潜能、发挥数字经济对经济社会的基础性作用而言是场及时雨。②要尽快建规立制，破解“数字鸿沟”难题，注重数字经济与实体经济融合发展，让数字化改革红利惠及全体人民。

---

① 《中共中央　国务院印发〈党和国家机构改革方案〉》，《人民日报》2023年3月17日。

② 翟云：《组建国家数据局正当时》，《经济日报》2023年4月1日。

这次机构改革力度大、涉及的难点多，应细化落实改革方案，保证平稳过渡、有效衔接，要坚定信心和决心，按照改革方案积极稳妥推进，保障相关改革举措落实到位、平稳进行，确保经济社会平稳发展。在党中央颁布改革方案后，有关部门积极行动。2023 年 5 月 18 日，国家金融监督管理总局在北京金融街 15 号揭牌，“国家金融监督管理总局”官方网站也正式启用。至此，中国金融监管体系从“一行两会”迈入“一行一总局一会”的新格局。中央社会工作部等新部门也纷纷组建完成，表明本轮党和国家机构改革稳步推进。

第二节　部署全面深化改革开放的系列会议

党的二十大召开后，党中央召开中央经济工作会议等一系列会议，对今后的全面深化改革开放作出了部署。

2022 年中央经济工作会议于 2022 年 12 月 15 日至 16 日在北京举行。习近平总书记出席会议并发表重要讲话。会议总结了 2022 年的工作，认为 2022 年是党和国家历史上极为重要的一年。我们胜利召开党的二十大，描绘了全面建设社会主义现代化国家的宏伟蓝图。面对风高浪急的国际环境和艰巨繁重的国内改革发展稳定任务，在以习近平同志为核心的党中央坚强领导下，全党全国各族人民迎难而上，砥砺前行，统筹国内国际两个大局，统筹疫情防控和经济社会发展，统筹发展和安全，加大宏观调控力度，应对超预期因素冲击，发展质量稳步提升，科技创新成果丰硕，改革开放全面深化，就业物价基本平稳，粮食安全、能源安全和人民生活得到有效保障，保持了经济社会大局稳定。我们还成功举办北京冬奥会、冬残奥会。

关于改革开放，会议指出，要坚持和完善社会主义基本经济制度，坚持社会主义市场经济改革方向，坚持“两个毫不动摇”；要坚持推进高水平对外开放，稳步扩大规则、规制、管理、标准等制度型开放。会议强调，

2023年要全面深化改革开放，大力提振市场信心，把实施扩大内需战略同深化供给侧结构性改革有机结合起来，突出做好稳增长、稳就业、稳物价工作，有效防范化解重大风险，推动经济运行整体好转，实现质的有效提升和量的合理增长，为全面建设社会主义现代化国家开好局起好步。会议强调，要更大力度吸引和利用外资。要推进高水平对外开放，提升贸易投资合作质量和水平。要扩大市场准入，加大现代服务业领域开放力度。要落实好外资企业国民待遇，保障外资企业依法平等参与政府采购、招投标、标准制定，加大知识产权和外商投资合法权益的保护力度。要积极推动加入《全面与进步跨太平洋伙伴关系协定》和《数字经济伙伴关系协定》等高标准经贸协议，主动对照相关规则、规制、管理、标准，深化国内相关领域改革。

会议还指出，要谋划新一轮全面深化改革。要坚定不移深化改革，更大激发市场活力和社会创造力。尊重市场规律，深化简政放权、放管结合、优化服务改革，对各类所有制企业一视同仁。要着力发展实体经济，依靠创新培育壮大发展新动能。推动传统产业改造升级，支持战略性新兴产业和现代服务业发展，促进大众创业万众创新纵深发展，最大限度释放全社会的创新创造潜能。要充分挖掘国内市场潜力，提升内需对经济增长的拉动作用。围绕经济发展和民生急需，推动补短板重大项目建设，着力消除制约居民消费的不利因素。加强金融、地方债务风险防控，守住不发生系统性风险的底线。要更大力度推动外贸稳规模、优结构，更大力度促进外资稳存量、扩增量，培育国际经贸合作新增长点。要强化基本公共服务，兜牢基本民生底线，支持引导社会力量增加多元供给，持续增进民生福祉。会议要求，要坚定不移深化改革扩大开放，不断增强经济社会发展的动力和活力。

这次会议令人印象深刻的是提出"谋划新一轮全面深化改革"，坚定不移推进对外开放。可以说，是这次会议在党的二十大之后真正吹响了将全面深化改革推向纵深的号角。

二十届中央全面深化改革委员会第一次会议召开。中央全面深化改革委员会是党中央统筹推进改革开放的中央决策议事协调机构。党的十九大之前名为中央全面深化改革领导小组，党的十九大后改为中央全面深化改革委员会。2023 年 4 月 21 日下午，习近平总书记主持召开二十届中央全面深化改革委员会第一次会议并发表重要讲话。中共中央政治局常委、中央全面深化改革委员会副主任李强、王沪宁、蔡奇出席会议。这表明，新一届中央全面深化改革委员会的领导人员构成有了新变化。这次会议审议通过了《关于强化企业科技创新主体地位的意见》《关于加强和改进国有经济管理有力支持中国式现代化建设的意见》《关于促进民营经济发展壮大的意见》《中央全面深化改革委员会工作规则》《中央全面深化改革委员会专项小组工作规则》《中央全面深化改革委员会办公室工作细则》《中央全面深化改革委员会 2023 年工作要点》。显然，这次会议的关注点是科技创新、企业、全面深化改革。

习近平总书记在会上强调，2023 年是全面贯彻党的二十大精神的开局之年，也是改革开放 45 周年和党的十八届三中全会召开 10 周年。实现新时代新征程的目标任务，要把全面深化改革作为推进中国式现代化的根本动力，作为稳大局、应变局、开新局的重要抓手，把准方向、守正创新、真抓实干，在新征程上谱写改革开放新篇章。

会议总结了党的十八大以来全面深化改革的进展，对下一步全面深化改革提出了要求。会议强调，党的十八大以来，我们以巨大的政治勇气全面深化改革，坚持目标引领，突出问题导向，敢于突进深水区，敢于啃硬骨头，敢于涉险滩，敢于面对新矛盾新挑战，坚决破除各方面体制机制弊端，以前所未有的力度打开了崭新局面。新时代 10 年，我们推动的改革是全方位、深层次、根本性的，取得的成就是历史性、革命性、开创性的。放眼全世界，没有哪个国家和政党，能有这样的政治气魄和历史担当，敢于大刀阔斧、刀刃向内、自我革命，也没有哪个国家和政党，能在这么短时间内推动这么大范围、这么大规模、这么大力度的改革，这是中国特色社会主义制度的鲜明特征和显著优势。会议指出，新征程上继续推进全面深化改革，要坚持和加强党的领导，把准改革方向，明确目标任务，以科学的谋划、创新的魄力把各项工作抓好抓实。要抓好重大改革任务攻坚克难，统筹全局、把握重点，聚焦全面建设社会主义现代化国家中的重大问题谋划推进改革，用好机构改革创造的有利条件，努力在破除各方面体制机制弊端、调整深层次利益格局上再攻下一些难点。要加强改革调查研究，多到矛盾问题集中的地方和部门去，深入基层、走进群众，体察实情、解剖麻雀，既深入研究具体问题，又善于综合各方面情况，在总体思路和全局工作上多动脑筋、多下功夫。要加大改革抓落实力度，完善上下协同、条块结合、精准高效的改革落实机制，下更大气力抓好改革督察工作，推动改革举措落地见效。要调动各方面改革积极性，健全改革创新激励机制，加大改革典型经验交流推广，加强舆论引导，及时回应各方关切。

这次会议不仅突出强调了全面深化改革的重大意义，强调它是根本动力和重要抓手，还将“大兴调查研究之风”拓展到改革领域，强调加强改革调查研究，是全面贯彻“大兴调查研究之风”的体现。

二十届中央财经委员会第一次会议召开。2023 年 5 月 5 日，习近平总书记主持召开二十届中央财经委员会第一次会议，强调做好新一届中央财经委员会工作，研究加快建设现代化产业体系问题，研究以人口高质量发展支撑中国式现代化问题。习近平总书记在会上发表重要讲话强调，新一届中央财经委员会要继续发挥好制定经济工作重大方针的作用，进一步加强和改善党中央对经济工作的集中统一领导。现代化产业体系是现代化国家的物质技术基础，必须把发展经济的着力点放在实体经济上，为实现第二个百年奋斗目标提供坚强物质支撑。人口发展是关系中华民族伟大复兴的大事，必须着力提高人口整体素质，以人口高质量发展支撑中国式现代化。中共中央政治局常委、国务院总理、中央财经委员会副主任李强，中共中央政治局常委、中央书记处书记、中央财经委员会委员蔡奇，中共中央政治局常委、国务院副总理、中央财经委员会委员丁薛祥出席会议。这表明，新一届中央财经委员会领导班子已经确定。会议听取了国家发展改革委、科技部、工业和信息化部、农业农村部关于加快建设现代化产业体系的汇报，听取了国家发展改革委、国家卫生健康委、人力资源社会保障部、教育部关于以人口高质量发展支撑中国式现代化的汇报。会议审议通过了《中央财经委员会工作规则》和《中央财经委员会办公室工作细则》。关于改革开放，这次会议指出，坚持开放合作，不能闭门造车；要以系统观念统筹谋划人口问题，以改革创新推动人口高质量发展，把人口高质量发展同人民高品质生活紧密结合起来，促进人的全面发展和全体人民共同富裕；要深化教育卫生事业改革创新，把教育强国建设作为人口高质量发展的战略工程，全面提高人口科学文化素质、健康素质、思想道德素质。

二十届中央审计委员会第一次会议召开。中共中央总书记、国家主席、中央军委主席、中央审计委员会主任习近平5月23日主持召开二十届中央审计委员会第一次会议。习近平总书记在会上发表重要讲话强调，在强国建设、民族复兴新征程上，审计担负重要使命，要立足经济监督定位，聚焦主责主业，更好发挥审计在推进党的自我革命中的独特作用。做好新一届中央审计委员会工作，要坚持以新时代中国特色社会主义思想为指导，深入学习贯彻党的二十大精神，完整、准确、全面贯彻新发展理念，聚焦全局性、长远性、战略性问题，加强审计领域战略谋划与顶层设计，进一步推进新时代审计工作高质量发展，以有力有效的审计监督服务保障党和国家工作大局。中共中央政治局常委、国务院总理、中央审计委员会副主任李强，中共中央政治局常委、中央纪律检查委员会书记、中央审计委员会副主任李希出席会议。这表明新一届中央审计委员会领导人员已经确定。这次会议指出，党的十九大以来，在党中央集中统一领导下，中央审计委员会推动审计体制实现系统性、整体性重构，走出了一条契合中国国情的审计新路子，审计工作取得历史性成就、发生历史性变革。一是深入推进审计管理体制改革，党中央对审计工作的集中统一领导不断细化实化制度化。二是对中国特色社会主义审计事业的规律性认识不断深化。三是审计服务党和国家大局的主动性更强、契合性更高，独特监督作用更加彰显。四是审计整改总体格局初步成型，审计成果运用贯通协同更加顺畅、权威、高效。会议还强调，做好新时代新征程审计工作，总的要求是在构建集中统一、全面覆盖、权威高效的审计监督体系，更好发挥审计监督作用上聚焦发力。要扎实做好 2023 年的审计工作，突出重大问题加大审计力度，促进把党中央决策部署贯彻好、落实好。这都和全面深化改革密不可分。

二十届中央国家安全委员会第一次会议召开。2023 年 5 月 30 日下午，中共中央总书记、国家主席、中央军委主席、中央国家安全委员会主席习近平主持召开二十届中央国家安全委员会第一次会议。习近平总书记在会上发表重要讲话强调，要全面贯彻党的二十大精神，深刻认识国家安全面临的复杂严峻形势，正确把握重大国家安全问题，加快推进国家安全体系和能力现代化，以新安全格局保障新发展格局，努力开创国家安全工作新局面。中共中央政治局常委、中央国家安全委员会副主席李强、赵乐际、蔡奇出席会议。这表明，新一届中央国家安全委员会领导班子已经确立。会议审议通过了《加快建设国家安全风险监测预警体系的意见》《关于全面加强国家安全教育的意见》等文件。关于国家安全领域的改革，这次会议指出，中央国家安全委员会坚持发扬斗争精神，坚持并不断发展总体国家安全观，推动国家安全领导体制和法治体系、战略体系、政策体系不断完善，实现国家安全工作协调机制有效运转、地方党委国家安全系统全国基本覆盖，坚决捍卫了国家主权、安全、发展利益，国家安全得到全面加强。会议指出，要以新安全格局保障新发展格局，主动塑造于我有利的外部安全环境，更好维护开放安全，推动发展和安全深度融合。要推进维护和塑造国家安全手段方式变革，创新理论引领，完善力量布局，推进科技赋能。要完善应对国家安全风险综合体，实时监测、及时预警，打好组合拳。

中央全面深化改革委员会第二次会议召开。2023 年 7 月 11 日，习近平总书记主持召开中央全面深化改革委员会第二次会议，审议通过了《关于建设更高水平开放型经济新体制促进构建新发展格局的意见》《深化农村改革实施方案》《关于推动能耗双控逐步转向碳排放双控的意见》《关于高等学校、科研院所薪酬制度改革试点的意见》《关于进一步深化石油天然气市场体系改革提升国家油气安全保障能力的实施意见》《关于深化电力体制改革加快构建新型电力系统的指导意见》。

习近平总书记在主持会议时强调，建设更高水平开放型经济新体制是我们主动作为以开放促改革、促发展的战略举措，要围绕服务构建新发展格局，以制度型开放为重点，聚焦投资、贸易、金融、创新等对外交流合作的重点领域深化体制机制改革，完善配套政策措施，积极主动把我国对外开放提高到新水平。要锚定实现农业农村现代化、建设农业强国的战略目标，以处理好农民和土地关系为主线，加快补齐农业农村发展短板，为全面建设社会主义现代化国家打下坚实基础。要立足我国生态文明建设已进入以降碳为重点战略方向的关键时期，完善能源消耗总量和强度调控，逐步转向碳排放总量和强度双控制度。要把推动高校教师、科研人员薪酬分配制度改革作为统筹推进教育、科技、人才事业发展的重要抓手，逐步建立激发创新活力、知识价值导向、管理规范有效、保障激励兼顾的薪酬制度，进一步激发高等学校、科研院所创新创造活力。要围绕提升国家油气安全保障能力的目标，针对油气体制存在的突出问题，积极稳妥推进油气行业上、中、下游体制机制改革，确保稳定可靠供应。要深化电力体制改革，加快构建清洁低碳、安全充裕、经济高效、供需协同、灵活智能的新型电力系统，更好推动能源生产和消费革命，保障国家能源安全。中共中央政治局常委、中央全面深化改革委员会副主任李强、王沪宁、蔡奇出席会议。

此外，2023 年我们还召开了二十届中央机构编制委员会第一次会议，中央农村工作会议、中央经济工作会议等。这一系列的高规格会议，从各个领域对改革开放作出谋划部署，一定会把改革开放推向纵深，从而为中国发展注入强大动力。

第三节　继续推动高水平对外开放

党的二十大作出了继续扩大对外开放的战略部署。会后，中国继续坚持对外开放，不仅推出重磅开放文件，而且顺利举办了第六届中国国际进口博览会、第三届“一带一路”国际合作高峰论坛等。

2022 年 10 月 25 日，经国务院同意，国家发展改革委、商务部、工业和信息化部、自然资源部、生态环境部、交通运输部联合印发了《关于以制造业为重点促进外资扩增量稳存量提质量的若干政策措施》（以下简称《若干政策措施》），进一步加大制造业引资力度，着力解决外商投资企业面临的突出问题，全面加强外商投资促进和服务，推动利用外资高质量发展。这是党的二十大后第一个展示我国对外开放的重磅文件，不仅向外界传递出中国大门不会关闭的信号，而且表明我国在今后会越来越开放，将与全球各国共享商机，实现互利共赢。中国是制造业大国，也迫切需要进行转型升级，这一《若干政策措施》也意在促进我国制造业高质量发展。

第六届中国国际进口博览会顺利举办。2018 年以来，中国国际进口博览会（以下简称进博会）已连续成功举办 5 届，经过 5 年发展，质量效益显著提升，国际影响更加广泛，已成为中国构建新发展格局的窗口、推动高水平开放的平台、全球共享的公共产品。第六届进博会于 2023 年 11 月 5 日至 10 日在上海举办，由中国商务部和上海市人民政府主办，中国国际进口博览局和国家会展中心（上海）有限责任公司承办，主题为“新时代共享未来”。第六届进博会由国家综合展、企业商业展、虹桥论坛、专业配套活动和人文交流活动等板块组成。11 月 5 日，习近平总书记向第六届进博会致信，重申了中国推进高水平开放、推动构建开放型世界经济的坚定决心，对进博会定位提出新要求，为进博会越办越好进一步指明了方向。国务院总理李强出席开幕式并发表主旨演讲，开幕式前参观企业展，开幕式后同与会外国领导人共同巡馆。多国领导人和国际组织负责人现场致辞。国务院副总理何立峰主持开幕式。来自世界 154 个国家、地区和国际组织的政商学等各界代表约 1500 人出席开幕式，其中包括来自 44 个国家、地区和国际组织的约 90 位部长级以上嘉宾，有关国家驻华使节，国际组织驻华代表，中国各省区市和有关部委负责人，跨国公司、智库和商协会代表，等等。习近平总书记的致信引发中外嘉宾热烈反响，各方纷纷表示从中感受到中国坚定推进高水平开放、与世界共享发展机遇的信心和决心。展会期间，有 128 个国家和地区的 3486 家企业参展，其中，世界五百强和行业龙头企业达 289 家，数量为历届之最。六大展区设置聚焦高质量发展和高品质生活，创新引领成为共同主题，科技赋能成为主流趋势，展台展品科技感强，题材新颖，亮点纷呈。442 项代表性首发新产品、新技术、新服务集中展示。创新孵化专区吸引来自 39 个国家和地区的超过 300 个创新项目参展，超过前两届的总和。专区内，小微企业积极参与评选活动，在绿色低碳、医疗健康、数字经济、创新科技等 4 个赛道内角逐出本届“最具市场潜力奖”。此外，首次举办跨国企业家巡馆、中小企业专场对接会和汽车展区现场成交活动。本届进博会积极强化对接撮合，通过组织近百场专场对接活动等方式，多措并举促进成交，让采购商的“购物车”兼具烟火气和科技感。非洲“甜面包”贝宁菠萝开启中国首秀，成功签下大额订单；大量高科技产品也获专业观众青睐，有望加快进入中国市场，助力产业升级。据统计，第六届进博会按一年计意向成交金额 784.1 亿美元，比上届增长 6.7%。① 配套举办的虹桥论坛持续为构建开放型世界经济贡献智慧。

中厄自贸协定签署。据我国商务部网站的信息，2023 年 5 月 11 日，中国商务部负责人与厄瓜多尔生产、外贸、投资和渔业部部长分别代表本国政府，通过视频方式正式签署《中华人民共和国政府和厄瓜多尔共和国政府自由贸易协定》（以下简称中厄自贸协定）。中厄自贸协定是中国对外签署的第 20 个自贸协定，厄瓜多尔成为中国第 27 个自贸伙伴，也是继智利、秘鲁、哥斯达黎加之后中国在拉美地区的第 4 个自贸伙伴。2022 年，中厄

① 《784.1 亿美元！第六届进博会按年计意向成交创新高》，新华网 2023 年 11 月 10 日。

双边贸易额达 130.9 亿美元，同比增长 19.7%，连续两年增幅超过两位数。中国是厄瓜多尔第二大贸易伙伴。厄瓜多尔是中国在拉美地区重要的经贸伙伴和农渔能矿产品进口来源地，也是共建“一带一路”的重要合作伙伴。中厄自贸协定的签署是落实党的二十大提出的“推进高水平对外开放”的具体举措，是扩大面向全球的高标准自由贸易区网络的最新实践。中厄自贸协定将为两国企业创造更加优惠、便利、透明、稳定的营商环境，进一步激发两国贸易投资合作潜力，推动中厄经贸合作全方位提质升级，促进双边贸易持续、稳定、多元化发展，不断增进两国人民和企业福祉。同时，中厄自贸协定的签署也体现了两国推动贸易自由化便利化的共同意愿和坚定决心，向国际社会发出了支持多边主义和自由贸易、促进全球经济稳定复苏的积极信号。

人民币国际化进程不断加速。2023 年 2 月，伊拉克央行宣布放弃美元，允许以人民币直接结算对华贸易。3 月，中国工商银行（巴西）有限公司成功办理首笔跨境人民币结算业务。在这笔业务中，中国工商银行（巴西）有限公司支持贸易双方成功实现直接使用人民币进行结算。这笔业务在清算效率、汇兑成本以及资金流和信息流的安全性等方面均体现出显著优势。巴西中央银行 3 月底宣布，人民币已超过欧元，成为该国第二大国际储备货币。3 月 28 日，中国海洋石油总公司和法国道达尔能源公司通过上海石油天然气交易中心平台，用人民币结算完成了 6.5 万吨的进口天然气采购交易。

继续推动“一带一路”国际合作。2013 年提出的“一带一路”倡议经过 10 年的发展早已成为深受欢迎的国际公共产品和国际合作平台。“一带一路”倡议坚持以和平合作、开放包容、互学互鉴、互利共赢为核心的丝路精神，力争将“一带一路”建成和平之路、繁荣之路、开放之路、创新之路、文明之路，是国际上少数有温度、传播正能量、顺应世界发展趋势的倡议。10 年来，中欧班列联通中国境内 108 个城市，通达欧洲约 25 个国家 208 个城市，累计开行 6.5 万列。其中，2022 年中欧班列开行 1.6 万列、发送 160 万标箱，同比分别增长 9%、10%，充分发挥了中欧班列的战略通道作用。古丝绸之路的主要交通工具是驼队，今天的中欧班列是联通亚欧大陆的“钢铁驼队”。亚吉铁路、蒙内铁路、雅万高铁、匈塞铁路、中吉乌铁路等项目汇集在一起演奏了一首首“沙与海的交响曲”。其中，中老铁路使老挝“变陆锁国为陆联国”的梦想得以实现。中老铁路承运的跨境货物种类不断增加，物品从开通初期的橡胶、化肥、百货扩展到电子、光伏、汽车、鲜花等 2000 余种。截至 2024 年 6 月底，中国已同 150 多个国家、30 多个国际组织签署共建“一带一路”合作文件，投资规模近 1 万亿美元，带动国际合作的效应显著。

2023 年 5 月 18 日至 19 日，中国—中亚峰会在陕西省西安市举行。习近平总书记出席峰会发表重要讲话，在讲话中多次提到和中亚国家继续推进“一带一路”国际合作。他指出，我们要继续在共建“一带一路”合作方面走在前列，推动落实全球发展倡议，充分释放经贸、产能、能源、交通等传统合作潜力，打造金融、农业、减贫、绿色低碳、医疗卫生、数字创新等新增长点，携手建设一个合作共赢、相互成就的共同体。中方愿同中亚国家在盐碱地治理开发、节水灌溉等领域开展合作，共同建设旱区农业联合实验室，推动解决咸海生态危机，支持在中亚建立高技术企业、信息技术产业园。中方欢迎中亚国家参与可持续发展技术、创新创业、空间信息科技等“一带一路”专项合作计划。

2023 年 10 月 17 日至 18 日第三届“一带一路”国际合作高峰论坛在北京举办，论坛的主题为“高质量共建‘一带一路’，携手实现共同发展繁荣”。来自 151 个国家和 41 个国际组织的代表来华参会，注册总人数超过 1 万人。这一“万人盛会”再次体现出共建“一带一路”的巨大感召力和全球影响力。习近平总书记在高峰论坛开幕式上发表主旨演讲，回顾 10 年成就，总结成功经验，强调共建“一带一路”站在历史正确一边，符合时代进步逻辑，走的是人间正道。他宣布中国支持高质量共建“一带一路”八项行动，为“一带一路”明确了新方向，开辟了新愿景，注入了新动力。

习近平总书记还同与会的所有外方领导人举行会见会谈，达成一系列重要合作共识。论坛期间，各方共形成了458项成果，数量远远超过第二届高峰论坛。其中包括《深化互联互通合作北京倡议》、《“一带一路”绿色发展北京倡议》、《“一带一路”数字经济国际合作北京倡议》、《“一带一路”廉洁建设高级原则》、绿色发展投融资伙伴计划等重要合作倡议和制度性安排，也有到2030年为伙伴国开展10万人次绿色发展培训、将联合实验室扩大到100家等具体目标。企业家大会还达成了972亿美元商业合同，有助于为各国创造更多的就业和增长。此外，会议还决定成立论坛秘书处，将为推动机制建设和项目落地发挥作用。这一系列实实在在的合作成果，是与会各方为“一带一路”投下的支持票，也是信任票。这次论坛取得了圆满成功。各方一致认为，本次高峰论坛是共建“一带一路”进程中又一个重要里程碑。这是一次团结的大会，巩固了共建“一带一路”的国际共识；这是一次共赢的大会，丰富了共建“一带一路”的合作成果；这也是一次发展的大会，拓展了共建“一带一路”的光明前景。①

第四节　进一步推动改革开放

党的二十大召开后，习近平总书记通过召开会议、调查研究等多种形式，推动全面建设社会主义现代化国家新征程上的改革开放。

2023年4月10日至13日，习近平总书记在广东省主要负责人的陪同下，先后来到湛江、茂名、广州等地，深入企业、港口、农村等调研。在考察期间，习近平总书记强调，广东是改革开放的排头兵、先行地、试验区，在中国式现代化建设的大局中地位重要、作用突出。要锚定强国建设、民族复兴目标，围绕高质量发展这个首要任务和构建新发展格局这个战略任务，在全面深化改革、扩大高水平的对外开放、提升科技自立自强能力、

① 《王毅谈第三届“一带一路”国际合作高峰论坛重要成果》，新华社2023年10月18日电。

建设现代化产业体系、促进城乡区域协调发展等方面继续走在全国前列，在推进中国式现代化建设中走向前列。12日，习近平总书记在广汽研究院同科技人员、企业家、职工、外资企业代表等交流时指出："中国改革开放政策将长久不变，永远不会自己关上开放的大门。一切愿意与我们合作共赢的国家，我们都愿意与他们相向而行，推动世界经济共同繁荣发展。"①

习近平总书记在党的十八大以来，先后四次到广东考察调研，用意鲜明突出，就是要鼓励大家进一步坚定全面深化改革开放的信心和决心。

2023年7月11日，习近平总书记在二十届中央深改委第二次会议上还强调，当前，我国发展面临复杂严峻的国际形势。要完善开放型经济新体制的顶层设计，深化贸易投资领域体制机制改革，扩大市场准入，全面优化营商环境，完善服务保障体系，充分发挥我国综合优势，以国内大循环吸引全球资源要素，提升贸易投资合作质量和水平。要坚持底线思维、极限思维，抓紧健全国家安全保障体制机制，着力提升开放监管能力和水平。要把构建更高水平开放型经济新体制同高质量共建"一带一路"等国家战略紧密衔接起来，积极参与全球治理体系改革和建设。

2023年习近平总书记到黑龙江、内蒙古、河北、北京、江苏、广西等地调研期间，多次谈解放思想、深化改革开放。在2023年底举行的中央经济工作会议上，他强调，必须坚持依靠改革开放增强发展内生动力，统筹推进深层次改革和高水平开放，不断解放和发展生产力、激发和增强社会活力。

在习近平总书记的引领下，全国很多地方扎实开展改革开放，取得良好成效。浙江自2023年开始实施"地瓜经济"提能升级"一号开放工程"，目的是进一步提升开放水平，构筑高质量发展新优势。地瓜的藤蔓伸向四面八方，但根茎还是在这块土壤里，藤蔓是为了汲取更多的阳光、雨

① 《习近平在广东考察时强调　坚定不移全面深化改革扩大高水平对外开放　在推进中国式现代化建设中走在前列》，《人民日报》2023年4月14日。

露，实现更多的光合作用。所谓“地瓜经济”，是对开放经济生动而深刻的阐释。从义乌小商品城开风气之先，到如今跨境电子商务日渐成熟，从开放平台和枢纽建设不断完善，到创新政策先行先试……浙江的对外开放如火如荼。据浙江商务厅负责人介绍，浙江出口结构持续优化，2022 年机电、高新技术产品出口比重分别提高至 44.7%、10.1%；外贸结构不断优化，截至 2022 年底，全省累计批准外商投资企业 7.7 万家，高技术产业实际使用外资占比提升至48.2%；对外投资布局不断优化，覆盖152个国家和地区。① 新时代新征程，浙江“地瓜经济”一路延展，高水平对外开放格局正在加快形成。

2023 年中央经济工作会议指出，2023 年是全面贯彻党的二十大精神的开局之年，是三年新冠疫情防控转段后经济恢复发展的一年。以习近平同志为核心的党中央团结带领全党全国各族人民，顶住外部压力、克服内部困难，全面深化改革开放，加大宏观调控力度，着力扩大内需、优化结构、提振信心、防范化解风险，我国经济回升向好，高质量发展扎实推进。现代化产业体系建设取得重要进展，科技创新实现新的突破，改革开放向纵深推进，安全发展基础巩固夯实，民生保障有力有效，全面建设社会主义现代化国家迈出坚实步伐。相信随着全面深化改革开放的推进，我们依然会续写中国发展奇迹。

① 窦皓、韩鑫、窦瀚洋：《浙江加快形成高水平对外开放格局》，《人民日报》2023 年 5 月 29 日。

第十章

高举新时代
全面深化改革的
思想旗帜

党的十八大以来，以习近平同志为主要代表的中国共产党人，坚持把马克思主义基本原理同中国具体实际相结合、同中华优秀传统文化相结合，坚持毛泽东思想、邓小平理论、“三个代表”重要思想、科学发展观，深刻总结并充分运用党成立以来的历史经验，从新的实际出发，创立了习近平新时代中国特色社会主义思想，实现了马克思主义中国化时代化新的飞跃，为党和国家事业的发展提供了科学理论指引。尤其是习近平总书记关于全面深化改革开放的重要论述，为新时代全面深化改革开放提供了强大思想武器。继续全面深化改革开放，必须高举习近平新时代中国特色社会主义思想这面光辉旗帜，必须掌握习近平总书记关于全面深化改革的重要论述，总结好新时代全面深化改革开放的宝贵经验。

第一节　用习近平新时代中国特色社会主义思想凝心铸魂

习近平新时代中国特色社会主义思想是当代中国马克思主义、21 世纪马克思主义，是中国精神和中华文化的时代精华。全面深化改革开放要取得更大进展，必须坚持以习近平新时代中国特色社会主义思想为指导。这就要求我们紧紧把握习近平新时代中国特色社会主义思想的科学体系，掌握贯穿其中的立场观点方法，以“两个结合”不断开辟马克思主义中国化时代化新境界。

习近平总书记在党的二十大报告中指出“十九大、十九届六中全会提出的‘十个明确’、‘十四个坚持’、‘十三个方面成就’概括了这一思想的主要内容”①。党的二十大报告还提出了“六个必须坚持”。“‘十个明确’、‘十四个坚持’、‘十三个方面成就’、‘六个必须坚持’内在贯通、有机统一，凝结着我们党认识世界、改造世界的宝贵经验和重大成果，体现了理论与实际相结合、认识论和方法论相统一的鲜明特色，共同构成了习近平新时代中国特色社会主义思想的科学体系。”②

“十个明确”主要指：明确中国特色社会主义最本质的特征是中国共产党领导，中国特色社会主义制度的最大优势是中国共产党领导，中国共产党是最高政治领导力量，全党必须增强“四个意识”、坚定“四个自信”、做到“两个维护”；明确坚持和发展中国特色社会主义，总任务是实现社会主义现代化和中华民族伟大复兴，在全面建成小康社会的基础上，分两步

---

① 习近平：《高举中国特色社会主义伟大旗帜　为全面建设社会主义现代化国家而团结奋斗——在中国共产党第二十次全国代表大会上的报告》（2022 年 10 月 16 日），人民出版社 2022 年版，第 17 页。

② 中共中央宣传部编《习近平新时代中国特色社会主义思想学习纲要》（2023 年版），学习出版社、人民出版社 2023 年版，第 12 页。

走在本世纪中叶建成富强民主文明和谐美丽的社会主义现代化强国，以中国式现代化推进中华民族伟大复兴；明确新时代我国社会主要矛盾是人民日益增长的美好生活需要和不平衡不充分的发展之间的矛盾，必须坚持以人民为中心的发展思想，发展全过程人民民主，推动人的全面发展、全体人民共同富裕取得更为明显的实质性进展；明确中国特色社会主义事业总体布局是经济建设、政治建设、文化建设、社会建设、生态文明建设五位一体，战略布局是全面建设社会主义现代化国家、全面深化改革、全面依法治国、全面从严治党四个全面；明确全面深化改革总目标是完善和发展中国特色社会主义制度、推进国家治理体系和治理能力现代化；明确全面推进依法治国总目标是建设中国特色社会主义法治体系、建设社会主义法治国家；明确必须坚持和完善社会主义基本经济制度，使市场在资源配置中起决定性作用，更好发挥政府作用，把握新发展阶段，贯彻创新、协调、绿色、开放、共享的新发展理念，加快构建以国内大循环为主体、国内国际双循环相互促进的新发展格局，推动高质量发展，统筹发展和安全；明确党在新时代的强军目标是建设一支听党指挥、能打胜仗、作风优良的人民军队，把人民军队建设成为世界一流军队；明确中国特色大国外交要服务民族复兴、促进人类进步，推动建设新型国际关系，推动构建人类命运共同体；明确全面从严治党的战略方针，提出新时代党的建设总要求，全面推进党的政治建设、思想建设、组织建设、作风建设、纪律建设，把制度建设贯穿其中，深入推进反腐败斗争，落实管党治党政治责任，以伟大自我革命引领伟大社会革命。[①] 这些战略思想和创新理念，是党对中国特色社会主义建设规律认识深化和理论创新的重大成果。这是在党的十九大提出“八个明确”基础之上的进一步概括。党的第三个历史决议，将“中国共产党领导”列为第一个“明确”；增加了第七个和第十个“明确”；第二个“明确”，增加了“以中国式现代化推进中华民族伟大复兴”的表述；第三个“明确”增加了“发展全过程人民民主”“全体人民共同富裕取得更为

---

① 《中共中央关于党的百年奋斗重大成就和历史经验的决议》，人民出版社 2021 年版，第 24—25 页。

明显的实质性进展”的表述。[①]

“十四个坚持”，就是坚持党对一切工作的领导，坚持以人民为中心，坚持全面深化改革，坚持新发展理念，坚持人民当家作主，坚持全面依法治国，坚持社会主义核心价值体系，坚持在发展中保障和改善民生，坚持人与自然和谐共生，坚持总体国家安全观，坚持党对人民军队的绝对领导，坚持“一国两制”和推进祖国统一，坚持推动构建人类命运共同体，坚持全面从严治党。

“十三个方面成就”就是在坚持党的全面领导、全面从严治党、经济建设、全面深化改革开放、政治建设、全面依法治国、文化建设、社会建设、生态文明建设、国防和军队建设、维护国家安全、坚持“一国两制”和推进祖国统一、外交工作等方面取得的历史性成就和发生的历史性变革。

“六个必须坚持”主要内容包括：第一，必须坚持人民至上；第二，必须坚持自信自立；第三，必须坚持守正创新；第四，必须坚持问题导向；第五，必须坚持系统观念；第六，必须坚持胸怀天下。[②]

需要指出的是，随着理论的不断创新，党中央还提出了习近平经济思想、习近平法治思想、习近平文化思想、习近平生态文明思想、习近平外交思想、习近平强军思想以及习近平总书记关于党的建设的重要思想等，这些都是习近平新时代中国特色社会主义思想的重要组成部分，对各领域改革具有直接指导作用。对新时代党的创新理论的科学体系，当代中国共产党人要通过读原文悟原理，学出背后的道理学理哲理，掌握其基本观点、精髓要义和实践要求，这样才能在新征程上稳坐钓鱼台、不怕风浪起。

实践永在变化，理论创新也就永无止境。我们要坚持把马克思主义基本原理同中国具体实际相结合、同中华优秀传统文化相结合，不断在新长

---

① 习近平：《更好把握和运用党的百年奋斗历史经验》（2022 年 1 月 11 日），《求是》2022 年第 13 期。

② 习近平：《高举中国特色社会主义伟大旗帜　为全面建设社会主义现代化国家而团结奋斗——在中国共产党第二十次全国代表大会上的报告》（2022 年 10 月 16 日），人民出版社 2022 年版，第 19—21 页。

征路上开辟马克思主义中国化时代化新境界。

“两个结合”，不仅指明了新时代推动党的理论创新、不断开辟马克思主义中国化时代化新境界的根本路径，还是习近平新时代中国特色社会主义思想的原创性贡献，极大拓展了新时代理论创新的广度和深度。只有准确把握“两个结合”的丰富内涵，才能在新时代不断开辟马克思主义中国化时代化的新境界。

坚持和发展马克思主义，不断推进马克思主义中国化时代化，必须同中国具体实际相结合。这就有必要搞清楚“中国具体实际”究竟是什么。中国具体实际既是一个恒定的概念也是一个变动的概念。说其恒定主要是指定义本身，说它变动不居主要是指内容的动态性。从长时段看，中国具体实际可以包括5000多年中华文明史，包括1840年以来的中国近现代史，也可以包括中国共产党成立100多年来的风云激荡。这些都已经深深熔铸于每一位中华儿女的内心深处。从短时段看或从当下看，具体实际至少应该包括社会主义初级阶段的基本国情、当代中国社会的主要矛盾、人民对美好生活的向往和中国共产党的领导等。这些都可以纳入对中国具体实际的理解，但一定要注意到初级阶段的国情、社会主要矛盾以及人民对美好生活的向往不是一成不变而是不断随着实践变化而变化的。对中国具体实际的判断，既要看到其中的不变，更要把握其中的变。就目前而言，要结合中国特色社会主义进入新时代，人民日益增长的美好生活需要和不平衡不充分的发展之间的矛盾，与人民切身利益有关的各种问题。为此，党的二十大报告一方面指出坚持以马克思主义为指导，是要运用其科学的世界观和方法论解决中国的问题，而不是要背诵和重复其具体结论和词句，更不能把马克思主义当成一成不变的教条；另一方面从问题导向出发，强调必须坚持解放思想、实事求是、与时俱进、求真务实，一切从实际出发，着眼解决新时代改革开放和社会主义现代化建设的实际问题，不断回答中国之问、世界之问、人民之问、时代之问，作出符合中国实际和时代要求的正确回答，得出符合客观规律的科学认识，形成与时俱进的理论成果，更好指导中国实践。问题作为实际的具体表现，不仅是时代的声音，也是理论创新的“助产婆”。中国共产党的理论创新过程就是回应、回答、解决前进道路上各种问题的过程。习近平新时代中国特色社会主义思想是在如何推进国家强起来的过程中创立的。

坚持和发展马克思主义，不断推进马克思主义中国化时代化，必须同中华优秀传统文化相结合。从世界范围看，马克思主义诞生以来在世界范围内的传播已有 100 多年的历史。这 100 多年来，马克思主义之所以能够根深叶茂、保持常青，主要就是因为植根本国、本民族历史文化沃土。马克思主义之所以在有的国家“水土不服”，不是说马克思主义本身有问题，而是没有一个由强有力的能把马克思主义本土化的先进分子组成的先进组织。马克思主义之所以到中国后能落地生根、深入人心，主要是因为中华优秀传统文化同马克思主义、科学社会主义价值观具有高度契合性，且有中国共产党这一先进组织的持续努力推动。中华优秀传统文化倡导天下为公、民为邦本等，马克思主义主张坚持人民立场、为绝大多数人求幸福谋利益；中华优秀传统文化倡导为政以德、任人唯贤、厚德载物、讲信修睦、亲仁善邻等，马克思主义主张做纯粹的道德高尚的人；中华优秀传统文化倡导天人合一、道法自然，马克思主义主张要处理好人与自然的关系；中华优秀传统文化倡导天下大同，马克思主义追求人全面而自由的发展，实现共产主义。这些在价值立场、人格追求、远大理想方面的高度契合，为马克思主义激活中华文明提供了畅通渠道，也为马克思主义提供了中华文明丰厚滋养。进入新时代，习近平总书记高度重视弘扬优秀传统文化，重视程度和实际工作力度可谓空前。他在党的二十大报告中进一步提出了新的结合路径，即“我们必须坚定历史自信、文化自信，坚持古为今用、推陈出新，把马克思主义思想精髓同中华优秀传统文化精华贯通起来、同人民群众日用而不觉的共同价值观念融通起来，不断赋予科学理论鲜明的中国特色，不断夯实马克思主义中国化时代化的历史基础和群众基础，让马克思主义在中国牢牢扎根”。这意味着，我们对待中华传统文化要秉持既敬畏又科学的态度，决不能一丢了之、砸烂了之，而是应保持文化自信并进行深度挖掘，坚持创造性转化、创新性发展，为马克思主义同中华优秀传统文化的结合提供畅通接口。

创新没有止境。在全面建设社会主义现代化国家新征程上，我们党肯定会遇到各种问题、风险和挑战。这就需要付出艰苦的理论创新创造，为解决各种问题提供新的理论指引。不断谱写马克思主义中国化时代化新篇章，是当代中国共产党人的庄严历史责任。

学懂弄通马克思主义基本原理是重要前提。只有深刻领会了马克思主义基本原理，才能真正做到“两个结合”。习近平总书记主持中央政治局集体学习，专题学习了历史唯物主义、辩证唯物主义，学习了《共产党宣言》，学习了马克思主义政治经济学，并在一些重要会议上多次讲我们要学习掌握运用马克思主义基本原理。马克思主义基本原理就是历史唯物主义和辩证唯物主义的基本理论和基本观点，就是深深植根人民的坚定立场，就是坚持一切从实际出发的实践品格。对此，我们要认真学习、牢牢掌握。

立足中国强起来的光荣使命，继续把马克思主义基本原理同中国具体实际相结合。进入新时代，意味着中国要在站起来、富起来的基础上逐渐走向强起来。党的二十大明确了党的中心任务就是团结带领全国各族人民全面建成社会主义现代化强国、实现第二个百年奋斗目标，以中国式现代化全面推进强国建设和民族复兴。理论创新创造就要紧紧围绕党的使命任务展开，就要着眼于解决中国前进道路上遇到的各种问题，为中国共产党实现目标、完成任务提供强大思想武器。

着力推进中华优秀传统文化的创造性转化和创新性发展，继续把马克思主义基本原理同中华优秀传统文化相结合，努力建设中华民族现代文明。中华优秀传统文化博大精深，我们必须坚定历史自信、文化自信，坚持古为今用、推陈出新。同时，我们要用马克思主义的世界观方法论推动中华文化的创造性转化和创新性发展，使中华文化继续释放强大能量，为党和国家事业的发展进步、为马克思主义中国化时代化提供源源不断的滋养。

正如习近平总书记在 2023 年 6 月 2 日举行的文化传承发展座谈会上所强调的，在新的起点上继续推动文化繁荣、建设文化强国、建设中华民族现代文明，是我们在新时代新的文化使命。

学好用好贯穿马克思主义中国化时代化最新成果的立场观点方法。党的二十大报告从六个方面概括了习近平新时代中国特色社会主义思想的立场观点方法，为谱写马克思主义中国化时代化新篇章提供了根本指南。新时代新征程上，我们必须做到牢牢把握“六个必须坚持”，继续推进实践基础上的理论创新创造，为以中国式现代化全面推进中华民族伟大复兴提供科学理论指引。

第二节　牢牢把握习近平总书记关于全面深化改革的重要思想

如果说习近平新时代中国特色社会主义思想是新时代全面深化改革开放的思想指导，那么习近平总书记关于全面深化改革的重要思想则是新时代全面深化改革的具体指南。习近平总书记关于全面深化改革的重要思想是一个层次分明、系统完整、逻辑严密的理论体系，包括改革的历史地位、指导思想、前进方向、基本原则、总体格局、实施重点以及方法论等，深刻回答了什么是全面深化改革开放、为什么全面深化改革开放、怎样全面深化改革等一系列基本问题，具有鲜明的时代特点、浓郁的中国特色。经过数十年的积累，习近平总书记关于全面深化改革开放的重要思想已经十分成熟。这一重要思想的主要内容可从以下几个方面予以梳理。

一、关于改革开放的历史地位

习近平总书记关于改革开放历史地位的论述有很多，主要是活力之源、必由之路、重要法宝、关键一招等。他认为："改革开放是党在新的历史条件下领导人民进行的新的伟大革命，是决定当代中国命运的关键抉择。中国特色社会主义之所以具有蓬勃的生命力，就在于是实行改革开放的社会主义。……只有改革开放才能发展中国、发展社会主义、发展马克思主义。中国特色社会主义在改革开放中产生，也必将在改革开放中发展壮大。"①2012年12月7日至11日在广东考察工作时，习近平总书记明确指出："改革开放是当代中国发展进步的活力之源，是我们党和人民大踏步赶上时代前进步伐的重要法宝，是坚持和发展中国特色社会主义的必由之路。"在十八届中央政治局第二次集体学习时，习近平总书记鲜明提出："改革开放是决定当代中国命运的关键一招，也是决定实现'两个一百年'奋斗目标、实现中华民族伟大复兴的关键一招。"②"关键一招"是习近平总书记对改革开放历史地位的准确定位，后来多次有同样论述。当下，中华民族伟大复兴处于关键时期，我国正处于新发展阶段，机遇和挑战都有新的变化，这就迫切要求我们继续贯彻新发展理念，加快构建新发展格局。为此，习近平总书记同样重视改革在这一过程中所起的重要作用，要求充分"发挥全面深化改革在构建新发展格局中的关键作用"，全面深化改革的重要性越发突出明显。

二、关于改革开放的指导思想

2013年11月，党的十八届三中全会指出，全面深化改革，必须高举中国特色社会主义伟大旗帜，以马克思列宁主义、毛泽东思想、邓小平理论、"三个代表"重要思想、科学发展观为指导，坚定信心，凝聚共识，统筹谋划，协同推进，坚持社会主义市场经济改革方向，以促进社会公平正义、增进人民福祉为出发点和落脚点，进一步解放思想、解放和发展社会生产

① 中共中央文献研究室编《习近平关于全面深化改革论述摘编》，中央文献出版社2014年版，第1页。

② 中共中央文献研究室编《习近平关于全面深化改革论述摘编》，中央文献出版社2014年版，第3页。

力、解放和增强社会活力，坚决破除各方面体制机制弊端，努力开拓中国特色社会主义事业更加广阔的前景。[①]2017年，党的十九大把习近平新时代中国特色社会主义思想确立为全党要长期坚持的指导思想。2022年，党的二十大对习近平新时代中国特色社会主义思想又有丰富发展。全面深化改革的指导思想当然是在贯彻党的基本理论的同时，还必须以习近平新时代中国特色社会主义思想为指导。当然也要看到，党的十八届三中全会提出的全面深化改革的指导思想，还包含改革开放自身的内在要求、方法策略、价值立场和目标方向等。

三、关于改革的前进方向

改革不是改向，开放不是放纵。习近平总书记明确指出："我们当然要高举改革旗帜，但我们的改革是在中国特色社会主义道路上不断推进的改革，既不走封闭僵化的老路，也不走改旗易帜的邪路。"2012年12月31日，在十八届中央政治局第二次集体学习时，习近平总书记又指出，改革开放是一场深刻革命，必须坚持正确方向，沿着正确道路推进。"在方向问题上，我们头脑必须十分清醒。我们的方向就是不断推进社会主义制度自我完善和发展，而不是对社会主义制度改弦易张。"[②]很显然，习近平总书记认为改革的方向，就是坚持中国特色社会主义道路，推进中国特色社会主义制度自我完善和发展，赋予社会主义新的生机与活力。

四、关于改革的总目标

1978年实行改革以来，我们曾提出过政治体制改革、经济体制改革等不同领域的改革目标。党的十八大以来，习近平总书记第一次提出了全面

---

① 中共中央文献研究室编《十八大以来重要文献选编》上，中央文献出版社2014年版，第512页。

② 中共中央文献研究室编《习近平关于全面深化改革论述摘编》，中央文献出版社2014年版，第15页。

深化改革的总目标："完善和发展中国特色社会主义制度，推进国家治理体系和治理能力现代化。"全面深化改革总目标的提出，是中国改革开放理论的重大创新、重大突破，明确了全面建设社会主义现代化国家的重要内容是推进治理体系和治理能力现代化。2014 年 2 月 17 日，习近平总书记在省部级主要领导干部研讨班上讲话时强调，改革开放以来，我们党开始以全新的角度思考国家治理体系问题，强调领导制度、组织制度问题更带有根本性、全局性、稳定性和长期性。今天，摆在我们面前的一项重大历史任务，就是推动中国特色社会主义制度更加成熟更加定型，为党和国家事业发展、为人民幸福安康、为社会和谐稳定、为国家长治久安提供一整套更完备、更稳定、更管用的制度体系。习近平总书记强调，总目标这两句话是一个整体，前一句规定了根本方向，即中国特色社会主义道路，后一句规定了在根本方向指导下完善和发展中国特色社会主义制度的鲜明指向。两句话都讲，才是完整的。这就告诫我们，要全面准确把握习近平总书记关于改革总目标的重要论述。党的十九大对完成改革总目标的时间表作出新部署，提出到本世纪中叶实现国家治理体系和治理能力现代化。2019 年，党的十九届四中全会又将全面深化改革总目标直接上升为会议主题，专门对这一总目标的具体实现路径进行了系统的谋篇布局，要求必须以坚持和完善中国特色社会主义制度、推进国家治理体系和治理能力现代化为主轴，继续深化各领域各方面体制机制改革，推动各方面制度更加成熟更加定型。这就凸显了全面深化改革的追求是为中国稳健发展提供一套成熟定型的制度。因为国家间竞争的本质就是制度的竞争，有没有一套充满生机活力的制度体系，决定着大国竞争的成败。党的十八大以来，中国共产党把制度建设摆在了更为突出的位置，强调围绕制度建设这条主线展开，因此不难发现中国改革开放的一个鲜明特点就是制度导向。

五、关于改革的原则

2017 年 11 月 20 日，习近平总书记在十九届中央全面深化改革领导小组第一次会议上的讲话中明确提出了中国改革的原则性问题。他强调："无论改什么、改到哪一步，坚持党对改革的集中统一领导不能变，完善和发展中国特色社会主义制度、推进国家治理体系和治理能力现代化的总目标不能变，坚持以人民为中心的改革价值取向不能变。"[①]这"三个不能变"的原则鲜明划定了中国改革开放的底线，改革整个过程必须坚持党的领导、坚持围绕总目标、坚持以人民为中心。这些原则符合中国国情、顺应民心民意。只有坚持党的领导和改革总目标，才能确保改革方向不偏、力度不减，取得实效；只有坚持以人民为中心的价值导向，才能确保让老百姓从改革中获益，更好凝聚改革共识，为民族复兴提供不竭动力。这"三个不能变"和四项基本原则有异曲同工之处，体现了中国共产党人的底线思维和极限思维。

六、关于改革的全面性

党的十八届三中全会启动的全面改革与之前的改革的很大不同就在于改革的全面性。虽然全面改革在 20 世纪 80 年代就已提出，但在实施过程和改革的领域上都不如党的十八大以来启动的这次改革全面和深入。新时代的全面深化改革名副其实。2014 年 2 月 17 日，习近平总书记指出，全面深化改革，全面者，就是要统筹推进各领域改革，就需要有管总的目标，也要回答推进各领域改革最终是为了什么、要取得什么样的整体结果这个问题。全面深化改革必须是"全面的系统的改革和改进，是各领域改革和改进的联动和集成，在国家治理体系和治理能力上形成总体效应、取得总体效果"[②]。按照党的十八届三中全会的部署，我们推动了包括经济体制和生态文明体制改革、民主法制改革、文化体制改革、社会体制改革、党的建设制度改革、纪律检查体制改革以及国防和军队改革等诸多领域的改革。从

---

① 《习近平主持召开十九届中央全面深化改革领导小组第一次会议强调全面贯彻党的十九大精神坚定不移将改革推向深入》，《人民日报》2017 年 11 月 21 日。

② 中共中央文献研究室编《习近平关于全面深化改革论述摘编》，中央文献出版社 2014 年版，第 27 页。

这些方面不难看出改革领域的全面性。这次改革的目的在于为党和国家事业发展、为人民幸福安康、为社会和谐稳定、为国家长治久安提供一套更完备、更稳定、更管用的制度体系。

七、关于改革的重点

抓重点带一般，是中国共产党开展工作的重要方法论。全面深化改革也需从重点入手。习近平总书记指出，“经济体制改革仍然是全面深化改革的重点”[①]。高质量发展是硬道理。经济体制改革是推动中国经济社会高质量发展的强大动力和主要路径。经济体制改革的核心问题是处理好政府和市场的关系。进一步处理好政府和市场的关系，实际上就是要处理好在资源配置中市场起决定性作用还是政府起决定性作用。市场在资源配置中起决定性作用，但不是起全部作用，还要更好发挥政府作用。

党的十八届三中全会明确提出了“六个紧紧围绕”的改革路线图。一是紧紧围绕使市场在资源配置中起决定性作用深化经济体制改革。二是紧紧围绕坚持党的领导、人民当家作主、依法治国有机统一深化政治体制改革。三是紧紧围绕建设社会主义核心价值体系、社会主义文化强国深化文化体制改革。四是紧紧围绕更好保障和改善民生、促进社会公平正义深化社会体制改革。五是紧紧围绕建设美丽中国深化生态文明体制改革。六是紧紧围绕提高科学执政、民主执政、依法执政水平深化党的建设制度改革。“六个紧紧围绕”实际上既是全面深化改革的路线图，也是全面深化改革的总体思路。确定改革总体思路和路线图：一方面明确了全面深化改革的主要内容，突出体现了改革的全面性；另一方面明确了改革的重点和主轴，使全面深化改革的顶层设计、优先顺序、重点领域、关键环节一目了然，有利于整体推进和重点突破相结合、相促进。

---

① 习近平：《习近平著作选读》第一卷，人民出版社 2023 年版，第 163 页。

八、关于改革的方法论

方法科学，事半功倍。习近平总书记高度重视改革的方法，形成了一整套行之有效的改革方法论。一是把握全面深化改革的内在规律，特别是要把握全面深化改革的重大关系，处理好解放思想和实事求是的关系、整体推进和重点突破的关系、顶层设计和摸着石头过河的关系、胆子要大和步子要稳的关系、改革发展稳定的关系。[①] 二是注重系统性、整体性、协同性。习近平总书记认为，注重系统性、整体性、协同性是全面深化改革的内在要求，也是推进改革的重要方法。改革越深入，越要注意协同，既抓改革方案协同，也抓改革落实协同，促进各项改革举措在政策取向上相互配合、在实施过程中相互促进、在改革成效上相得益彰，朝着全面深化改革总目标聚焦发力。[②] 三是改革要于法有据。习近平总书记指出，凡属重大改革都要于法有据。在整个改革过程中，都要高度重视运用法治思维和法治方式，发挥法治的引领和推动作用，加强对相关立法工作的协调，确保在法治轨道上推进改革。[③] 此外，还有保持战略实力，提高各种思维能力以及抓落实、搞调研、敢斗争，等等。

九、关于对外开放

习近平总书记对开放的重要性的认识特别深刻，反复强调改革不停顿、开放不止步，强调开放带来进步、封闭必然落后，强调中国开放的大门只会越开越大。党的十八大以来，围绕推动高水平对外开放，构建全面开放新格局，习近平总书记提出新发展格局、提出“一带一路”合作倡议，谋划推进自由贸易试验区建设，大力推进优化营商环境，大力推动人民币国

---

① 中共中央文献研究室编《习近平关于全面深化改革论述摘编》，中央文献出版社 2014 年版，第 37 页。

② 习近平：《习近平谈治国理政》第二卷，外文出版社 2017 年版，第 109 页。

③ 中共中央文献研究室编《习近平关于全面深化改革论述摘编》，中央文献出版社 2014 年版，第 153 页。

际化，稳步扩大制度型开放，奉行互利共赢的开放战略，推动形成陆海内外联动、东西双向互济的开放格局。

综上，习近平总书记关于全面深化改革的重要思想具有鲜明的时代特征和中国特色。这一重大战略思想突出强调坚持党的领导、问题导向、顶层设计、落实改革，既突出改革的全面性，又强调深化。所谓“深化”，就是要啃硬骨头、要涉险滩，就是要通过改革形成制度红利，推动中国真正跨越“中等收入陷阱”，全面实现中华民族伟大复兴。在习近平总书记关于全面深化改革开放的重要思想的指导下，我国全面深化改革开放已经取得了重大突破，群众的幸福感获得感安全感正在不断增强。

第三节　新时代全面深化改革的宝贵经验

从党的十八大提出全面深化改革，至今已经 10 多年了。这 10 多年的全面深化改革，一路春风，满树花开，结出了累累硕果，形成了诸多宝贵经验。习近平总书记在庆祝改革开放 40 周年大会、深圳经济特区建立 40 周年大会等多个场合对我国改革开放的经验曾作出系统总结，但至今还没有专门对新时代全面深化改革的新鲜经验作总结。2018 年 11 月 14 日，习近平总书记在中央全面深化改革委员会第五次会议上指出：“党的十八大以来，我们站在新的历史起点上部署推动全面深化改革，既取得很多重大历史性成就，也创造和积累了很多改革的新鲜经验。要把这个阶段改革工作总结好，把新时代改革开放精神风貌展现好。”结合新时代全面深化改革的历史进程，对这个阶段的改革开放经验予以总结，很有意义也很有价值。

一是坚定拥护“两个确立”。在新时代的伟大变革中，习近平总书记作为党中央的核心、全党的核心，在风云变幻中举旗定向、掌舵领航，在大战大考中指挥若定、运筹帷幄，在惊涛骇浪中力挽狂澜、砥柱中流，充分彰显了作为马克思主义政治家、思想家、战略家的恢宏气魄、远见卓识、雄韬伟略，不愧为党的核心、人民领袖、军队统帅，不愧为中华民族伟大复兴号巨轮的掌舵者、领航人。事实证明，党确立习近平同志党中央的核心、全党的核心地位，确立习近平新时代中国特色社会主义思想的指导地位，反映了全党全军全国各族人民共同心愿，对新时代党和国家事业发展、对推进中华民族伟大复兴历史进程具有决定性意义。“两个确立”是党在新时代取得的重大政治成果，是推动包括全面深化改革在内的党和国家事业取得历史性成就、发生历史性变革的决定性因素，已经成为全党全军全国各族人民的高度共识和共同意志，已经写在了新时代的伟大征程中、写在了全党全军全国各族人民心坎上，是党应对一切不确定性的最大确定性、最大底气、最大保证。全党必须深刻领悟“两个确立”的决定性意义，更加自觉地维护习近平总书记党中央的核心、全党的核心地位，更加自觉地维护以习近平同志为核心的党中央权威和集中统一领导，全面贯彻习近平新时代中国特色社会主义思想，坚定不移在思想上政治上行动上同以习近平同志为核心的党中央保持高度一致。[①]只有深刻理解“两个确立”的决定性意义，才能自觉拥护“两个确立”，才能为全面深化改革提供坚强政治保证。

二是坚持党对改革开放的全面领导。我们党始终注意对全面深化改革加强领导。党的十八届三中全会决定成立中央全面深化改革领导小组，习近平总书记亲自担任组长。党的十九大后进行新一轮党和国家机构改革期间，又将中央全面深化改革领导小组改为中央全面深化改革委员会，习近平总书记亲自担任主任。从党的十八大到十九大，中央全面深化改革领导小组召开了38次会议，每次习近平总书记都出席并发表重要讲话，引领全面深化改革砥砺前行。党的十九大后，召开中央全面深化改革领导小组会议2次，召开中央全面深化改革委员会会议27次。党的二十大召开后，中央全面深化改革委员会召开了3次会议。专门负责全面深化改革的中央决策议事协调机构迄今召开了70次会议，通过3000多项重大方案，有力指导

① 《中共中央关于认真学习宣传贯彻党的二十大精神的决定》（2022年10月29日），《人民日报》2022年10月31日。

了新时代改革开放事业。同时，习近平总书记还多次对全面深化改革作出重要指示批示，在国内外调研考察时也经常对改革开放给予引领推动，确保全面深化改革沿着正确的方向前进。比如，党的十八大后，习近平总书记4次去广东调研考察都高举改革开放的旗帜，向全国发出思想再解放、改革再出发的有力号召。

三是坚持人民至上。党的根基在人民、血脉在人民、力量在人民，人民是党执政兴国、执政强国的最大底气。中国共产党领导的全面深化改革，牢牢坚持以人民为中心的发展思想，目的就是为人民谋幸福。我们通过改革开放不断解放和发展生产力，不断破解各种体制机制弊端，不仅做大蛋糕还力求分好蛋糕，从而不断提升人民生活品质，不断增强人们的幸福感、获得感、安全感、满足感。10多年来，中国在幼有所育、学有所教、劳有所得、病有所医、老有所养、住有所居、弱有所扶上持续用力，人民生活全方位改善，人均健康预期寿命不断提高，建成了世界上最大的教育体系、社会保障体系、医疗卫生体系。尤其是，我们坚持精准扶贫、尽锐出战，打赢了人类历史上规模最大的脱贫攻坚战，全国832个贫困县全部摘帽，近1亿农村贫困人口实现脱贫，960多万贫困人口实现易地搬迁，历史性地解决了绝对贫困问题，为全球减贫事业作出了历史性贡献。

四是坚持系统观念。全面深化改革是一个涉及经济社会发展各领域的复杂系统工程，需要统筹谋划各个方面、各个层次、各个要素，注重推动各项改革相互促进、良性互动、协同配合。习近平总书记在领导全面深化改革过程中，反复强调注重系统性、整体性、协同性是全面深化改革的内在要求。这是因为，进入新时代后，很多改革都是牵一发而动全身的，剩下的都是难啃的硬骨头，改革开放来到新的重大关头。在推进改革开放的过程中，必须善于通过历史看现实、透过现象看本质，把握好全局和局部、当前和长远、宏观和微观、主要矛盾和次要矛盾、特殊和一般的关系。这些年来，我们之所以能够把进入攻坚期和深水区的改革不断向前推进，就是因为我们不断提高战略思维、历史思维、辩证思维、系统思维、创新思维、法治思维、底线思维能力，站在全局和大局的角度谋划和推动全面深化改革。

五是坚持问题导向。“中国共产党人干革命、搞建设、抓改革，从来都是为了解决中国的现实问题”[①]。进入新时代，我们全面深化改革，就是要破除束缚人们的陈旧观念、破除妨碍科学发展的体制机制弊端，不断完善中国特色社会主义制度，不断推进国家治理体系和治理能力现代化。我们10年内连续进行两轮党和国家机构改革，一个主要目标是构建系统完备、科学规范、运行高效的党和国家机构职能体系，使其在全面深化改革中更好发挥作用。2018年3月，中央党校和国家行政学院合并成立新的中共中央党校（国家行政学院）。这使得干部教育培训资源布局更加优化，不仅有利于加强干部的理论教育和党性教育，还能在加强干部的履职能力和知识培训方面积聚更多力量。党的二十大后，决定成立国家数据局，既是为了顺应数字时代的浪潮，也是为了适应信息化时代对管理的新要求。

六是坚持目标导向。目标就是努力方向，蕴含着人们的追求和向往。在总结过去改革开放的历史经验基础上，党的十八届三中全会提出全面深化改革总目标即“完善和发展中国特色社会主义制度，推进国家治理体系和治理能力现代化”，并以此为牵引带动全面深化改革。党的十八届三中全会所有的战略部署、党的十九大作出分两个阶段的战略安排和党的二十大提出的强国战略“两步走”等都体现了目标导向。关于全面深化改革10年来的成就，党的二十大报告指出，“中国特色社会主义制度更加成熟更加定型，国家治理体系和治理能力现代化水平明显提高”[②]。这就是从总目标完成程度的角度进行的权威概括。

七是坚持顶层设计和摸着石头过河相结合。党的十八大以来，党中央

① 习近平：《习近平著作选读》第一卷，人民出版社2023年版，第161页。

② 习近平：《高举中国特色社会主义伟大旗帜 为全面建设社会主义现代化国家而团结奋斗——在中国共产党第二十次全国代表大会上的报告》（2022年10月16日），人民出版社2022年版，第9页。

领导全面深化改革的一个鲜明特点是注重顶层设计，同时又坚持摸着石头过河。习近平总书记指出，加强顶层设计和摸着石头过河相结合是有中国特色、符合中国国情的改革方法。摸着石头过河就是摸规律。新时代，我们对必须取得突破但一时还不那么有把握的改革，都是进行试点探索、投石问路，看得很准了再推开。比如自由贸易试验区，就是从上海开始，然后拓展到全国。再比如司法体制改革中的检察官员额制。2014 年 6 月，检察官员额制率先在吉林、上海、湖北、广东、海南、青海等六省市试点开展。2015 年 10 月，在充分总结试点经验基础上，中央组织部、中央政法委、最高人民法院、最高人民检察院联合印发试点方案，检察官员额制在省以下检察院全面施行。2017 年 7 月，最高检遴选产生首批 228 名员额检察官，检察官员额制改革在四级检察机关全面落地落实。2019 年 4 月，新修订的检察官法以立法形式确定检察官实行员额制管理，员额制逐步完善。但随着改革不断推进，必须加强顶层设计和总体规划，提高改革决策科学性，增强改革措施协调性。党的十八届三中全会、党的十九届四中全会等作出的决定，就是顶层设计和总体规划。摸着石头过河和加强顶层设计是辩证统一的，推进局部的阶段性改革要在加强顶层设计的前提下进行，加强顶层设计要在推进局部的阶段性改革的基础上来谋划。我们坚持把二者结合起来，灵活运用，才不断把改革开放逐渐推向深入。

中国特色社会主义新时代，是中国特色社会主义事业迅速发展的阶段，也是中国全面深化改革取得历史性成就的阶段。如果说，遵义会议实现了党的历史的伟大转折，那么党的十八大后也实现了党的历史的伟大转折，标志性成果就是诞生了党的领袖、全党和党中央的核心。经过遵义会议，毛泽东同志成为全党的核心；经过党的十八大，习近平总书记成为全党的核心。如果说，党的十一届三中全会具有划时代意义，那么党的十八届三中全会同样具有划时代意义，前者开启了中国改革开放和社会主义现代化建设新时期，后者则在中国特色社会主义进入新时代的重大历史关头开创了全面深化改革新境界。之所以党的十一届三中全会能够实现伟大历史转折，是因为有邓小平这位具有雄才大略的党的领袖；之所以党的十八届三中全会能够延续党的十八大实现的伟大历史转折，是因为有习近平这位具有巨大政治智慧的党的领袖。正是在习近平总书记的坚强领导下，新时代的全面深化改革才大刀阔斧、势如破竹，新时代的中国特色社会主义才有了不竭动力、生机勃勃，党和国家事业才取得彪炳史册的历史性胜利。因此，在全面建设社会主义现代化国家新征程上，我们只要坚定拥护“两个确立”、增强“四个意识”、坚定“四个自信”、坚决做到“两个维护”，把全面深化改革进行到底，就一定能够实现强国建设、民族复兴的宏伟目标。

附　录

一、十八届中央全面深化改革领导小组会议

1. 中央全面深化改革领导小组第一次会议

2014年1月22日，中共中央总书记、国家主席、中央军委主席、中央全面深化改革领导小组组长习近平主持召开中央全面深化改革领导小组第一次会议并发表重要讲话。他强调，全面深化改革，我们具备有利条件，具备实践基础，具备理论准备，也具备良好氛围，要把握大局、审时度势、统筹兼顾、科学实施，充分调动各方面积极性，坚定不移朝着全面深化改革目标前进。中共中央政治局常委、中央全面深化改革领导小组副组长李克强、刘云山、张高丽出席会议。会议审议通过了《中央全面深化改革领导小组工作规则》《中央全面深化改革领导小组专项小组工作规则》《中央全面深化改革领导小组办公室工作细则》；审议通过了中央全面深化改革领导小组下设经济体制和生态文明体制改革、民主法制领域改革、文化体制改革、社会体制改革、党的建设制度改革、纪律检查体制改革6个专项小组名单；审议通过了《中央有关部门贯彻落实党的十八届三中全会〈决定〉重要举措分工方案》；听取了各地区各部门贯彻落实党的十八届三中全会精神进展情况，研究了领导小组近期工作。

2. 中央全面深化改革领导小组第二次会议

2014年2月28日，中共中央总书记、国家主席、中央军委主席、中央全面深化改革领导小组组长习近平主持召开中央全面深化改革领导小组第二次会议并发表重要讲话。他强调，全面完成党的十八届三中全会确定的改革任务还有7年时间。起跑决定后程。今年工作抓得怎么样，对起好步、开好局意义重大。要把抓落实作为推进改革工作的重点，真抓实干，蹄疾步稳，务求实效。中共中央政治局常委、中央全面深化改革领导小组副组长李克强、刘云山、张高丽出席会议。会议审议通过了《中央全面深化改

革领导小组2014年工作要点》，审议通过了《关于十八届三中全会〈决定〉提出的立法工作方面要求和任务的研究意见》《关于经济体制和生态文明体制改革专项小组重大改革的汇报》《深化文化体制改革实施方案》《关于深化司法体制和社会体制改革的意见及贯彻实施分工方案》，听取了关于中央全面深化改革领导小组第一次会议以来各地区各部门改革工作进展情况汇报，部署了当前和今后一个时期工作。

3. 中央全面深化改革领导小组第三次会议

2014年6月6日，中共中央总书记、国家主席、中央军委主席、中央全面深化改革领导小组组长习近平主持召开中央全面深化改革领导小组第三次会议并发表重要讲话。他强调，改革要坚持从具体问题抓起，着力提高改革的针对性和实效性，着眼于解决发展中存在的突出矛盾和问题，把有利于稳增长、调结构、防风险、惠民生的改革举措往前排，聚焦、聚神、聚力抓落实，做到紧之又紧、细之又细、实之又实。中共中央政治局常委、中央全面深化改革领导小组副组长李克强、刘云山、张高丽出席会议。会议审议了《深化财税体制改革总体方案》和《关于进一步推进户籍制度改革的意见》，建议根据会议讨论情况进一步修改完善后按程序报批实施。会议审议通过了《关于司法体制改革试点若干问题的框架意见》《上海市司法改革试点工作方案》《关于设立知识产权法院的方案》。会议还部署了当前和今后一个时期工作。

4. 中央全面深化改革领导小组第四次会议

2014年8月18日，中共中央总书记、国家主席、中央军委主席、中央全面深化改革领导小组组长习近平主持召开中央全面深化改革领导小组第四次会议并发表重要讲话。他强调，今年是党的十八届三中全会提出全面深化改革的元年，要真枪真刀推进改革，为今后几年改革开好头。各地区各部门要狠抓工作落实，实施方案要抓到位，实施行动要抓到位，督促检查要抓到位，改革成果要抓到位，宣传引导要抓到位，让人民群众感受到实实在在的改革成效，引导广大干部群众共同为改革想招、一起为改革发力。中共中央政治局常委、中央全面深化改革领导小组副组长李克强、刘云山、张高丽出席会议。会议审议了《中央管理企业主要负责人薪酬制度改革方案》《关于合理确定并严格规范中央企业负责人履职待遇、业务支出的意见》《关于深化考试招生制度改革的实施意见》，建议根据会议讨论情况进一步修改完善后按程序报批实施。会议审议通过了《关于推动传统媒体和新兴媒体融合发展的指导意见》《党的十八届三中全会重要改革举措实施规划（2014—2020 年）》《关于上半年全面深化改革工作进展情况的报告》。会议还总结了改革工作，分析了改革形势，部署了下一阶段工作。

5. 中央全面深化改革领导小组第五次会议

2014 年 9 月 29 日，中共中央总书记、国家主席、中央军委主席、中央全面深化改革领导小组组长习近平主持召开中央全面深化改革领导小组第五次会议并发表重要讲话。他强调，要高度重视改革方案的制定和落实工作，做实做细调查研究、征求意见、评估把关等关键环节，严把改革方案质量关，严把改革督察关，确保改革改有所进、改有所成。中共中央政治局常委、中央全面深化改革领导小组副组长李克强、张高丽出席会议。会议审议了《关于引导农村土地承包经营权有序流转发展农业适度规模经营的意见》《积极发展农民股份合作赋予集体资产股份权能改革试点方案》《关于深化中央财政科技计划（专项、基金等）管理改革的方案》，建议根据会议讨论情况进一步修改完善后按程序报批实施。

6. 中央全面深化改革领导小组第六次会议

2014 年 10 月 27 日，中共中央总书记、国家主席、中央军委主席、中央全面深化改革领导小组组长习近平主持召开中央全面深化改革领导小组第六次会议并发表重要讲话。他强调，党的十八届四中全会通过了全面推进依法治国的决定，与党的十八届三中全会通过的全面深化改革的决定形成了姊妹篇。全面深化改革需要法治保障，全面推进依法治国也需要深化改革。学习贯彻党的十八届四中全会精神是当前和今后一个时期全党全国的重大政治任务，各地区各部门务必抓紧抓好，切实提高运用法治思维和法治方式推进改革的能力和水平。中共中央政治局常委、中央全面深化改革领导小组副组长李克强、刘云山出席会议。会议审议了《关于加强社会主义协商民主建设的意见》《关于中国（上海）自由贸易试验区工作进展和可复制改革试点经验的推广意见》《关于加强中国特色新型智库建设的意见》，审议通过了《关于国家重大科研基础设施和大型科研仪器向社会开放的意见》，建议根据会议讨论情况进一步修改完善后按程序报批实施。

7. 中央全面深化改革领导小组第七次会议

2014 年 12 月 2 日，中共中央总书记、国家主席、中央军委主席、中央全面深化改革领导小组组长习近平主持召开中央全面深化改革领导小组第七次会议并发表重要讲话。他强调，改革开放在认识和实践上的每一次突破和发展，无不来自人民群众的实践和智慧。要鼓励地方、基层、群众解放思想、积极探索，鼓励不同区域进行差别化试点，善于从群众关注的焦点、百姓生活的难点中寻找改革切入点，推动顶层设计和基层探索良性互动、有机结合。中共中央政治局常委、中央全面深化改革领导小组副组长李克强、刘云山、张高丽出席会议。会议审议了《关于农村土地征收、集体经营性建设用地入市、宅基地制度改革试点工作的意见》《关于加快构建现代公共文化服务体系的意见》《关于县以下机关建立公务员职务与职级并行制度的意见》《关于加强中央纪委派驻机构建设的意见》，审议通过了《最高人民法院设立巡回法庭试点方案》《设立跨行政区划人民法院、人民检察院试点方案》，建议根据会议讨论情况进一步修改完善后按程序报批实施。

8. 中央全面深化改革领导小组第八次会议

2014 年 12 月 30 日，中共中央总书记、国家主席、中央军委主席、中央全面深化改革领导小组组长习近平主持召开中央全面深化改革领导小组第八次会议并发表重要讲话。他强调，今年是全面深化改革的开局之年，改革形成了上下联动、主动作为、蹄疾步稳、狠抓落实的好局面，呈现出全面播种、次第开花的生动景象，在一些重要领域和关键环节取得重大进展和积极成效，有力促进了稳增长、调结构、惠民生、防风险等方面的工作。明年是全面深化改革的关键之年，气可鼓而不可泄，要巩固改革良好势头，再接再厉、趁热打铁、乘势而上，推动全面深化改革不断取得新成效。中共中央政治局常委、中央全面深化改革领导小组副组长李克强、刘云山、张高丽出席会议。会议审议通过了《关于2014年全面深化改革工作的总结报告》《中央全面深化改革领导小组2015年工作要点》《贯彻实施党的十八届四中全会决定重要举措2015年工作要点》。

9. 中央全面深化改革领导小组第九次会议

2015年1月30日，中共中央总书记、国家主席、中央军委主席、中央全面深化改革领导小组组长习近平主持召开中央全面深化改革领导小组第九次会议并发表重要讲话。他强调，落实今年改革任务的责任重、要求高，各地区各部门要明确任务，落实责任，及早部署，精心组织，提高改革方案质量，加大改革落实力度，深入开展改革督察，努力使各项改革举措落地生根，确保各项改革取得预期成效、真正解决问题。中共中央政治局常委、中央全面深化改革领导小组副组长李克强、刘云山、张高丽出席会议。会议审议通过了《关于贯彻落实党的十八届四中全会决定进一步深化司法体制和社会体制改革的实施方案》《省（自治区、直辖市）纪委书记、副书记提名考察办法（试行）》《中央纪委派驻纪检组组长、副组长提名考察办法（试行）》《中管企业纪委书记、副书记提名考察办法（试行）》。

10. 中央全面深化改革领导小组第十次会议

2015年2月27日，中共中央总书记、国家主席、中央军委主席、中央全面深化改革领导小组组长习近平主持召开中央全面深化改革领导小组第十次会议并发表重要讲话。他强调，要科学统筹各项改革任务，协调抓好党的十八届三中、四中全会改革举措，在法治下推进改革、在改革中完善法治，突出重点，对准焦距，找准穴位，击中要害，推出一批能叫得响、立得住、群众认可的硬招实招，处理好改革“最先一公里”和“最后一公里”的关系，突破“中梗阻”，防止不作为，把改革方案的含金量充分展示出来，让人民群众有更多获得感。中共中央政治局常委、中央全面深化改革领导小组副组长李克强、刘云山、张高丽出席会议。会议审议通过了《中国足球改革总体方案》《关于领导干部干预司法活动、插手具体案件处理的记录、通报和责任追究规定》《深化人民监督员制度改革方案》《上海市开展进一步规范领导干部配偶、子女及其配偶经商办企业管理工作的意见》。

11. 中央全面深化改革领导小组第十一次会议

2015 年 4 月 1 日，中共中央总书记、国家主席、中央军委主席、中央全面深化改革领导小组组长习近平主持召开中央全面深化改革领导小组第十一次会议并发表重要讲话。他强调，必须从贯彻落实“四个全面”战略布局的高度，深刻把握全面深化改革的关键地位和重要作用，拿出勇气和魄力，自觉运用改革思维谋划和推动工作，不断提高领导、谋划、推动、落实改革的能力和水平，切实做到人民有所呼、改革有所应。中共中央政治局常委、中央全面深化改革领导小组副组长李克强、刘云山、张高丽出席会议。会议审议通过了《乡村教师支持计划（2015—2020 年）》《关于城市公立医院综合改革试点的指导意见》《人民陪审员制度改革试点方案》《关于人民法院推行立案登记制改革的意见》《党的十八届四中全会重要举措实施规划（2015—2020 年）》。

12. 中央全面深化改革领导小组第十二次会议

2015 年 5 月 5 日，中共中央总书记、国家主席、中央军委主席、中央全面深化改革领导小组组长习近平主持召开中央全面深化改革领导小组第十二次会议并发表重要讲话。他强调，要教育引导各级领导干部自觉用“四个全面”战略布局统一思想，正确把握改革大局，从改革大局出发看待利益关系调整，只要对全局改革有利、对党和国家事业发展有利、对本系统本领域形成完善的体制机制有利，都要自觉服从改革大局、服务改革大局，勇于自我革命，敢于直面问题，共同把全面深化改革这篇大文章做好。中共中央政治局常委、中央全面深化改革领导小组副组长李克强、刘云山、张高丽出席会议。会议审议通过了《关于在部分区域系统推进全面创新改革试验的总体方案》《检察机关提起公益诉讼改革试点方案》《关于完善法律援助制度的意见》《深化科技体制改革实施方案》《中国科协所属学会有序承接政府转移职能扩大试点工作实施方案》。

13. 中央全面深化改革领导小组第十三次会议

2015 年 6 月 5 日，中共中央总书记、国家主席、中央军委主席、中央全面深化改革领导小组组长习近平主持召开中央全面深化改革领导小组第十三次会议并发表重要讲话。他强调，试点是改革的重要任务，更是改革的重要方法。试点能否迈开步子、蹚出路子，直接关系改革成效。要牢固树立改革全局观，顶层设计要立足全局，基层探索要观照全局，大胆探索，积极作为，发挥好试点对全局性改革的示范、突破、带动作用。中共中央政治局常委、中央全面深化改革领导小组副组长李克强、刘云山、张高丽出席会议。会议审议通过了《关于在深化国有企业改革中坚持党的领导加强党的建设的若干意见》《关于加强和改进企业国有资产监督防止国有资产流失的意见》《关于完善国家统一法律职业资格制度的意见》《关于招录人民法院法官助理、人民检察院检察官助理的意见》《关于进一步规范司法人员与当事人、律师、特殊关系人、中介组织接触交往行为的若干规定》。

14. 中央全面深化改革领导小组第十四次会议

2015 年 7 月 1 日，中共中央总书记、国家主席、中央军委主席、中央全面深化改革领导小组组长习近平主持召开中央全面深化改革领导小组第十四次会议并发表重要讲话。他强调，领导干部是否做到严以修身、严以用权、严以律己，谋事要实、创业要实、做人要实，全面深化改革是一个重要检验。要把“三严三实”要求贯穿改革全过程，引导广大党员、干部特别是领导干部大力弘扬实事求是、求真务实精神，理解改革要实，谋划改革要实，落实改革也要实，既当改革的促进派，又当改革的实干家。中共中央政治局常委、中央全面深化改革领导小组副组长刘云山、张高丽出席会议。会议审议通过了《环境保护督察方案（试行）》《生态环境监测网络建设方案》《关于开展领导干部自然资源资产离任审计的试点方案》《党政领导干部生态环境损害责任追究办法（试行）》《关于推动国有文化企业把社会效益放在首位、实现社会效益和经济效益相统一的指导意见》。

15. 中央全面深化改革领导小组第十五次会议

2015 年 8 月 18 日，中共中央总书记、国家主席、中央军委主席、中央全面深化改革领导小组组长习近平主持召开中央全面深化改革领导小组第十五次会议并发表重要讲话。他强调，今年以来，在去年全面深化改革开局良好的基础上，各方面改革继续呈现蹄疾步稳、纵深推进的良好态势，在一些重要领域和关键环节取得新突破。各级党委和政府要增强改革定力、保持改革韧劲，加强思想引导，注重研究改革遇到的新情况新问题，锲而不舍、坚韧不拔，提高改革精确发力和精准落地能力，扎扎实实把改革举措落到实处。中共中央政治局常委、中央全面深化改革领导小组副组长李克强、刘云山、张高丽出席会议。会议审议通过了《关于改进审计查出突出问题整改情况向全国人大常委会报告机制的意见》《关于完善人民法院司法责任制的若干意见》《关于完善人民检察院司法责任制的若干意见》《统筹推进世界一流大学和一流学科建设总体方案》《全面改善贫困地区义务教育薄弱学校基本办学条件工作专项督导办法》《关于建立居民身份证异地受理挂失申报和丢失招领制度的意见》。

16. 中央全面深化改革领导小组第十六次会议

2015 年 9 月 15 日，中共中央总书记、国家主席、中央军委主席、中央全面深化改革领导小组组长习近平主持召开中央全面深化改革领导小组第十六次会议并发表重要讲话。他强调，以开放促改革、促发展，是我国改革发展的成功实践。改革和开放相辅相成、相互促进，改革必然要求开放，开放也必然要求改革。要坚定不移实施对外开放的基本国策、实行更加积极主动的开放战略，坚定不移提高开放型经济水平，坚定不移引进外资和外来技术，坚定不移完善对外开放体制机制，以扩大开放促进深化改革，以深化改革促进扩大开放，为经济发展注入新动力、增添新活力、拓展新空间。中共中央政治局常委、中央全面深化改革领导小组副组长李克强、刘云山、张高丽出席会议。会议审议通过了《关于实行市场准入负面清单制度的意见》《关于支持沿边重点地区开发开放若干政策措施的意见》《关于推进价格机制改革的若干意见》《关于鼓励和规范国有企业投资项目引入非国有资本的指导意见》《关于深化律师制度改革的意见》《法官、检察官单独职务序列改革试点方案》《法官、检察官工资制度改革试点方案》《关于加强外国人永久居留服务管理的意见》。

17. 中央全面深化改革领导小组第十七次会议

2015 年 10 月 13 日，中共中央总书记、国家主席、中央军委主席、中央全面深化改革领导小组组长习近平主持召开中央全面深化改革领导小组第十七次会议并发表重要讲话。他强调，中央通过的改革方案落地生根，必须鼓励和允许不同地方进行差别化探索。全面深化改革任务越重，越要重视基层探索实践。要把鼓励基层改革创新、大胆探索作为抓改革落地的重要方法，坚持问题导向，着力解决好改革方案同实际相结合的问题、利益调整中的阻力问题、推动改革落实的责任担当问题，把改革落准落细落实，使改革更加精准地对接发展所需、基层所盼、民心所向，更好造福群众。中共中央政治局常委、中央全面深化改革领导小组副组长李克强、刘云山出席会议。会议审议通过了《关于加强和改进行政应诉工作的意见》《深化国税、地税征管体制改革方案》《关于进一步推进农垦改革发展的意见》《关于国有企业功能界定与分类的指导意见》《关于完善矛盾纠纷多元化解机制的意见》。

18. 中央全面深化改革领导小组第十八次会议

2015年11月9日，中共中央总书记、国家主席、中央军委主席、中央全面深化改革领导小组组长习近平主持召开中央全面深化改革领导小组第十八次会议并发表重要讲话。他强调，党的十八届五中全会通过的《中共中央关于制定国民经济和社会发展第十三个五年规划的建议》，是指导我国改革发展的纲领性文件。我国发展走到今天，发展和改革高度融合，发展前进一步就需要改革前进一步，改革不断前进也能为发展提供强劲动力。在全面贯彻党的十八届五中全会精神过程中，要发挥改革的突破性和先导性作用，增强改革创新精神，提高改革行动能力，着力推进国家治理体系和治理能力现代化，着力推进各方面制度更加成熟更加定型，依靠改革为科学发展提供持续动力。中共中央政治局常委、中央全面深化改革领导小组副组长李克强、刘云山、张高丽出席会议。会议审议通过了《全国总工会改革试点方案》《上海市群团改革试点方案》《重庆市群团改革试点方案》《关于加快实施自由贸易区战略的若干意见》《关于促进加工贸易创新发展的若干意见》《推进普惠金融发展规划（2016—2020年）》《关于深入推进城市执法体制改革改进城市管理工作的指导意见》《国家高端智库建设试点工作方案》。

19. 中央全面深化改革领导小组第十九次会议

2015年12月9日，中共中央总书记、国家主席、中央军委主席、中央全面深化改革领导小组组长习近平主持召开中央全面深化改革领导小组第十九次会议并发表重要讲话。他强调，今年以来，在党中央领导下，各地区各部门全面贯彻落实党的十八届三中、四中、五中全会精神，推动出台了一大批有力度、有分量的改革成果，改革呈现全面发力、多点突破、蹄疾步稳、纵深推进的良好态势。明年是“十三五”开局之年，各项改革任务、制度建设要向全面建成小康社会这个目标聚焦、向构建发展新体制聚焦，扭住关键，精准发力，严明责任，狠抓落实，确保各项改革取得预期成效。中共中央政治局常委、中央全面深化改革领导小组副组长李克强、刘云山、张高丽出席会议。会议审议通过了《国务院部门权力和责任清单编制试点方案》《关于做好新时期教育对外开放工作的若干意见》《关于整合城乡居民基本医疗保险制度的意见》《关于解决无户口人员登记户口问题的意见》《中国三江源国家公园体制试点方案》《关于在全国各地推开司法体制改革试点的请示》《公安机关执法勤务警员职务序列改革试点方案》《公安机关警务技术职务序列改革试点方案》《中央全面深化改革领导小组 2015 年工作总结报告》《中央全面深化改革领导小组 2016 年工作要点》。

20. 中央全面深化改革领导小组第二十次会议

2016 年 1 月 11 日，中共中央总书记、国家主席、中央军委主席、中央全面深化改革领导小组组长习近平主持召开中央全面深化改革领导小组第二十次会议并发表重要讲话。他强调，全面深化改革头三年是夯基垒台、立柱架梁的三年，今年要力争把改革的主体框架搭建起来。要牢牢扭住全面深化改革各项目标，落实主体责任，理清责任链条，拧紧责任螺丝，提高履责效能，打通关节、疏通堵点、激活全盘，努力使各项改革都能落地生根。中共中央政治局常委、中央全面深化改革领导小组副组长李克强、刘云山、张高丽出席会议。会议审议通过了《关于全面推进政务公开工作的意见》《关于完善国家工作人员学法用法制度的意见》《关于保护、奖励职务犯罪举报人的若干规定》《关于开展承担行政职能事业单位改革试点的指导意见》《科协系统深化改革实施方案》《关于健全落实社会治安综合治理领导责任制的规定》《关于规范公安机关警务辅助人员管理工作的意见》。

21. 中央全面深化改革领导小组第二十一次会议

2016 年 2 月 23 日，中共中央总书记、国家主席、中央军委主席、中央全面深化改革领导小组组长习近平主持召开中央全面深化改革领导小组第二十一次会议并发表重要讲话。他强调，各地区各部门要牢固树立全局意识、责任意识，把抓改革作为一项重大政治责任，坚定改革决心和信心，增强推进改革的思想自觉和行动自觉，既当改革促进派，又当改革实干家，以钉钉子精神抓好改革落实，扭住关键、精准发力，敢于啃硬骨头，盯着抓、反复抓，直到抓出成效。中共中央政治局常委、中央全面深化改革领导小组副组长李克强、刘云山、张高丽出席会议。会议听取了经济体制和生态文明体制改革专项小组关于生态文明体制改革总体方案推进落实情况汇报、社会体制改革专项小组关于司法体制改革推进落实情况汇报、党的纪律检查体制改革专项小组关于党的纪律检查体制改革推进落实情况汇报，全国人大常委会法工委关于立法主动适应改革需要推进落实情况汇报、科技部关于深化科技体制改革推进落实情况汇报、公安部关于深化公安改革推进落实情况汇报，上海市关于推进落实中央部署改革试点任务情况汇报、湖北省关于建立和实施改革落实督察机制情况汇报、福建省三明市关于深化医药卫生体制改革情况汇报、浙江省开化县关于“多规合一”试点情况汇报。

22. 中央全面深化改革领导小组第二十二次会议

2016 年 3 月 22 日，中共中央总书记、国家主席、中央军委主席、中央全面深化改革领导小组组长习近平主持召开中央全面深化改革领导小组第二十二次会议并发表重要讲话。他强调，夺取全面建成小康社会决胜阶段的胜利，很关键的一条是通过全面深化改革推动落实新发展理念。要围绕形成有利于落实新发展理念的体制机制，加大改革力度，直面经济发展新常态下面临的矛盾和挑战，对准瓶颈和短板，精准对焦、协同发力，努力在增强创新能力、推动发展平衡、改善生态环境、提高开放水平、促进共享发展上取得新突破。中共中央政治局常委、中央全面深化改革领导小组副组长刘云山、张高丽出席会议。会议审议通过了《关于推行法律顾问制度和公职律师公司律师制度的意见》《关于健全生态保护补偿机制的意见》《关于建立贫困退出机制的意见》《关于加强儿童医疗卫生服务改革与发展的意见》《关于深化投融资体制改革的意见》《关于建立法官检察官逐级遴选制度的意见》《关于从律师和法学专家中公开选拔立法工作者、法官、检察官的意见》《关于加强和规范改革试点工作的意见》。

23. 中央全面深化改革领导小组第二十三次会议

2016 年 4 月 18 日，中共中央总书记、国家主席、中央军委主席、中央全面深化改革领导小组组长习近平主持召开中央全面深化改革领导小组第二十三次会议并发表重要讲话。他强调，改革既要往有利于增添发展新动力方向前进，也要往有利于维护社会公平正义方向前进，注重从体制机制创新上推进供给侧结构性改革，着力解决制约经济社会发展的体制机制问题；把以人民为中心的发展思想体现在经济社会发展各个环节，做到老百姓关心什么、期盼什么，改革就要抓住什么、推进什么，通过改革给人民群众带来更多获得感。中共中央政治局常委、中央全面深化改革领导小组副组长李克强、刘云山、张高丽出席会议。会议审议通过了《北京市、广东省、重庆市、新疆维吾尔自治区关于进一步规范领导干部配偶、子女及其配偶经商办企业行为的规定（试行）》《关于建立公平竞争审查制度的意见》《专业技术类公务员管理规定（试行）》《行政执法类公务员管理规定（试行）》《关于推进家庭医生签约服务的指导意见》《关于建立完善守信联合激励和失信联合惩戒制度加快推进社会诚信建设的指导意见》《关于加强民办学校党的建设工作的意见（试行）》《民办学校分类登记实施细则》《营利性民办学校监督管理实施细则》《保护司法人员依法履行法定职责的规定》《宁夏回族自治区空间规划（多规合一）试点方案》《党的十八届五中全会有关改革举措实施规划（2016—2020 年）》。

24. 中央全面深化改革领导小组第二十四次会议

2016 年 5 月 20 日，中共中央总书记、国家主席、中央军委主席、中央全面深化改革领导小组组长习近平主持召开中央全面深化改革领导小组第二十四次会议并发表重要讲话。他强调，供给侧结构性改革本质是一场改革，要用改革的办法推进结构调整，为提高供给质量激发内生动力、营造外部环境。各地区各部门要把依靠全面深化改革推进供给侧结构性改革摆上重要位置，坚定改革信心，突出问题导向，加强分类指导，注重精准施策，提高改革效应，放大制度优势。中共中央政治局常委、中央全面深化改革领导小组副组长李克强、刘云山、张高丽出席会议。会议审议通过了《关于统筹推进城乡义务教育一体化改革发展的若干意见》《关于深化公安执法规范化建设的意见》《关于支持和发展志愿服务组织的意见》《探索实行耕地轮作休耕制度试点方案》《关于发展涉外法律服务业的意见》《各地区以改革举措落实供给侧结构性改革情况》。

25. 中央全面深化改革领导小组第二十五次会议

2016 年 6 月 27 日，中共中央总书记、国家主席、中央军委主席、中央全面深化改革领导小组组长习近平主持召开中央全面深化改革领导小组第二十五次会议并发表重要讲话。他强调，地方是推进改革的重要力量。各级党委要坚决贯彻落实党中央改革部署，牢固树立政治意识、大局意识、核心意识、看齐意识，增强改革定力，聚集改革资源，激发创新活力，抓实目标任务、精准落地、探索创新、跟踪问效、机制保障，更加富有成效地抓好改革工作。中共中央政治局常委、中央全面深化改革领导小组副组长刘云山、张高丽出席会议。会议审议通过了《关于完善人大代表联系人民群众制度的实施意见》《关于推进以审判为中心的刑事诉讼制度改革的意见》《关于设立统一规范的国家生态文明试验区的意见》《国家生态文明试验区（福建）实施方案》《关于加快推进失信被执行人信用监督、警示和惩戒机制建设的意见》《关于海南省域“多规合一”改革试点情况的报告》《2015 年各地全面深化改革推进情况和工作建议综合报告》。

26. 中央全面深化改革领导小组第二十六次会议

2016 年 7 月 22 日，中共中央总书记、国家主席、中央军委主席、中央全面深化改革领导小组组长习近平主持召开中央全面深化改革领导小组第二十六次会议并发表重要讲话。他强调，改革是一场革命，必须有坚忍不拔的毅力，以真抓促落实、以实干求实效。各地区各部门要以更大的决心和气力抓好改革督察工作，既要督任务、督进度、督成效，也要察认识、察责任、察作风，确保党中央确定的改革方向不偏离、党中央明确的改革任务不落空，使改革精准对接发展所需、基层所盼、民心所向。中共中央政治局常委、中央全面深化改革领导小组副组长李克强、刘云山、张高丽出席会议。会议审议通过了《贫困地区水电矿产资源开发资产收益扶贫改革试点方案》《关于加强文化领域行业组织建设的指导意见》《关于认罪认罚从宽制度改革试点方案》《关于建立法官、检察官惩戒制度的意见（试行）》《关于省以下环保机构监测监察执法垂直管理制度改革试点工作的指导意见》《关于各地区各部门开展改革督察情况的报告》。

27. 中央全面深化改革领导小组第二十七次会议

2016年8月30日，中共中央总书记、国家主席、中央军委主席、中央全面深化改革领导小组组长习近平主持召开中央全面深化改革领导小组第二十七次会议并发表重要讲话。他强调，当前和今后一个时期，是全面深化改革的施工高峰期，是落实改革任务的攻坚期，抓谋划、抓统筹、抓落实的任务依然艰巨繁重。要按照既定的时间表、路线图，更加注重发挥经济体制改革的牵引作用，更加有针对性解决各领域各层面各环节的矛盾和问题，强化基础支撑，注重系统集成，完善工作机制，严格督察落实，不断提高改革精准化、精细化水平，坚定不移把全面深化改革推向前进。中共中央政治局常委、中央全面深化改革领导小组副组长李克强、刘云山、张高丽出席会议。会议审议通过了《关于构建绿色金融体系的指导意见》《关于完善产权保护制度依法保护产权的意见》《关于创新政府配置资源方式的指导意见》《关于实行以增加知识价值为导向分配政策的若干意见》《关于进一步推广深化医药卫生体制改革经验的若干意见》《脱贫攻坚责任制实施办法》《关于完善农村土地所有权承包权经营权分置办法的意见》《重点生态功能区产业准入负面清单编制实施办法》《生态文明建设目标评价考核办法》《关于在部分省份开展生态环境损害赔偿制度改革试点的报告》《关于从事生产经营活动事业单位改革的指导意见》《关于公共文化设施开展学雷锋志愿服务的实施意见》《关于清理规范改革试点情况的报告》《关于全面深化改革重要举措出台和落实情况的评估报告》。

28. 中央全面深化改革领导小组第二十八次会议

2016年10月11日，中共中央总书记、国家主席、中央军委主席、中央全面深化改革领导小组组长习近平主持召开中央全面深化改革领导小组第二十八次会议并发表重要讲话。他强调，中央和国家机关有关部门是改革的责任主体，是推进改革的重要力量。各部门要坚决贯彻落实党中央决策部署，坚持以解放思想、解放和发展社会生产力、解放和增强社会活力为基本取向，强化责任担当，以自我革命的精神推进改革，坚决端正思想认识，坚持从改革大局出发，坚定抓好改革落实。中共中央政治局常委、中央全面深化改革领导小组副组长刘云山、张高丽出席会议。会议审议通过了《关于推进防灾减灾救灾体制机制改革的意见》《关于全面推行河长制的意见》《关于深化统计管理体制改革提高统计数据真实性的意见》《关于进一步把社会主义核心价值观融入法治建设的指导意见》《关于全面放开养老服务市场提升养老服务质量的若干意见》《关于推进安全生产领域改革发展的意见》《关于促进移动互联网健康有序发展的意见》《关于深入推进经济发达镇行政管理体制改革的指导意见》《关于进一步健全相关领域实名登记制度的总体方案》《省级空间规划试点方案》。

29. 中央全面深化改革领导小组第二十九次会议

2016年11月1日，中共中央总书记、国家主席、中央军委主席、中央全面深化改革领导小组组长习近平主持召开中央全面深化改革领导小组第二十九次会议并发表重要讲话。他强调，要全面贯彻党的十八届六中全会精神，牢固树立政治意识、大局意识、核心意识、看齐意识，坚定不移抓好各项重大改革举措，既抓重要领域、重要任务、重要试点，又抓关键主体、关键环节、关键节点，以重点带动全局，把各项改革任务落到实处。中共中央政治局常委、中央全面深化改革领导小组副组长李克强、刘云山、张高丽出席会议。会议审议通过了《建立以绿色生态为导向的农业补贴制度改革方案》《关于进一步加强和改进中华文化走出去工作的指导意见》《关于深化职称制度改革的意见》《关于划定并严守生态保护红线的若干意见》

《关于最高人民法院增设巡回法庭的请示》《关于进一步引导和鼓励高校毕业生到基层工作的意见》《关于加强政务诚信建设的指导意见》《关于加强个人诚信体系建设的指导意见》《关于全面加强电子商务领域诚信建设的指导意见》《自然资源统一确权登记办法（试行）》《湿地保护修复制度方案》《海岸线保护与利用管理办法》《关于在深化国有企业改革中坚持党的领导加强党的建设落实情况报告》。

30. 中央全面深化改革领导小组第三十次会议

2016 年 12 月 5 日，中共中央总书记、国家主席、中央军委主席、中央全面深化改革领导小组组长习近平主持召开中央全面深化改革领导小组第三十次会议并发表重要讲话。他强调，总结谋划好改革工作，对做好明年和今后改革工作具有重要意义，要总结经验、完善思路、突出重点，提高改革整体效能，扩大改革受益面，发挥好改革先导性作用，多推有利于增添经济发展动力的改革，多推有利于促进社会公平正义的改革，多推有利于增强人民群众获得感的改革，多推有利于调动广大干部群众积极性的改革。中共中央政治局常委、中央全面深化改革领导小组副组长李克强、刘云山、张高丽出席会议。会议审议通过了《关于深化国有企业和国有资本审计监督的若干意见》《国务院国资委以管资本为主推进职能转变方案》《关于健全国家自然资源资产管理体制试点方案》《关于开展知识产权综合管理改革试点总体方案》《关于加强乡镇政府服务能力建设的意见》《关于制定和实施老年人照顾服务项目的意见》《中央国有资本经营预算支出管理暂行办法》《关于加强耕地保护和改进占补平衡的意见》《大熊猫国家公园体制试点方案》《东北虎豹国家公园体制试点方案》《围填海管控办法》《关于加强“一带一路”软力量建设的指导意见》《关于农村集体资产股份权能改革试点情况的报告》。

31. 中央全面深化改革领导小组第三十一次会议

2016 年 12 月 30 日，中共中央总书记、国家主席、中央军委主席、中

央全面深化改革领导小组组长习近平主持召开中央全面深化改革领导小组第三十一次会议并发表重要讲话。他强调，经过3年多努力，一批具有标志性、关键性的重大改革方案出台实施，一批重要领域和关键环节改革举措取得重大突破，一批重要理论创新、制度创新、实践创新成果正在形成，全面深化改革的主体框架基本确立。2017年是全面深化改革向纵深推进的关键一年，要统筹协调各方面改革工作，增强改革定力，加强改革协同，完善抓落实的工作机制和办法，把责任压实、要求提实、考核抓实，推动改革落地见效。中共中央政治局常委、中央全面深化改革领导小组副组长李克强、刘云山、张高丽出席会议。会议审议通过了《中央全面深化改革领导小组2016年工作总结报告》《中央全面深化改革领导小组2017年工作要点》。

32. 中央全面深化改革领导小组第三十二次会议

2017年2月6日，中共中央总书记、国家主席、中央军委主席、中央全面深化改革领导小组组长习近平主持召开中央全面深化改革领导小组第三十二次会议并发表重要讲话。他强调，党政主要负责同志是抓改革的关键，要把改革放在更加突出位置来抓，不仅亲自抓、带头干，还要勇于挑最重的担子、啃最硬的骨头，做到重要改革亲自部署、重大方案亲自把关、关键环节亲自协调、落实情况亲自督察，扑下身子，狠抓落实。中共中央政治局常委、中央全面深化改革领导小组副组长李克强、刘云山、张高丽出席会议。会议审议通过了《新时期产业工人队伍建设改革方案》《关于加强党对地方外事工作领导体制改革的实施意见》《关于改革驻外机构领导机制、管理体制和监督机制的实施意见》《关于改革对外工作队伍建设的实施意见》《关于改革援外工作的实施意见》《关于社会智库健康发展的若干意见》《国家科技决策咨询制度建设方案》《关于推进公共信息资源开放的若干意见》《按流域设置环境监管和行政执法机构试点方案》《外国人永久居留证件便利化改革方案》《关于深化中央主要新闻单位采编播管岗位人事管理制度改革的试行意见》《关于实行国家机关“谁执法谁普法”普法责任制的意见》；听取了《关于全国总工会改革试点工作总结报告》《上海市委全面深化改革领导小组关于群团改革试点工作总结的报告》《重庆市委全面深化改革领导小组关于群团改革试点工作总结的报告》。

33. 中央全面深化改革领导小组第三十三次会议

2017 年 3 月 24 日，中共中央总书记、国家主席、中央军委主席、中央全面深化改革领导小组组长习近平主持召开中央全面深化改革领导小组第三十三次会议并发表重要讲话。他强调，各级主要负责同志要自觉从全局高度谋划推进改革，做到实事求是、求真务实，善始善终、善作善成，把准方向、敢于担当，亲力亲为、抓实工作。中共中央政治局常委、中央全面深化改革领导小组副组长刘云山出席会议。这次中央全面深化改革领导小组会议，就有关主要负责同志亲力亲为抓改革落实听取了汇报，汇报的人员既有全面深化改革专项小组组长、重大专项改革领导小组组长，也有地区和部门主要负责同志。会上，马凯就抓好国有企业改革调研、孟建柱就司法体制改革推进落实、韩正就抓好上海自由贸易试验区改革试点、尹蔚民就推进有关制度创新、陈吉宁就扎实推进环保领域改革、韩长赋就推进农村改革工作、赵克志就抓好重点改革任务落实、夏宝龙就抓好全省改革工作、尤权就推进医药卫生体制改革、陈敏尔就抓实扶贫改革、许勤就深化科技创新供给侧结构性改革等方面情况作了汇报。会议审议通过了《全面深化中国（上海）自由贸易试验区改革开放方案》《关于深化科技奖励制度改革的方案》。会议审议了农业转移人口市民化、改善贫困地区孩子上学条件、建立居民身份证异地受理挂失申报和丢失招领制度、解决无户口人员登记户口问题、推进家庭医生签约服务、全面推行河长制等民生领域改革落实情况的督察报告。

34. 中央全面深化改革领导小组第三十四次会议

2017 年 4 月 18 日，中共中央总书记、国家主席、中央军委主席、中央全面深化改革领导小组组长习近平主持召开中央全面深化改革领导小组第三十四次会议并发表重要讲话。他强调，督察是抓落实的重要手段。各地区各部门要把抓改革落实摆到重要位置，投入更多精力抓督察问效，加强和改进督察工作，拓展督察工作广度和深度，点面结合，多管齐下，提高发现问题、解决问题的实效。中共中央政治局常委、中央全面深化改革领导小组副组长李克强、刘云山出席会议。会议审议通过了《关于加快构建政策体系、培育新型农业经营主体的意见》《关于进一步激发和保护企业家精神的意见》《关于建立现代医院管理制度的指导意见》《关于改革完善短缺药品供应保障机制的实施意见》《关于办理刑事案件严格排除非法证据若干问题的规定》《关于完善反洗钱、反恐怖融资、反逃税监管体制机制的意见》《对省级人民政府履行教育职责的评价办法》《关于禁止洋垃圾入境推进固体废物进口管理制度改革实施方案》。会议审议了《中央全面深化改革领导小组6个专项小组开展改革督察工作情况的报告》。

35. 中央全面深化改革领导小组第三十五次会议

2017年5月23日，中共中央总书记、国家主席、中央军委主席、中央全面深化改革领导小组组长习近平主持召开中央全面深化改革领导小组第三十五次会议并发表重要讲话。他强调，抓好试点对改革全局意义重大。要认真谋划深入抓好各项改革试点，坚持解放思想、实事求是，鼓励探索、大胆实践，敢想敢干、敢闯敢试，多出可复制可推广的经验做法，带动面上改革。中共中央政治局常委、中央全面深化改革领导小组副组长李克强、刘云山、张高丽出席会议。会议审议通过了《关于深化教育体制机制改革的意见》《外商投资产业指导目录（2017年修订）》《关于规范企业海外经营行为的若干意见》《关于建立资源环境承载能力监测预警长效机制的若干意见》《关于深化环境监测改革提高环境监测数据质量的意见》《个人收入和财产信息系统建设总体方案》《跨地区环保机构试点方案》《海域、无居民海岛有偿使用的意见》《关于检察机关提起公益诉讼试点情况和下一步工作建议的报告》。会议审议了《关于各地区各部门贯彻落实习近平总书记在中央全面深化改革领导小组第三十三次会议上重要讲话精神情况的报告》《关于深化教育领域综合改革情况汇报》《关于科技领域重点改革工作情况汇报》《关于深化医药卫生体制改革进展情况汇报》《关于足球领域重点改革工作情况汇报》。

36. 中央全面深化改革领导小组第三十六次会议

2017 年 6 月 26 日，中共中央总书记、国家主席、中央军委主席、中央全面深化改革领导小组组长习近平主持召开中央全面深化改革领导小组第三十六次会议并发表重要讲话。他强调，注重系统性、整体性、协同性是全面深化改革的内在要求，也是推进改革的重要方法。改革越深入，越要注意协同，既抓改革方案协同，也抓改革落实协同，更抓改革效果协同，促进各项改革举措在政策取向上相互配合、在实施过程中相互促进、在改革成效上相得益彰，朝着全面深化改革总目标聚焦发力。中共中央政治局常委、中央全面深化改革领导小组副组长刘云山出席会议。会议审议通过了《祁连山国家公园体制试点方案》《中央企业公司制改制工作实施方案》《地区生产总值统一核算改革方案》《统计违纪违法责任人处分处理建议办法》《中国国际进口博览会总体方案》《关于改进境外企业和对外投资安全工作的若干意见》《全国和地方资产负债表编制工作方案》《关于设立杭州互联网法院的方案》《领导干部自然资源资产离任审计暂行规定》《国家生态文明试验区（江西）实施方案》《国家生态文明试验区（贵州）实施方案》。会议审议了《国家生态文明试验区（福建）推进建设情况报告》《中国（广东）、中国（天津）和中国（福建）自由贸易试验区建设两年进展情况总结报告》。

37. 中央全面深化改革领导小组第三十七次会议

2017 年 7 月 19 日，中共中央总书记、国家主席、中央军委主席、中央全面深化改革领导小组组长习近平主持召开中央全面深化改革领导小组第三十七次会议并发表重要讲话。他强调，各地区要切实把思想和行动统一到党中央改革决策部署上来，从服务党和国家工作大局出发推动改革，敢于担当、善谋实干、实事求是、锐意进取，扎实推进各项改革落到实处、见到实效。中共中央政治局常委、中央全面深化改革领导小组副组长李克强、刘云山、张高丽出席会议。会议审议通过了《关于创新体制机制推进农业绿色发展的意见》《国家技术转移体系建设方案》《关于深入推进公共文化机构法人治理结构改革的实施方案》《关于加强和改进中外人文交流工作的若干意见》《聘任制公务员管理规定（试行）》《关于完善进出口商品质量安全风险预警和快速反应监管体系切实保护消费者权益的意见》《关于深化审评审批制度改革鼓励药品医疗器械创新的意见》《建立国家公园体制总体方案》《关于健全统一司法鉴定管理体制的实施意见》。会议审议了《党的十八届三中全会以来改革试点工作进展情况报告》《关于社会保障制度改革督察情况报告》。

38. 中央全面深化改革领导小组第三十八次会议

2017 年 8 月 29 日，中共中央总书记、国家主席、中央军委主席、中央全面深化改革领导小组组长习近平主持召开中央全面深化改革领导小组第三十八次会议并发表重要讲话。他强调，改革是我们进行具有新的历史特点的伟大斗争的重要方面。全面深化改革，必须加强党对改革的领导，必须坚持问题导向，必须狠抓改革落实，必须深化对改革规律的认识和运用。要继续高举改革旗帜，站在更高起点谋划和推进改革，坚定改革定力，增强改革勇气，总结运用好党的十八大以来形成的改革新经验，再接再厉，久久为功，坚定不移将改革进行到底。中共中央政治局常委、中央全面深化改革领导小组副组长李克强、刘云山出席会议。会议审议通过了《关于完善主体功能区战略和制度的若干意见》《关于探索建立涉农资金统筹整合长效机制的意见》《生态环境损害赔偿制度改革方案》《关于建立健全村务监督委员会的指导意见》《关于加强法官检察官正规化专业化职业化建设全面落实司法责任制的意见》《关于上海市开展司法体制综合配套改革试点的框架意见》。会议审议了《关于脱贫攻坚责任制实施办法落实情况的督察报告》《宁夏回族自治区关于空间规划（多规合一）试点工作情况的报告》。

二、十九届中央全面深化改革领导小组（中央全面深化改革委员会）会议

1. 中央全面深化改革领导小组第一次会议

2017 年 11 月 20 日，中共中央总书记、国家主席、中央军委主席、中央全面深化改革领导小组组长习近平主持召开十九届中央全面深化改革领导小组第一次会议并发表重要讲话。他强调，过去几年来改革已经大有作为，新征程上改革仍大有可为。各地区各部门学习贯彻党的十九大精神，要注意把握蕴含其中的改革精神、改革部署、改革要求，接力探索，接续奋斗，坚定不移将改革推向前进。李克强、张高丽、汪洋、王沪宁出席会议。会议审议通过了《关于建立国务院向全国人大常委会报告国有资产管理情况的制度的意见》《关于加强贫困村驻村工作队选派管理工作的指导意见》《农村人居环境整治三年行动方案》《关于在湖泊实施湖长制的指导意见》《全面深化新时代教师队伍建设改革的意见》《关于拓展农村宅基地制度改革试点的请示》《关于改革完善全科医生培养与使用激励机制的意见》《中央团校改革方案》《关于立法中涉及的重大利益调整论证咨询的工作规范》《关于争议较大的重要立法事项引入第三方评估的工作规范》《关于加强知识产权审判领域改革创新若干问题的意见》《关于贯彻落实党的十九大精神坚定不移将改革推向深入的工作意见》《中央全面深化改革领导小组工作总结》《中央全面深化改革领导小组工作规则（修订稿）》《中央全面深化改革领导小组专项小组工作规则（修订稿）》《中央全面深化改革领导小组办公室工作细则（修订稿）》。会议审议了《关于加大督察力度狠抓改革落实情况的报告》。

2. 中央全面深化改革领导小组第二次会议

2018 年 1 月 23 日，中共中央总书记、国家主席、中央军委主席、中央全面深化改革领导小组组长习近平主持召开中央全面深化改革领导小组第二次会议并发表重要讲话。他强调，2018 年是贯彻党的十九大精神的开局

之年，也是改革开放40周年，做好改革工作意义重大。要弘扬改革创新精神，推动思想再解放改革再深入工作再抓实，凝聚起全面深化改革的强大力量，在新起点上实现新突破。李克强、张高丽、汪洋、王沪宁出席会议。会议审议通过了《中央有关部门贯彻实施党的十九大〈报告〉重要改革举措分工方案》《中央全面深化改革领导小组2018年工作要点》《中央全面深化改革领导小组2017年工作总结报告》。会议审议通过了《关于推进社会公益事业建设领域政府信息公开的意见》《关于提高技术工人待遇的意见》《关于建立城乡居民基本养老保险待遇确定和基础养老金正常调整机制的指导意见》《积极牵头组织国际大科学计划和大科学工程方案》《关于推进孔子学院改革发展的指导意见》《关于建立"一带一路"争端解决机制和机构的意见》《关于改革完善仿制药供应保障及使用政策的若干意见》《科学数据管理办法》《知识产权对外转让有关工作办法（试行）》《地方党政领导干部安全生产责任制规定》。会议还审议了《浙江省"最多跑一次"改革调研报告》。

3. 中央全面深化改革委员会第一次会议

2018年3月28日，中共中央总书记、国家主席、中央军委主席、中央全面深化改革委员会主任习近平主持召开中央全面深化改革委员会第一次会议并发表重要讲话。他强调，深化党和国家机构改革全面启动，标志着全面深化改革进入了一个新阶段，改革将进一步触及深层次利益格局的调整和制度体系的变革，改革的复杂性、敏感性、艰巨性更加突出，要加强和改善党对全面深化改革统筹领导，紧密结合深化机构改革推动改革工作。中央全面深化改革委员会副主任李克强、王沪宁、韩正出席会议。会议审议通过了《中央全面深化改革委员会工作规则》《中央全面深化改革委员会专项小组工作规则》《中央全面深化改革委员会办公室工作细则》。会议审议了《关于深化纪检监察体制改革和中央纪委国家监委机构改革情况的报告》《关于第一轮中央环境保护督察总结和下一步工作考虑的报告》。会议审议通过了《关于深入推进审批服务便民化的指导意见》《关于设立上海金融法院的方案》《关于形成参与国际宏观经济政策协调的机制推动国际经济治理结构完善的意见》《进一步深化中国（广东）自由贸易试验区改革开放方案》《进一步深化中国（天津）自由贸易试验区改革开放方案》《进一步深化中国（福建）自由贸易试验区改革开放方案》《关于规范金融机构资产管理业务的指导意见》《关于加强非金融企业投资金融机构监管的指导意见》《关于改革国有企业工资决定机制的意见》《公安机关执法勤务警员职务序列改革方案（试行）》《公安机关警务技术职务序列改革方案（试行）》《关于深化项目评审、人才评价、机构评估改革的若干意见》《关于进一步加强科研诚信建设的若干意见》《关于加强公立医院党的建设工作的意见》《关于加强人民调解员队伍建设的意见》。

4. 中央全面深化改革委员会第二次会议

2018 年 5 月 11 日，中共中央总书记、国家主席、中央军委主席、中央全面深化改革委员会主任习近平主持召开中央全面深化改革委员会第二次会议并发表重要讲话。他强调，党的十九届三中全会以来，中央和国家机关机构改革取得重大进展，要注意边实践、边总结，把好经验运用好，周密组织地方机构改革，使中央和地方机构改革在工作部署、组织实施上有机衔接、有序推进，确保深化党和国家机构改革取得全面胜利。中央全面深化改革委员会副主任王沪宁、韩正出席会议。会议审议通过了《关于地方机构改革有关问题的指导意见》《关于加强国有企业资产负债约束的指导意见》《推进中央党政机关和事业单位经营性国有资产集中统一监管试点实施意见》《高等学校所属企业体制改革的指导意见》《企业职工基本养老保险基金中央调剂制度方案》《中央企业领导人员管理规定》《关于加强和改进生活无着的流浪乞讨人员救助管理工作的意见》《关于改革完善医疗卫生行业综合监管制度的指导意见》《关于党的十八大以来有关改革任务分工调整的请示》《党的十九大报告重要改革举措实施规划（2018—2022 年）》。会议审议了《深化党和国家机构改革进展情况报告》。

5. 中央全面深化改革委员会第三次会议

2018 年 7 月 6 日，中共中央总书记、国家主席、中央军委主席、中央全面深化改革委员会主任习近平主持召开中央全面深化改革委员会第三次会议并发表重要讲话。他强调，党的十九大以来，党中央在深化党的十八大以来改革成果的基础上，不失时机推进重大全局性改革，全面深化改革取得新的重大进展。继续推进改革，要把更多精力聚焦到重点难点问题上来，集中力量打攻坚战，激发制度活力，激活基层经验，激励干部作为，扎扎实实把全面深化改革推向深入。中共中央政治局常委、中央全面深化改革委员会副主任王沪宁、韩正出席会议。会议审议通过了《关于支持河北雄安新区全面深化改革和扩大开放的指导意见》《关于建设新时代文明实践中心试点工作的指导意见》《关于规范校外培训机构发展的意见》《关于学前教育深化改革规范发展的若干意见》《关于全面实施预算绩效管理的意见》《关于完善促进消费体制机制进一步激发居民消费潜力的若干意见》《完善促进消费体制机制实施方案（2018—2020 年）》《关于建立健全基本公共服务标准体系的指导意见》《关于加强文物保护利用改革的若干意见》《关于推进政府购买服务第三方绩效评价工作的指导意见》《防范和惩治统计造假弄虚作假督察工作规定》《关于浙江等地深化“最多跑一次”改革需要中央层面解决的事项清单及工作建议》《关于开展县以下事业单位管理岗位职员等级晋升制度试点工作的实施意见》《关于推进军民融合深度发展若干财政政策的意见》《关于增设北京互联网法院、广州互联网法院的方案》《关于设立最高人民检察院公益诉讼检察厅的方案》。

6. 中央全面深化改革委员会第四次会议

2018 年 9 月 20 日，中共中央总书记、国家主席、中央军委主席、中央全面深化改革委员会主任习近平主持召开中央全面深化改革委员会第四次会议并发表重要讲话。他强调，改革重在落实，也难在落实。改革进行到今天，抓改革、抓落实的有利条件越来越多，改革的思想基础、实践基础、制度基础、民心基础更加坚实，要投入更多精力、下更大气力抓落实，加强领导，科学统筹，狠抓落实，把改革重点放到解决实际问题上来。中央政治局常委、中央全面深化改革委员会副主任李克强、王沪宁出席会议。会议审议通过了《关于推动高质量发展的意见》《关于建立更加有效的区域协调发展新机制的意见》《关于支持自由贸易试验区深化改革创新的若干措施》《关于完善系统重要性金融机构监管的指导意见》《关于改革和完善疫苗管理体制的意见》《关于统一规划体系更好发挥国家发展规划战略导向作用的意见》《关于促进小农户和现代农业发展有机衔接的意见》。

7. 中央全面深化改革委员会第五次会议

2018 年 11 月 14 日，中共中央总书记、国家主席、中央军委主席、中央全面深化改革委员会主任习近平主持召开中央全面深化改革委员会第五次会议并发表重要讲话。他强调，庆祝改革开放 40 周年，要以新时代中国特色社会主义思想为指导，深刻总结改革开放光辉历程和宝贵经验，引导广大干部群众充分认识改革开放重大意义和伟大成就，增强“四个意识”，坚定“四个自信”，继续高举改革开放伟大旗帜，把握完善和发展中国特色社会主义制度、推进国家治理体系和治理能力现代化的总目标，不断把新时代改革开放继续推向前进。中共中央政治局常委、中央全面深化改革委员会副主任王沪宁、韩正出席会议。会议审议通过了《海南省创新驱动发展战略实施方案》《海南省建设国际旅游消费中心的实施方案》《关于支持海南全面深化改革开放有关财税政策的实施方案》《关于支持海南全面深化改革开放综合财力补助资金的管理办法》《关于调整海南离岛旅客免税购物政策工作方案》《加快完善市场主体退出制度改革方案》《深化政府采购制度改革方案》《国家职业教育改革实施方案》《关于加强县级融媒体中心建设的意见》《关于深化改革培育世界一流科技期刊的意见》《关于推进基层整合审批服务执法力量的实施意见》《关于加强和改进出版工作的意见》《国家组织药品集中采购试点方案》《关于全面推行行政执法公示制度执法全过程记录制度重大执法决定法制审核制度的指导意见》《“街乡吹哨、部门报到”——北京市推进党建引领基层治理体制机制创新的探索》。

8. 中央全面深化改革委员会第六次会议

2019 年 1 月 23 日，中共中央总书记、国家主席、中央军委主席、中央全面深化改革委员会主任习近平主持召开中央全面深化改革委员会第六次会议并发表重要讲话。他强调，党的十一届三中全会是划时代的，开启了改革开放和社会主义现代化建设历史新时期。党的十八届三中全会也是划时代的，开启了全面深化改革、系统整体设计推进改革的新时代，开创了我国改革开放的全新局面。要对标到 2020 年在重要领域和关键环节改革上取得决定性成果，继续打硬仗，啃硬骨头，确保干一件成一件，为全面完成党的十八届三中全会部署的改革任务打下决定性基础。中共中央政治局常委、中央全面深化改革委员会副主任李克强、王沪宁出席会议。会议审议通过了《在上海证券交易所设立科创板并试点注册制总体实施方案》《关于在上海证券交易所设立科创板并试点注册制的实施意见》《关于建立以国家公园为主体的自然保护地体系指导意见》《关于深化教育教学改革全面提高义务教育质量的意见》《关于鼓励引导人才向艰苦边远地区和基层一线流动的意见》《关于政法领域全面深化改革的实施意见》《关于统筹推进自然资源资产产权制度改革的指导意见》《关于建立国土空间规划体系并监督实施的若干意见》《关于构建市场导向的绿色技术创新体系的指导意见》《天然林保护修复制度方案》《国家生态文明试验区（海南）实施方案》《海南热带雨林国家公园体制试点方案》《中央全面深化改革委员会 2019 年工作要点》《中央全面深化改革委员会 2018 年工作总结报告》《党的十八大以来全面深化改革落实情况总结评估报告》。

9. 中央全面深化改革委员会第七次会议

2019 年 3 月 19 日，中共中央总书记、国家主席、中央军委主席、中央全面深化改革委员会主任习近平主持召开中央全面深化改革委员会第七次会议并发表重要讲话。他强调，当前，很多重大改革已经进入推进落实的关键时期，改革任务越是繁重，越要把稳方向、突出实效、全力攻坚，通过改革有效解决困扰基层的形式主义问题，继续把增强人民群众获得感、幸福感、安全感放到突出位置来抓，坚定不移推动落实重大改革举措。中共中央政治局常委、中央全面深化改革委员会副主任李克强、王沪宁、韩正出席会议。会议审议通过了《关于新时代推进西部大开发形成新格局的指导意见》《关于扩大高校和科研院所科研相关自主权的若干意见》《关于促进人工智能和实体经济深度融合的指导意见》《关于加强和改进乡村治理的指导意见》《关于深化公共资源交易平台整合共享的指导意见》《石油天然气管网运营机制改革实施意见》《关于加快推进公共法律服务体系建设的意见》《关于深化消防执法改革的意见》。

10. 中央全面深化改革委员会第八次会议

2019 年 5 月 29 日，中共中央总书记、国家主席、中央军委主席、中央全面深化改革委员会主任习近平主持召开中央全面深化改革委员会第八次会议并发表重要讲话。他强调，当前，我国改革发展形势正处于深刻变化之中，外部不确定不稳定因素增多，改革发展面临许多新情况新问题。我们要保持战略定力，坚持问题导向，因势利导、统筹谋划、精准施策，在防范化解重大矛盾和突出问题上出实招硬招，推动改革更好服务经济社会发展大局。中共中央政治局常委、中央全面深化改革委员会副主任李克强、王沪宁、韩正出席会议。会议审议通过了《关于创新和完善宏观调控的指导意见》《关于在山西开展能源革命综合改革试点的意见》《关于深化影视业综合改革促进我国影视业健康发展的意见》《关于加强创新能力开放合作的若干意见》《关于治理高值医用耗材的改革方案》《关于改革完善体制机制加强粮食储备安全管理的若干意见》《关于完善建设用地使用权转让、出租、抵押二级市场的指导意见》《关于加快农业保险高质量发展的指导意见》《关于进一步推进移风易俗建设文明乡风的指导意见》《关于各地区各部门贯彻落实中央全面深化改革委员会会议精神深入推进改革督察工作的报告》。

11. 中央全面深化改革委员会第九次会议

2019 年 7 月 24 日，中共中央总书记、国家主席、中央军委主席、中

央全面深化改革委员会主任习近平主持召开中央全面深化改革委员会第九次会议并发表重要讲话。他强调，全面深化改革是我们党守初心、担使命的重要体现。改革越到深处，越要担当作为、蹄疾步稳、奋勇前进，不能有任何停一停、歇一歇的懈怠。要紧密结合“不忘初心、牢记使命”主题教育，提高改革的思想自觉、政治自觉、行动自觉，迎难而上、攻坚克难，着力补短板、强弱项、激活力、抓落实，坚定不移破除利益固化的藩篱、破除妨碍发展的体制机制弊端。中共中央政治局常委、中央全面深化改革委员会副主任李克强、王沪宁、韩正出席会议。会议审议通过了《国家科技伦理委员会组建方案》《关于强化知识产权保护的意见》《关于促进中医药传承创新发展的意见》《关于深化农村公共基础设施管护体制改革的指导意见》《长城、大运河、长征国家文化公园建设方案》《关于在国土空间规划中统筹划定落实三条控制线的指导意见》《关于加快建立网络综合治理体系的意见》《区域医疗中心建设试点工作方案》《国家产教融合建设试点实施方案》《关于支持深圳建设中国特色社会主义先行示范区的意见》《中国—上海合作组织地方经贸合作示范区建设总体方案》。

12. 中央全面深化改革委员会第十次会议

2019 年 9 月 9 日，中共中央总书记、国家主席、中央军委主席、中央全面深化改革委员会主任习近平主持召开中央全面深化改革委员会第十次会议并发表重要讲话。他强调，落实党的十八届三中全会以来中央确定的各项改革任务，前期重点是夯基垒台、立柱架梁，中期重点在全面推进、积厚成势，现在要把着力点放到加强系统集成、协同高效上来，巩固和深化这些年来我们在解决体制性障碍、机制性梗阻、政策性创新方面取得的改革成果，推动各方面制度更加成熟更加定型。中共中央政治局常委、中央全面深化改革委员会副主任李克强、王沪宁、韩正出席会议。会议审议通过了《关于推动先进制造业和现代服务业深度融合发展的实施意见》《关于营造更好发展环境支持民营企业改革发展的意见》《关于推进贸易高质量发展的指导意见》《关于促进劳动力和人才社会性流动体制机制改革的意见》

《关于减轻中小学教师负担进一步营造教育教学良好环境的若干意见》《关于实施重要农产品保障战略的指导意见》《统筹监管金融基础设施工作方案》《关于加强科技创新支撑平安中国建设的意见》《绿色生活创建行动总体方案》《国有金融资本出资人职责暂行规定》《关于进一步加强塑料污染治理的意见》。

13. 中央全面深化改革委员会第十一次会议

2019年11月26日，中共中央总书记、国家主席、中央军委主席、中央全面深化改革委员会主任习近平主持召开中央全面深化改革委员会第十一次会议并发表重要讲话。他强调，党的十九届四中全会和党的十八届三中全会历史逻辑一脉相承、理论逻辑相互支撑、实践逻辑环环相扣，目标指向一以贯之，重大部署接续递进。党的十九届四中全会不仅系统集成了党的十八届三中全会以来全面深化改革的理论成果、制度成果、实践成果，而且对新时代全面深化改革勾勒出更加清晰的顶层设计。要以坚持和完善中国特色社会主义制度、推进国家治理体系和治理能力现代化为主轴，增强以改革推进国家制度和国家治理体系建设的自觉性，突出制度建设这条主线，继续全面深化改革，既要排查梳理已经部署各项改革任务的完成情况，又要把四中全会部署的重要举措及时纳入工作日程，抓紧就党中央明确的国家治理急需的制度、满足人民对美好生活新期待必备的制度进行研究和部署，实现改革举措的有机衔接、融会贯通，确保取得扎扎实实的成效。中共中央政治局常委、中央全面深化改革委员会副主任李克强、王沪宁、韩正出席会议。会议审议通过了《关于构建更加完善的要素市场化配置体制机制的意见》《关于完善农业支持保护制度的意见》《关于深化我国医疗保障制度改革的意见》《关于全面加强新时代大中小学劳动教育的意见》《关于构建现代环境治理体系的指导意见》《关于深化新时代教育督导体制机制改革的意见》《关于加强农业科技社会化服务体系建设的若干意见》《中央有关部门贯彻落实党的十九届四中全会〈决定〉重要举措分工方案》《党的十八届三中全会以来全面深化改革评估报告》。

14. 中央全面深化改革委员会第十二次会议

2020年2月14日，中共中央总书记、国家主席、中央军委主席、中央全面深化改革委员会主任习近平主持召开中央全面深化改革委员会第十二次会议并发表重要讲话。他强调，确保人民群众生命安全和身体健康，是我们党治国理政的一项重大任务。既要立足当前，科学精准打赢疫情防控阻击战，更要放眼长远，总结经验、吸取教训，针对这次疫情暴露出来的短板和不足，抓紧补短板、堵漏洞、强弱项，该坚持的坚持，该完善的完善，该建立的建立，该落实的落实，完善重大疫情防控体制机制，健全国家公共卫生应急管理体系。中共中央政治局常委、中央全面深化改革委员会副主任李克强、王沪宁、韩正出席会议。会议审议通过了《中央全面深化改革委员会2019年工作总结报告》《中央全面深化改革委员会2020年工作要点》。会议审议通过了《关于新时代加快完善社会主义市场经济体制的意见》《企业职工基本养老保险全国统筹改革方案》《赋予科研人员职务科技成果所有权或长期使用权试点实施方案》《关于深化事业单位改革试点工作的指导意见》《关于深入推进国家高端智库建设试点工作的意见》《关于推动基础设施高质量发展的意见》《关于进一步推进服务业改革开放发展的指导意见》。

15. 中央全面深化改革委员会第十三次会议

2020年4月27日，中共中央总书记、国家主席、中央军委主席、中央全面深化改革委员会主任习近平主持召开中央全面深化改革委员会第十三次会议并发表重要讲话。他强调，我国疫情防控和复工复产之所以能够有力推进，根本原因是党的领导和我国社会主义制度的优势发挥了无可比拟的重要作用。发展环境越是严峻复杂，越要坚定不移深化改革，健全各方面制度，完善治理体系，促进制度建设和治理效能更好转化融合，善于运用制度优势应对风险挑战冲击。中共中央政治局常委、中央全面深化改革委员会副主任李克强、王沪宁、韩正出席会议。会议审议通过了《关于健全公共卫生应急物资保障体系的实施方案》《关于推进医疗保障基金监管制度体系改革的指导意见》《创业板改革并试点注册制总体实施方案》《全国重要生态系统保护和修复重大工程总体规划（2021—2035 年）》《关于深化体教融合促进青少年健康发展的意见》《党的十九届四中全会重要改革举措实施规划（2020—2021 年）》。会议听取了党的十八届三中全会以来科技体制改革进展情况和下一步改革思路汇报。

16. 中央全面深化改革委员会第十四次会议

2020 年 6 月 30 日，中共中央总书记、国家主席、中央军委主席、中央全面深化改革委员会主任习近平主持召开中央全面深化改革委员会第十四次会议并发表重要讲话。他强调，胜利完成“十三五”规划主要目标任务、决胜脱贫攻坚、全面建成小康社会，乘势而上开启全面建设社会主义现代化国家新征程，必须发挥好改革的突破和先导作用，依靠改革应对变局、开拓新局，坚持目标引领和问题导向，既善于积势蓄势谋势，又善于识变求变应变，紧紧扭住关键，积极鼓励探索，突出改革实效，推动改革更好服务经济社会发展大局。中共中央政治局常委、中央全面深化改革委员会副主任李克强、王沪宁出席会议。会议审议通过了《国企改革三年行动方案（2020—2022 年）》《关于深化新一代信息技术与制造业融合发展的指导意见》《深化农村宅基地制度改革试点方案》《关于加快推进媒体深度融合发展的指导意见》《深化新时代教育评价改革总体方案》《关于深化国有文艺院团改革的实施意见》。会议还听取了党的十八届三中全会以来医药卫生体制改革进展情况汇报。

17. 中央全面深化改革委员会第十五次会议

2020 年 9 月 1 日，中共中央总书记、国家主席、中央军委主席、中央全面深化改革委员会主任习近平主持召开中央全面深化改革委员会第十五次会议并发表重要讲话。他强调，加快形成以国内大循环为主体、国内国际双循环相互促进的新发展格局，是根据我国发展阶段、环境、条件变化作出的战略决策，是事关全局的系统性深层次变革。要继续用足用好改革这个关键一招，保持勇往直前、风雨无阻的战略定力，围绕坚持和完善中国特色社会主义制度、推进国家治理体系和治理能力现代化，推动更深层次改革，实行更高水平开放，为构建新发展格局提供强大动力。中共中央政治局常委、中央全面深化改革委员会副主任李克强、王沪宁、韩正出席会议。会议审议通过了《关于推进对外贸易创新发展的实施意见》《关于新时代振兴中西部高等教育的若干意见》《关于规范民办义务教育发展的实施意见》《关于进一步规范医疗行为促进合理医疗检查的指导意见》《关于进一步推进生活垃圾分类工作的若干意见》。会议还听取了党的十八届三中全会以来农村改革进展情况汇报。

18. 中央全面深化改革委员会第十六次会议

2020 年 11 月 2 日，中共中央总书记、国家主席、中央军委主席、中央全面深化改革委员会主任习近平主持召开中央全面深化改革委员会第十六次会议并发表重要讲话。他强调，“十三五”以来，全面深化改革取得重大突破。“十四五”时期我国将进入新发展阶段，改革又到了一个新的关头。贯彻党的十九届五中全会精神，要继续把握好改革和发展的内在联系，深刻认识我国社会主要矛盾变化带来的新特征新要求，深刻认识错综复杂国际环境带来的新矛盾新挑战，深刻认识全面深化改革的阶段性新特点新任务，紧扣贯彻新发展理念、推进高质量发展、构建新发展格局，紧盯解决突出问题，提高改革的战略性、前瞻性、针对性，使改革更好对接发展所需、基层所盼、民心所向，推动改革和发展深度融合、高效联动。中共中央政治局常委、中央全面深化改革委员会副主任李克强、王沪宁、韩正出席会议。会议审议通过了《关于新时代推进国有经济布局优化和结构调整的意见》《建设高标准市场体系行动方案》《全国人民代表大会常务委员会关于加强国有资产管理情况监督的决定》《关于促进养老托育服务健康发展的意见》《关于全面推行林长制的意见》《关于文化企业坚持正确导向履行社会责任的指导意见》《健全上市公司退市机制实施方案》《关于依法从严打击证券违法活动的若干意见》。会议还听取了党的十八届三中全会以来教育领域综合改革进展情况汇报。

19. 中央全面深化改革委员会第十七次会议

2020年12月30日，中共中央总书记、国家主席、中央军委主席、中央全面深化改革委员会主任习近平主持召开中央全面深化改革委员会第十七次会议并发表重要讲话。他强调，党的十八届三中全会以来，党中央以前所未有的决心和力度冲破思想观念的束缚，突破利益固化的藩篱，坚决破除各方面体制机制弊端，积极应对外部环境变化带来的风险挑战，开启了气势如虹、波澜壮阔的改革进程。党的十八届三中全会确定的目标任务全面推进，各领域基础性制度框架基本确立，许多领域实现历史性变革、系统性重塑、整体性重构，为推动形成系统完备、科学规范、运行有效的制度体系，使各方面制度更加成熟更加定型奠定了坚实基础，全面深化改革取得历史性伟大成就。要坚定改革信心，汇聚改革合力，再接再厉，锐意进取，推动新发展阶段改革取得更大突破、展现更大作为。中共中央政治局常委、中央全面深化改革委员会副主任李克强、王沪宁、韩正出席会议。会议审议了党的十八届三中全会以来全面深化改革总结评估报告。会议审议通过了《关于中央企业党的领导融入公司治理的若干意见（试行）》《关于加快建立健全绿色低碳循环发展经济体系的指导意见》《环境信息依法披露制度改革方案》《关于建立健全政务数据共享协调机制加快推进数据有序共享的意见》《关于进一步深化预算管理制度改革的意见》《新时代加强和改进思想政治工作的意见》《关于进一步优化税务执法方式的意见》《关于设立北京金融法院的方案》。

20. 中央全面深化改革委员会第十八次会议

2021年2月19日，中共中央总书记、国家主席、中央军委主席、中央全面深化改革委员会主任习近平主持召开中央全面深化改革委员会第十八次会议并发表重要讲话。他强调，全面深化改革同贯彻新发展理念、构建新发展格局紧密关联，要完整、准确、全面贯彻新发展理念，扭住构建新发展格局目标任务，更加精准地出台改革方案，推动改革向更深层次挺进，发挥全面深化改革在构建新发展格局中的关键作用。中共中央政治局常委、中央全面深化改革委员会副主任李克强、王沪宁、韩正出席会议。会议审议通过了《中央全面深化改革委员会2020年工作总结报告》《中央全面深化改革委员会2021年工作要点》。会议审议通过了《关于完善重要民生商品价格调控机制的意见》《关于推动公立医院高质量发展的意见》《关于县以下事业单位建立管理岗位职员等级晋升制度的意见》《关于全面加强药品监管能力建设的实施意见》《关于建立健全生态产品价值实现机制的意见》《关于持续防范和整治"村霸"问题的意见》《关于加强诉源治理推动矛盾纠纷源头化解的意见》。

21. 中央全面深化改革委员会第十九次会议

2021年5月21日，中共中央总书记、国家主席、中央军委主席、中央全面深化改革委员会主任习近平主持召开中央全面深化改革委员会第十九次会议。习近平总书记在主持会议时强调，加快实现科技自立自强，要用好科技成果评价这个指挥棒，遵循科技创新规律，坚持正确的科技成果评价导向，激发科技人员积极性。义务教育是国民教育的重中之重，要全面贯彻党的教育方针，落实立德树人根本任务，充分发挥学校教书育人主体功能，强化线上线下校外培训机构规范管理。要强化基本医疗卫生事业公益属性，深化医疗服务价格改革，建立合理补偿机制，稳定调价预期，确保群众负担总体稳定、医保基金可承受、公立医疗机构健康发展可持续，提高医疗卫生为人民服务质量和水平。要围绕生态文明建设总体目标，加强同碳达峰、碳中和目标任务衔接，进一步推进生态保护补偿制度建设，发挥生态保护补偿的政策导向作用。要本着对历史负责、对人民负责的态度，建立分类科学、保护有力、管理有效的城乡历史文化保护传承体系。中共中央政治局常委、中央全面深化改革委员会副主任李克强、王沪宁、韩正出席会议。会议审议通过了《关于完善科技成果评价机制的指导意见》《关于进一步减轻义务教育阶段学生作业负担和校外培训负担的意见》《深化医疗服务价格改革试点方案》《关于深化生态保护补偿制度改革的意见》《关于在城乡建设中加强历史文化保护传承的若干意见》。

22. 中央全面深化改革委员会第二十次会议

2021年7月9日，中共中央总书记、国家主席、中央军委主席、中央全面深化改革委员会主任习近平主持召开中央全面深化改革委员会第二十次会议。习近平总书记在主持会议时强调，加快构建新发展格局，是我们把握未来发展主动权的战略举措，是为了在各种可以预见和难以预见的惊涛骇浪中增强我们的生存力、竞争力、发展力、持续力，是一场需要保持顽强斗志和战略定力的攻坚战、持久战，要自觉把本地区本部门工作纳入构建新发展格局中统筹考虑和谋划，以更加坚定的思想自觉、精准务实的举措、真抓实干的劲头，推动构建新发展格局取得扎扎实实成效。农业现代化，种子是基础，必须把民族种业搞上去，把种源安全提升到关系国家安全的战略高度，集中力量破难题、补短板、强优势、控风险，实现种业科技自立自强、种源自主可控。要站在保障中华民族生存和发展的历史高度，坚持对历史负责、对人民负责、对世界负责的态度，抓好青藏高原生态环境保护和可持续发展工作。要围绕实行高水平对外开放，充分运用国际国内两个市场、两种资源，对标高标准国际经贸规则，积极推动制度创新，以更大力度谋划和推进自由贸易试验区高质量发展。中共中央政治局常委、中央全面深化改革委员会副主任李克强、王沪宁、韩正出席会议。会议审议通过了《关于加快构建新发展格局的指导意见》《种业振兴行动方案》《青藏高原生态环境保护和可持续发展方案》《关于推进自由贸易试验区贸易投资便利化改革创新的若干措施》。

23. 中央全面深化改革委员会第二十一次会议

2021年8月30日，中共中央总书记、国家主席、中央军委主席、中央全面深化改革委员会主任习近平主持召开中央全面深化改革委员会第二十一次会议。习近平总书记在主持会议时强调，强化反垄断、深入推进公平竞争政策实施，是完善社会主义市场经济体制的内在要求。要从构建新发展格局、推动高质量发展、促进共同富裕的战略高度出发，促进形成公平竞争的市场环境，为各类市场主体特别是中小企业创造广阔的发展空间，更好保护消费者权益。国家储备是国家治理的重要物质基础，要从体制机制层面加强战略和应急物资储备安全管理，强化战略保障、宏观调控和应对急需功能，增强防范抵御重大风险能力。要巩固污染防治攻坚成果，坚持精准治污、科学治污、依法治污，以更高标准打好蓝天、碧水、净土保卫战，以高水平保护推动高质量发展、创造高品质生活，努力建设人与自然和谐共生的美丽中国。要强化统计监督职能，提高统计数据质量，加快构建系统完整、协同高效、约束有力的统计监督体系。中共中央政治局常委、中央全面深化改革委员会副主任李克强、王沪宁、韩正出席会议。会议审议通过了《关于强化反垄断深入推进公平竞争政策实施的意见》《关于改革完善体制机制加强战略和应急物资储备安全管理的若干意见》《关于深入打好污染防治攻坚战的意见》《关于更加有效发挥统计监督职能作用的意见》。

24. 中央全面深化改革委员会第二十二次会议

2021 年 11 月 24 日，中共中央总书记、国家主席、中央军委主席、中央全面深化改革委员会主任习近平主持召开中央全面深化改革委员会第二十二次会议。习近平总书记在主持会议时强调，开展科技体制改革攻坚，目的是从体制机制上增强科技创新和应急应变能力，突出目标导向、问题导向，抓重点、补短板、强弱项，锚定目标、精准发力、早见成效，加快建立保障高水平科技自立自强的制度体系，提升科技创新体系化能力。要遵循电力市场运行规律和市场经济规律，优化电力市场总体设计，实现电力资源在全国更大范围内共享互济和优化配置，加快形成统一开放、竞争有序、安全高效、治理完善的电力市场体系。加强党对教育工作的全面领导是办好教育的根本保证，要在中小学校建立党组织领导的校长负责制，把政治标准和政治要求贯穿办学治校、教书育人全过程各方面，坚持为党育人、为国育才，保证党的教育方针和党中央决策部署在中小学校得到贯彻落实。要加强文物保护利用和文化遗产保护传承，提高文物研究阐释和展示传播水平，让文物真正活起来，成为加强社会主义精神文明建设的深厚滋养，成为扩大中华文化国际影响力的重要名片。要支持中关村国家自主创新示范区更好发挥科技资源和制度创新优势，开展高水平科技自立自强先行先试改革。中共中央政治局常委、中央全面深化改革委员会副主任李克强、王沪宁、韩正出席会议。会议审议通过了《科技体制改革三年攻坚方案（2021—2023 年）》《关于加快建设全国统一电力市场体系的指导意见》《关于建立中小学校党组织领导的校长负责制的意见（试行）》《关于让文物活起来、扩大中华文化国际影响力的实施意见》《关于支持中关村国家自主创新示范区开展高水平科技自立自强先行先试改革的若干措施》。

25. 中央全面深化改革委员会第二十三次会议

2021 年 12 月 17 日，中共中央总书记、国家主席、中央军委主席、中央全面深化改革委员会主任习近平主持召开中央全面深化改革委员会第二十三次会议。习近平总书记在主持会议时强调，发展社会主义市场经济是我们党的一个伟大创造，关键是处理好政府和市场的关系，使市场在资源配置中起决定性作用，更好发挥政府作用。构建新发展格局，迫切需要加快建设高效规范、公平竞争、充分开放的全国统一大市场，建立全国统一的市场制度规则，促进商品要素资源在更大范围内畅通流动。要加快转变政府职能，提高政府监管效能，推动有效市场和有为政府更好结合，依法保护企业合法权益和人民群众生命财产安全。要突出培养一流人才、服务国家战略需求、争创世界一流的导向，深化体制机制改革，统筹推进、分类建设一流大学和一流学科。科技伦理是科技活动必须遵守的价值准则，要坚持增进人类福祉、尊重生命权利、公平公正、合理控制风险、保持公开透明的原则，健全多方参与、协同共治的治理体制机制，塑造科技向善的文化理念和保障机制。要推动发展适合中国国情、政府政策支持、个人自愿参加、市场化运营的个人养老金，与基本养老保险、企业（职业）年金相衔接，实现养老保险补充功能。中共中央政治局常委、中央全面深化改革委员会副主任李克强、王沪宁、韩正出席会议。会议审议通过了《关于加快建设全国统一大市场的意见》《关于进一步提高政府监管效能推动高质量发展的指导意见》《关于深入推进世界一流大学和一流学科建设的若干意见》《关于加强科技伦理治理的指导意见》《关于推动个人养老金发展的意见》。

26. 中央全面深化改革委员会第二十四次会议

2022 年 2 月 28 日，中共中央总书记、国家主席、中央军委主席、中央全面深化改革委员会主任习近平主持召开中央全面深化改革委员会第二十四次会议。习近平总书记在主持会议时强调，要坚持党的全面领导，发展更高水平的社会主义市场经济，毫不动摇巩固和发展公有制经济，毫不动摇鼓励、支持和引导非公有制经济发展，加快建设一批产品卓越、品牌卓著、创新领先、治理现代的世界一流企业，在全面建设社会主义现代化国家、实现第二个百年奋斗目标进程中实现更大发展、发挥更大作用。要始终坚持以人民为中心的发展思想，推进普惠金融高质量发展，健全具有高度适应性、竞争力、普惠性的现代金融体系，更好满足人民群众和实体经济多样化的金融需求，切实解决贷款难贷款贵问题。要全方位谋划基础学科人才培养，科学确定人才培养规模，优化结构布局，在选拔、培养、评价、使用、保障等方面进行体系化、链条式设计，大力培养造就一大批国家创新发展急需的基础研究人才。要推动国有企业完善创新体系、增强创新能力、激发创新活力，促进产业链创新链深度融合，提升国有企业原创技术需求牵引、源头供给、资源配置、转化应用能力，打造原创技术策源地。中共中央政治局常委、中央全面深化改革委员会副主任李克强、王沪宁、韩正出席会议。会议审议通过了《关于加快建设世界一流企业的指导意见》《推进普惠金融高质量发展的实施意见》《关于加强基础学科人才培养的意见》《关于推进国有企业打造原创技术策源地的指导意见》。会议审议了《中央全面深化改革委员会 2021 年工作总结报告》《中央全面深化改革委员会 2022 年工作要点》。

27. 中央全面深化改革委员会第二十五次会议

2022 年 4 月 19 日，中共中央总书记、国家主席、中央军委主席、中

央全面深化改革委员会主任习近平主持召开中央全面深化改革委员会第二十五次会议。习近平总书记在主持会议时强调，要全面贯彻网络强国战略，把数字技术广泛应用于政府管理服务，推动政府数字化、智能化运行，为推进国家治理体系和治理能力现代化提供有力支撑。要理顺省以下政府间财政关系，使权责配置更为合理，收入划分更加规范，财力分布相对均衡，基层保障更加有力，促进加快建设全国统一大市场、推进基本公共服务均等化、推动高质量发展。要贯彻依法依规、客观公正、科学认定、权责一致、终身追责的原则，着力构建科学、规范、合理的审计评价指标体系，推动领导干部切实履行自然资源资产管理和生态环境保护责任。要聚焦金融服务科技创新的短板弱项，完善金融支持创新体系，推动金融体系更好适应新时代科技创新需求。要坚持面向世界科技前沿、面向经济主战场、面向国家重大需求、面向人民生命健康，树立勇担使命、潜心研究、创造价值的激励导向，营造有利于原创成果不断涌现、科技成果有效转化的创新生态，激励广大科技人员各展其能、各尽其才。中共中央政治局常委、中央全面深化改革委员会副主任李克强、王沪宁、韩正出席会议。会议审议通过了《关于加强数字政府建设的指导意见》《关于进一步推进省以下财政体制改革工作的指导意见》《关于建立健全领导干部自然资源资产离任审计评价指标体系的意见》《“十四五”时期完善金融支持创新体系工作方案》《关于完善科技激励机制的若干意见》。

28. 中央全面深化改革委员会第二十六次会议

2022 年 6 月 22 日，中共中央总书记、国家主席、中央军委主席、中央全面深化改革委员会主任习近平主持召开中央全面深化改革委员会第二十六次会议。习近平总书记在主持会议时强调，数据基础制度建设事关国家发展和安全大局，要维护国家数据安全，保护个人信息和商业秘密，促进数据高效流通使用、赋能实体经济，统筹推进数据产权、流通交易、收益分配、安全治理，加快构建数据基础制度体系。要加强党中央对行政区划工作的集中统一领导，做好统筹规划，避免盲目无序。要遵循科技创新规律和人才成长规律，以激发科技人才创新活力为目标，按照创新活动类型，构建以创新价值、能力、贡献为导向的科技人才评价体系，引导人尽其才、才尽其用、用有所成。要推动大型支付和金融科技平台企业回归本源，健全监管规则，补齐制度短板，保障支付和金融基础设施安全，防范化解系统性金融风险隐患，支持平台企业在服务实体经济和畅通国内国际双循环等方面发挥更大作用。中共中央政治局常委、中央全面深化改革委员会副主任李克强、王沪宁、韩正出席会议。会议审议通过了《关于构建数据基础制度更好发挥数据要素作用的意见》《关于加强和改进行政区划工作的意见》《关于开展科技人才评价改革试点的工作方案》《强化大型支付平台企业监管促进支付和金融科技规范健康发展工作方案》。

29. 中央全面深化改革委员会第二十七次会议

2022年9月6日，中共中央总书记、国家主席、中央军委主席、中央全面深化改革委员会主任习近平主持召开中央全面深化改革委员会第二十七次会议。习近平总书记在主持会议时强调，要发挥我国社会主义制度能够集中力量办大事的显著优势，强化党和国家对重大科技创新的领导，充分发挥市场机制作用，围绕国家战略需求，优化配置创新资源，强化国家战略科技力量，大幅提升科技攻关体系化能力，在若干重要领域形成竞争优势、赢得战略主动。要以完善制度、解决突出问题为重点，提高院士遴选质量，更好发挥院士作用，让院士称号进一步回归荣誉性、学术性。要完整、准确、全面贯彻新发展理念，坚持把节约资源贯穿于经济社会发展全过程、各领域，推进资源总量管理、科学配置、全面节约、循环利用，提高能源、水、粮食、土地、矿产、原材料等资源利用效率，加快资源利用方式根本转变。要深化农村集体经营性建设用地入市试点工作，严格条件、规范程序，探索解决改革中的深层次问题。要健全适应乡村特点、优质高效的乡村医疗卫生体系，让广大农民群众能够就近获得更加公平可及、系统连续的医疗卫生服务。中共中央政治局常委、中央全面深化改革委员会副主任李克强、王沪宁、韩正出席会议。会议审议通过了《关于健全社会主义市场经济条件下关键核心技术攻关新型举国体制的意见》《关于深化院士制度改革的若干意见》《关于全面加强资源节约工作的意见》《关于深化农村集体经营性建设用地入市试点工作的指导意见》《关于进一步深化改革促进乡村医疗卫生体系健康发展的意见》。

三、二十届中央全面深化改革委员会会议

1. 中央全面深化改革委员会第一次会议

2023 年 4 月 21 日，中共中央总书记、国家主席、中央军委主席、中央全面深化改革委员会主任习近平主持召开二十届中央全面深化改革委员会第一次会议并发表重要讲话。习近平总书记在主持会议时强调，今年是全面贯彻党的二十大精神的开局之年，也是改革开放 45 周年和党的十八届三中全会召开 10 周年。实现新时代新征程的目标任务，要把全面深化改革作为推进中国式现代化的根本动力，作为稳大局、应变局、开新局的重要抓手，把准方向、守正创新、真抓实干，在新征程上谱写改革开放新篇章。中共中央政治局常委、中央全面深化改革委员会副主任李强、王沪宁、蔡奇出席会议。会议审议通过了《关于强化企业科技创新主体地位的意见》《关于加强和改进国有经济管理有力支持中国式现代化建设的意见》《关于促进民营经济发展壮大的意见》《中央全面深化改革委员会工作规则》《中央全面深化改革委员会专项小组工作规则》《中央全面深化改革委员会办公室工作细则》《中央全面深化改革委员会 2023 年工作要点》。

2. 中央全面深化改革委员会第二次会议

2023 年 7 月 11 日，中共中央总书记、国家主席、中央军委主席、中央全面深化改革委员会主任习近平主持召开中央全面深化改革委员会第二次会议。习近平总书记在主持会议时强调，建设更高水平开放型经济新体制是我们主动作为以开放促改革、促发展的战略举措，要围绕服务构建新发展格局，以制度型开放为重点，聚焦投资、贸易、金融、创新等对外交

流合作的重点领域深化体制机制改革，完善配套政策措施，积极主动把我国对外开放提高到新水平。要锚定实现农业农村现代化、建设农业强国的战略目标，以处理好农民和土地关系为主线，加快补齐农业农村发展短板，为全面建设社会主义现代化国家打下坚实基础。要立足我国生态文明建设已进入以降碳为重点战略方向的关键时期，完善能源消耗总量和强度调控，逐步转向碳排放总量和强度双控制度。要把推动高校教师、科研人员薪酬分配制度改革作为统筹推进教育、科技、人才事业发展的重要抓手，逐步建立激发创新活力、知识价值导向、管理规范有效、保障激励兼顾的薪酬制度，进一步激发高等学校、科研院所创新创造活力。要围绕提升国家油气安全保障能力的目标，针对油气体制存在的突出问题，积极稳妥推进油气行业上、中、下游体制机制改革，确保稳定可靠供应。要深化电力体制改革，加快构建清洁低碳、安全充裕、经济高效、供需协同、灵活智能的新型电力系统，更好推动能源生产和消费革命，保障国家能源安全。中共中央政治局常委、中央全面深化改革委员会副主任李强、王沪宁、蔡奇出席会议。会议审议通过了《关于建设更高水平开放型经济新体制促进构建新发展格局的意见》《深化农村改革实施方案》《关于推动能耗双控逐步转向碳排放双控的意见》《关于高等学校、科研院所薪酬制度改革试点的意见》《关于进一步深化石油天然气市场体系改革提升国家油气安全保障能力的实施意见》《关于深化电力体制改革加快构建新型电力系统的指导意见》。

3. 中央全面深化改革委员会第三次会议

2023 年 11 月 7 日，中共中央总书记、国家主席、中央军委主席、中央全面深化改革委员会主任习近平主持召开中央全面深化改革委员会第三次会议。习近平总书记在主持会议时强调，建设美丽中国是全面建设社会主义现代化国家的重要目标，要锚定 2035 年美丽中国目标基本实现，持续深入推进污染防治攻坚，加快发展方式绿色转型，提升生态系统多样性、稳定性、持续性，守牢安全底线，健全保障体系，推动实现生态环境根本好转。国有资本经营预算是国家预算体系的重要组成部分，要完善国有资本经营预算制度，扩大实施范围，强化功能作用，健全收支管理，提升资金效能。要健全自然垄断环节监管体制机制，强化制度设计，完善监管体系，提升监管能力，增强国有经济对自然垄断环节控制力，更好满足构建现代化基础设施体系的需要，更好保障国家安全。要立足更好服务和支撑公共决策，加强专家参与公共决策行为监督管理，完善体制机制，规范流程标准，强化全过程管理，营造人尽其才、富有活力、风清气正的专家参与公共决策环境。生态环境分区管控在生态环境源头预防体系中具有基础性作用，要加强顶层设计、完善制度体系，以保障生态功能和改善环境质量为目标，推动实现生态环境分区域差异化精准管控。中共中央政治局常委、中央全面深化改革委员会副主任李强、王沪宁、蔡奇出席会议。会议审议通过了《关于全面推进美丽中国建设的意见》《关于进一步完善国有资本经营预算制度的意见》《关于健全自然垄断环节监管体制机制的实施意见》《关于加强专家参与公共决策行为监督管理的指导意见》《关于加强生态环境分区管控的指导意见》。

后　记

中国学人尤其是历史研究者，都对重大纪念日有着强烈的感觉，多数想着写点东西表现一下自己肩负的使命责任。2023 年是中国改革开放 45 周年，也是党的十八届三中全会启动全面深化改革开放 10 周年。我们很早就想着把国内研究改革开放最好的学者们集合起来，对这段波澜壮阔的历史进程进行梳理写作，为新时期的改革开放画像，为新时代的全面深化改革开放画像，也为人们了解这段流金岁月提供基本素材。这是因为，我们国家有专门研究新中国史的部门，也有专门研究中共党史的部门，唯独缺乏专门研究中国改革开放史的部门。这样，就给我们研究改革开放的学者提供了合作研究机遇，当然也因我们有义不容辞的责任。

责任不等于胜任，必须请专业的人干专业的事。因此，我们邀请了中央党校（国家行政学院）中共党史教研部专门从事改革开放研究的专家，邀请了中央党史和文献研究院长期从事该领域研究的专家，共襄盛举。陈述教授主动承担《中国改革开放》第一卷的写作，对 1978 年至 1989 年间的改革开放进行梳理；李庆刚教授主动承担《中国改革开放》第二卷的写作，对 1989 年至 2002 年间的改革开放进行分析；桑东华研究员主动承担《中国改革开放》第三卷的写作，对 2002 年至 2012 年间的改革开放进行介绍；沈传亮教授不仅主动承担《中国改革开放》第四卷的写作，对新时代全面深化改革开放进行详细发掘探讨，而且作了大量联络协调工作，努力推动本套书的写作出版。

《中国改革开放》全书约150万字，是目前国内对当代中国改革开放45年光辉历程比较系统、完整进行研究的首套重头著作。各位作者认真努力，精益求精，前后花了两年多时间对书稿打磨雕琢。出版过程中，有不少同行专家学者提出了宝贵意见，我们尽量予以吸纳；对专家学者们的厚爱和支持，我们一定铭记于心。

中央党校（国家行政学院）原分管日常工作的副校（院）长何毅亭同志拨冗作序，中国书法家协会第八届主席孙晓云女士题写书名，为本套丛书增添了无尽光辉。对此，主编携诸位作者向他们表示深深的敬意和衷心的感谢。

贵州出版集团、北京出版集团的领导和本套丛书各卷的编辑，付出了很多心血，投入了大量时间，体现了非同一般的远见卓识和锱铢必较的精准思维，令我们感佩不已，也增强了我们将此套丛书公开出版的信心、信念。

当前，全面深化改革开放的实践依然如火如荼，学者们的研究步履坚定铿锵。我们作为这段历史的见证者、参与者，将会持续关注，努力做好记录者，为以中国式现代化全面推进强国建设、民族复兴伟业尽一份自己的责任。

在2024年即将到来之际，写下这些感悟，谨为后记。

主编

2023年12月31日